afgeschreven

In verleiding

Douglas Kennedy

In verleiding

2007 – De Boekerij – Amsterdam

Oorspronkelijke titel: Temptation Island (Hutchinson)
Vertaling: Reneé Milders Dowden
Omslagontwerp: marliesvisser.nl
Omslagfoto: Getty Images

ISBN: 978-90-225-4825-7

Voor Fred Haines

'Slagen is niet genoeg. Anderen moeten falen.'
– Gore Vidal

DEEL I

1

Ik heb altijd rijk willen zijn. Ik weet het, het klinkt vast een beetje cru, maar het is de waarheid. Ik geef het eerlijk toe.

Ongeveer een jaar geleden werd mijn wens vervuld. Na tien jaar pech – een eindeloze stoet afwijzingsbriefjes zoals 'We kunnen hier helaas niets mee doen', 'Het is het nét niet helemaal' en 'Vorige maand waren we net op zoek naar iets dergelijks' en (natuurlijk) onbeantwoorde telefoontjes – had het de goden van het toeval behaagd me toe te lachen. Ik werd gebeld. Let wel: ik kreeg het bericht waarvan iedereen die met de schrijverij in zijn levensonderhoud tracht te voorzien, droomt.

Ik werd gebeld door Alison Ellroy, mijn lijdende literair agent.

'David? Ik heb het verkocht.'

Mijn hart stond zowat stil. Ik had de woorden 'Ik heb het verkocht' in geen… Nou, de eerlijkheid gebiedt me te zeggen dat ik ze nog nooit had gehoord.

'Je hebt wát verkocht?' vroeg ik, omdat er op dat moment vijf scenario's van me bij de diverse studio's en productiemaatschappijen circuleerden.

'De pilotaflevering, het proefprogramma,' antwoordde ze.

'Voor de televisieserie?'

'Klopt. Ik heb *Selling You* verkocht.'

'Aan wie?'

'Aan FRT.'

'Pardon?'

'Aan FRT, je weet wel, Front Row Television, de beste, hipste producent van tv-programma's.'

Mijn hart was onderhand toe aan defibrillatie.

'Ik weet wat FRT doet, Alison. FRT heeft mijn pilotaflevering gekocht?'

'Ja, David. FRT heeft *Selling You* gekocht.'

Het was even stil.

'En ze betalen?' vroeg ik.

'Natuurlijk betalen ze. Want geloof het of niet, het is een commercieel bedrijf.'

'Sorry, sorry. Ik bedoel… hoeveel?'

'Veertigduizend.'

'Dat zal wel.'

'Kan het niet wat enthousiaster?'

'Ik ben dolblij, maar ik...'

'Ik weet het, we hebben het niet over miljoenen, maar als het nieuwkomers betreft, worden dat soort klappers hier hooguit twee keer per jaar gemaakt. Veertigduizend is het standaardbedrag voor een pilotaflevering, zeker voor een scriptschrijver van wie nog niets is geproduceerd. Wat verdien je nou eigenlijk bij die boekhandel van je, bij Book Soup?'

'Vijftienduizend per jaar.'

'Dan moet je het zo zien: je haalt in één klap het drievoudige binnen, en dit is nog maar het begin. Ze gaan niet alleen voor een proefprogramma, ze willen de hele serie doen.'

'Hebben ze dat gezegd?'

'Ja, dat hebben ze gezegd.'

'En jij gelooft dat?'

'Kijk, jochie, we hebben het natuurlijk wel over de hoofdstad van de gespleten tongen, maar het ziet ernaar uit dat ze het echt van plan zijn.'

Mijn hoofd tolde. Goed nieuws, goed nieuws.

'Ik weet niet goed wat ik moet zeggen,' zei ik.

'Probeer dit eens: "Dank je wel."'

'Dank je wel.'

Daar bleef het niet bij. De dag na haar telefoontje reed ik naar het Beverly Center en legde driehonderdvijfenzeventig dollar neer voor een Mont Blanc-vulpen. Die middag, toen ik Alison de pen gaf, leek ze oprecht aangedaan.

'Weet je dat dit de eerste keer is dat ik een cadeautje van een scenarioschrijver krijg in... Hoe lang doe ik dit werk ook alweer?'

'Geen idee. Zeg het maar.'

'Laten we zeggen dertig jaar. Nou ja, eens moet de eerste keer zijn. Hartstikke bedankt. Als je maar niet denkt dat je 'm van me mag lenen voor het tekenen van het contract.'

Mijn vrouw Lucy was ontzet dat ik een dergelijk bedrag had neergeteld voor een cadeautje voor mijn literair agent.

'Wat krijgen we nou,' zei ze. 'Heb je eindelijk wat verkocht – ik mag wel zeggen voor een schijntje – en dan gedraag je je meteen alsof je een topper als Robert Towne bent.'

'Het was maar een gebaar, meer niet.'

'Een gebaar van driehonderdvijfenzeventig dollar.'

'We kunnen het ons veroorloven.'

'O ja? Reken nou eens even mee, David. Alison krijgt vijftien procent van die veertigduizend en een derde van wat er dan overblijft gaat naar de belastingdienst. Je houdt er nog geen drieëntwintigduizend aan over.'

'Wat weet je dat allemaal goed.'

'Ik heb het uitgerekend. Ik heb meteen maar even gekeken naar onze gezamenlijke schuld bij Visa en Mastercard. Die bedraagt twaalfduizend, en dat bedrag wordt elke maand hoger. Dan hebben we nog de lening die we hebben afgesloten om Caitlins school te kunnen betalen. Die is zesduizend, en met de rente die we daarover betalen, wordt ook dat bedrag elke maand hoger. Goed, ik weet dat we maar één auto hebben in een stad waar iedereen er twee heeft staan, maar het is wél een twaalf jaar oude Volvo met een versnellingsbak die moet worden gerepareerd, wat we niet kunnen betalen, omdat...'

'Oké, oké. Ik geef toe dat ik overdreven gul ben geweest. *Mea maxima culpa*. Enne... bedankt dat je mijn plezier hebt vergald.'

'Niemand wil je plezier vergallen. Je weet heel goed hoe blij ik was toen je me het gisteren vertelde. Hier droom je... Nee, dromen wíj al elf jaar van. Ik wil maar zeggen, David, en zo simpel ligt het: het geld is al op.'

'Oké, oké. Helemaal waar,' zei ik om er maar van af te zijn.

'Het is niet dat ik Alison haar pen misgun, maar misschien was het wel aardig geweest als je eerst even had gedacht aan degene die ons al die jaren voor een faillissement heeft behoed.'

'Je hebt helemaal gelijk. Het spijt me. Maar kop op, de toekomst ziet er rooskleurig uit. We worden rijk.'

'Ik hoop dat je gelijk hebt,' zei ze zachtjes. 'We kunnen wel een meevaller gebruiken.'

Ik bracht mijn hand naar haar gezicht en streek over haar wang. Ze glimlachte gespannen, vermoeid haast, wat niet zo vreemd was, want de laatste tien jaar kon je ons leven omschrijven als één lange, steile klim uit een diep dal.

We hadden elkaar begin jaren negentig in Manhattan leren kennen. Een paar jaar daarvoor was ik vertrokken uit mijn geboorteplaats Chicago en in New York neergestreken, vastbesloten het als toneelschrijver te gaan maken. In plaats daarvan werkte ik als inspiciënt bij kleine avant-gardistische theaters en betaalde de huur van mijn baan bij de Gotham Book Mart, waar ik boeken inruimde. Ik vond een literair agent en die zorgde ervoor dat mijn toneelstukken werden gelezen. Geen enkel toneelstuk werd ooit opgevoerd, maar één stuk, *An Ordinary Evening in Oak Park* (een bijtende satire op het leven in de buitenwijken), bracht het tot try-outs bij de Avenue B Theatre Company (gelukkig was het niet Avenue C). Lucy Everett was een van de actrices. Binnen een week na de eerste repetities besloten we dat we van elkaar hielden en tegen de tijd dat er drie try-outs waren geweest, was ik bij haar ingetrokken in haar eenkamerflatje aan East 19th Street. Twee maanden later kreeg ze een rol in een pilotaflevering van een tv-serie voor ABC die aan de Westkust werd opgenomen. Ik was stapelverliefd en aarzelde geen moment toen ze zei: 'Ga mee.'

We verhuisden naar Los Angeles en vonden een appartementje met twee slaapkamers aan King's Road in West Hollywood. Lucy acteerde in de pilotaflevering en ik bouwde het tweede slaapkamertje om tot een werkkamer. ABC zag af van de pilotaflevering, ik schreef mijn eerste scenario, *We Three Grunts*, dat ik omschreef als een 'tragikomische pastiche op het genre bankovervalfilms'. De overval werd gepleegd door een stel Vietnamveteranen. Het werd niet opgepikt, maar ik hield er wel Alison Ellroy aan over. Ze behoorde tot dat groepje bedreigde diersoorten: een onafhankelijk opererende agent die niet vanuit zo'n prachtig ontworpen architectonisch verantwoorde kolos opereerde, maar er een eenvoudige kantoorruimte in Beverly Hills op na hield. Ze las mijn 'tragikomische' scenario en het toneelstuk, de 'bijtende satire', waarna ze besloot mij in haar stal op te nemen. Bovendien gaf ze me het volgende advies:

'Als je hier in Hollywood met schrijven iets wilt verdienen, onthou dan dat je het eenvoudig moet houden. Zo nu en dan een "tragikomisch" element is prima, maar overdaad schaadt. Bruce Willis mag dan af en toe leuk uit de hoek komen, hij maakt wel altijd korte metten met de Duitse terrorist met de wilskrachtige kin en redt en passant zijn vrouw uit een brandend gebouw. Snap je wat ik bedoel?'

Ik begreep het helemaal. Het jaar daarop leverde ik drie scenario's af: een actiefilm (islamitische terroristen kapen een jacht op de Middellandse Zee met aan boord de drie kinderen van de Amerikaanse president); een familiedrama (moeder met terminale kanker probeert in het reine te komen met haar drie volwassen kinderen, die ze door toedoen van haar nare schoonmoeder tijdens hun jeugd heeft verlaten); en een romantische komedie (afgekeken van *Private Lives* waarin een pasgetrouwd stel tijdens de huwelijksreis valt voor zwager respectievelijk schoonzus). Alle drie de scripts beantwoordden aan de regels van hun genre en alle drie bevatten ze tragikomische elementen. Ze werden geen van drieën aangekocht.

Ondertussen ervoer Lucy dat de deuren van de castingbureaus na het debacle van de pilotaflevering voor ABC niet direct voor haar openvlogen. Ze deed een paar tv-commercials en bíjna had ze de rol van een sympathieke oncoloog gekregen. Het was een film voor de tv-zender Lifetime over een marathonloper die een gevecht levert tegen botkanker. Ze zat ook in de race voor een rol in een schreeuwerige horrorfilm, waarin ze het gillende slachtoffer van een moordenaar met een bijl moest spelen. Net als ik viel ook zij van de ene teleurstelling in de andere. We stonden bijna rood en moesten allebei uitzien naar een betaalde baan. Ik kreeg de eigenaar van Book Soup, mijns inziens de beste onafhankelijke boekhandel in LA, zover me voor dertig uur per week aan te nemen. Lucy werd overgehaald door een eveneens werkloos lid van het SAG, het Screen Actors Guild, de vereniging van filmacteurs en -actrices, om haar geluk in de telemarketing te beproeven. Aanvankelijk vond Lucy het vreselijk werk, maar allengs werd het voor de actrice in haar een uitdaging de haar opgelegde rol van telefonisch verkoper goed te spelen. Tot haar grote afgrijzen bleek ze een uitmuntende verkoper te zijn. Ze verdiende redelijk, tegen de dertigduizend per jaar, en bleef audities doen, maar het lukte haar niet een blijvende indruk achter te laten, dus ze hield het maar bij telemarketing. Toen kwam Caitlin in ons leven.

Ik nam onbetaald verlof op om voor ons dochtertje te zorgen en bleef schrijven: een paar scenario's, een toneelstuk en een opzet voor een tv-serie. Ik verkocht niets. Toen Caitlin een jaar was, liet Lucy haar lidmaatschap van het SAG verlopen en klom op tot leidinggevende van telefonisch verkopers. Ik was weer terug bij Book Soup en ons gezamenlijke netto-inkomen bedroeg ternauwernood veertigduizend dollar per jaar, wat in een stad waar menigeen een dergelijk bedrag uitgeeft aan het in stand houden van de spierbundels, een schijntje is. We konden ons geen beter appartement veroorloven en moesten het doen met een oude Volvo, die nog uit de tijd was van de eerste regering-Reagan. We hadden het idee dat we gevangenzaten, niet alleen in fysieke zin omdat het appartement veel te krap was, maar ook vanwege het groeiende besef dat we een middelmatig leven leidden en onze horizon wel heel erg versmalde. Hoewel we natuurlijk verrukt waren van onze dochter, regen de jaren zich aaneen en toen we eind dertig waren, hadden we het idee dat we elkaars cipier waren. We deden er alles aan om onze diverse professionele teleurstellingen te verwerken, in de wetenschap dat ieder ander de vruchten plukte van de goede tijden die Clinton bracht en wij maar gevangenzaten in Nergenshuizen. Hoewel Lucy alle hoop op een filmcarrière had opgegeven, bleef ik schrijven, wat haar weer tot wanhoop dreef omdat ze het (terecht) een hele opgaaf vond dat zij de rol van kostwinner moest vervullen. Ze probeerde me over te halen mijn baantje bij Book Soup op te geven en naar een betere betrekking te zoeken. Ik verzette me ertegen en zei dat het werk bij de boekhandel en mijn bestaan als scenarioschrijver een goede combinatie vormden.

'Je bestaan als scenarioschrijver?' herhaalde ze op onverholen sarcastische toon. 'Hou 's op met die onzin.'

Daarop volgde natuurlijk een van die nucleaire echtelijke ruzies waarin jaren van opgekropte wrok, vijandigheden en huiselijke frustraties naar buiten kwamen zodat de aarde onder onze voeten verschroeide. Ze zei dan dat ik te veel met mezelf bezig was en ging zelfs zover te stellen dat ik mijn hopeloze carrière als scenarioschrijver belangrijker achtte dan het welzijn van Caitlin. Ik bracht daar dan tegen in dat ik niet alleen het voorbeeld was van de verantwoordelijke vader (nou, dat was ook zo), maar dat mijn professionele integriteit nog steeds intact was.

'Je hebt nog nooit één scenario verkocht en je noemt dat professionaliteit?'

Ik beende de kamer uit, stapte in de auto, reed de hele nacht en stopte pas ergens ten noorden van San Diego. Bij Del Mar maakte ik een strandwandeling en ik wenste dat ik het lef had bij Tijuana de grens over te steken om mijn rampzalige bestaan te ontvluchten en te verdwijnen. Lucy had helemaal gelijk: als scriptschrijver was ik een faliekante mislukking.

Ik was niet van plan om mijn dochter uit woede op te geven, dus ik liep naar de auto, draaide om en reed terug. Vlak voor zonsopgang was ik weer thuis. Lucy lag op de bank in onze rommelige zitkamer, maar ze was klaarwakker en zag er totaal verloren uit. Ik liet me in de fauteuil tegenover haar zakken en we zeiden een hele tijd niets. Zij verbrak het stilzwijgen.

'Dat was vreselijk.'

'Wat je zegt.'

'Ik meende het niet zo,' zei ze.

'Ik ook niet.'

'Ik ben zo verrekte moe, David.'

Ik pakte haar hand en zei: 'Wie niet?'

We gaven elkaar een zoen en maakten het weer goed. We maakten een ontbijt voor Caitlin, brachten haar naar de schoolbus en vertrokken naar onze respectieve baantjes; werk dat ons hoegenaamd geen vreugde schonk en niet eens goed betaalde. Tegen de tijd dat Lucy die avond thuiskwam, was de huiselijke vrede hersteld en de kwaadaardige ruzie is nooit meer ter sprake gekomen. Maar wat eenmaal gezegd is, is gezegd, en hoewel we ons best deden net te doen alsof het allemaal heel harmonieus was, was er toch een soort kilte tussen ons ontstaan.

Geen van beiden deed daar verder wat aan, dus we begroeven ons weer in ons werk. Ik maakte een pilotaflevering van een halfuur voor een comedyserie die ik *Selling You* noemde. Het ging over de machinaties op een pr-kantoor in Chicago, waar een stelletje slimme, maar nogal neurotische figuren werkte. En ja, er zaten tragikomische elementen in. Zelfs Alison vond het goed. In al die jaren was dit het eerste scenario dat haar goedkeuring kon wegdragen, hoewel het naar haar smaak iets té 'tragikomisch' was. Desondanks stuurde ze het op naar het hoofd nieuwe projecten bij FRT, die het op zijn beurt doorgaf aan een onafhankelijke producer genaamd Brad Bruce, een jonge vent die naam maakte als maker van gewaagde, originele televisieseries. Brad zag er wel wat in... en toen belde Alison.

Vanaf dat moment werd alles anders.

Net als Alison behoorde ook Brad Bruce tot een uitstervend ras: hij begreep dat je je alleen met een flinke dosis cynisme in de Stad der Engelen kon handhaven. Hij was ergens eind dertig en kwam net als ik uit het Midden-Westen, uit Milwaukee (God behoede hem). We konden meteen goed met elkaar opschieten en, belangrijker nog, binnen de kortste keren werkten we heel plezierig samen. Ik was het eens met zijn kritiek en we leerden van elkaar. We hadden plezier en hoewel hij wist dat dit het eerste scenario was dat ik had weten te slijten, behandelde hij me als een oude rot in het vak. Ik op mijn beurt werkte hard voor hem, al was het alleen maar omdat ik besefte dat ik in hem een medestander had gevonden. Toch begreep ik heel goed dat als de pilotaflevering niet zou worden gemaakt, hij zijn aandacht heel snel van mij naar een volgend project zou verleggen.

Brad was goed in zijn werk en de pilotaflevering werd opgenomen. Het programma zag er perfect uit: prima acteerwerk, goed geregisseerd, smaakvol camerawerk én het was geestig. FRT was tevreden en een week later belde Alison.

'Ga even rustig zitten,' begon ze.

'Goed nieuws?'

'Kon niet beter. Ik heb Brad Bruce net aan de lijn gehad. Hij belt je zo, maar ik wil graag de brenger van het goede nieuws zijn. Luister: FRT wil beginnen met acht afleveringen van *Selling You*. Brad wil dat jij er vier schrijft en dat je bij de opnamen bent, zodat je scenario ook goed wordt gespeeld.'

Ik was sprakeloos.

'Ben je daar nog?' hoorde ik Alison zeggen.

'Ik zit met open mond te luisteren. Om je de waarheid te zeggen, mijn onderkaak ligt hier ergens op het kleed.'

'Laat dat maar even zo, want ik heb de bedragen hier voor me. Ze bieden vijfenzeventigduizend per aflevering, dus in totaal drie ton voor de vier scenario's. Ik denk dat ik er nog een extra anderhalve ton uit kan slepen voor je werk bij de opnamen. Je naam komt natuurlijk prominent op de aftiteling te staan en ik hoop een aandeel van tussen de vijf en tien procent van de gegenereerde inkomsten te regelen. Gefeliciteerd. Binnenkort ben je een vermogend man.'

Die avond was mijn laatste bij Book Soup en aan het eind van de week deden we een aanbetaling voor een heel leuk, in Spaanse stijl opgetrokken huis in de buurt mid-Wiltshire. De geriatrische Volvo werd vervangen door een Land Rover Discovery en ik leasde een Mini Cooper S, maar beloofde mezelf een Porsche Carrera als *Selling You* een tweede seizoen zou beleven. Lucy was meer dan geïmponeerd door dit alles. Voor het eerst wentelden we ons in echtelijk comfort. We konden ons goede meubels veroorloven, chique keukenapparatuur en haute couture. Omdat ik gebukt ging onder de deadline voor de vier afleveringen, bemoeide Lucy zich met de inrichting van het huis. Ze was net begonnen met de opleiding van een nieuw garnizoen telefonisch verkopers, wat inhield dat ze werkdagen maakte van twaalf uur. De weinige vrije tijd die we hadden, brachten we door met onze dochter.

We werkten keihard, en dat was maar goed ook, want als je dagen overvol zijn, is het een stuk eenvoudiger om de barstjes in je beschadigde huwelijk te negeren.

We hadden het allebei druk, praatten over het geluk dat ons toelachte en deden net of alles weer goed was tussen ons, hoewel we allebei wisten dat de waarheid anders lag. In een melancholieke bui besefte ik dat al het geld ons eerder uiteen had gedreven dan dat het ons dichter bij elkaar had gebracht.

Nog geen jaar later, toen de eerste aflevering van *Selling You* op televisie was geweest en de televisiekritieken lovend waren, keek Lucy me aan en zei: 'Ik neem aan dat je me nu gaat verlaten.'

'Waarom zou ik?'

'Omdat het nu kán.'

'Nee hoor, geen sprake van.'

'Jawel. Dat is een vereiste voor een succesvol scenario.'

Ze had natuurlijk gelijk, maar een en ander speelde zich pas een halfjaar later af. Ik had de Mini Cooper S ingeruild voor de Porsche die ik mezelf had beloofd. Niet alleen was het contract voor *Selling You* verlengd, ik stond ook in het middelpunt van de belangstelling. Mijn serie was dat seizoen het hipste en gewaagdste televisieprogramma en kreeg fantastische kritieken. Geen mens kon eromheen. *Esquire* zette me in de schijnwerpers en in hun rubriek 'Leuke kerels' werd ik 'de Tom Wolfe van de televisie' genoemd. Ik sprak de heren niet tegen en toen de *Los Angeles Times* me vroeg een interview te geven over de lange, louterende weg die ik had moeten afleggen, over mijn baantje bij Book Soup en de bliksemcarrière waardoor ik was toegetreden tot dat selecte clubje van scenarioschrijvers die nou eens niét toegeven aan de simpele smaak van het publiek, zei ik geen nee.

Ik vroeg mijn secretaresse het artikel uit te knippen en het per koerier bij Alison te laten bezorgen. Ik had er een briefje bij gedaan waarin stond: 'Ik denk aan je, simpel en ongecompliceerd. Veel liefs en een dikke zoen, David.'

Een uur later stond er een koerier in mijn kantoor met een gewatteerde envelop met Alison als afzender. Er zat een in cadeaupapier verpakt doosje in en een kaartje met: 'Zak die je bent. Liefs, Alison.'

Het cadeau was iets waarnaar ik mijn leven lang had verlangd: een vulpen van Waterman, om precies te zijn model Edson, de Ferrari onder de schrijfwaren met een adviesprijs van zeshonderdvijfenzeventig dollar. Alison kon het zich veroorloven. Het contract dat ze voor me had afgesloten voor het tweede seizoen van *Selling You* had mij een klein miljoen opgeleverd en zij kreeg daar vijftien procent van.

Alison kwam in het stuk in de *LA Times* nog even aan het woord en zoals gewoonlijk had ze weer wat geestigs te melden. Als reden waarom ze me al die magere jaren als cliënt had aangehouden, gaf ze op dat ik 'altijd precies wist wanneer ik haar níét moest bellen, en geloof me als ik zeg dat er hier in de stad maar een handjevol scenarioschrijvers is die die gave bezitten'. Tot mijn verrassing zei ze ook een paar heel lieve dingen over me. 'Hij is er het levende bewijs van dat talent en doorzettingsvermogen in Hollywood kans van slagen hebben. David is stug doorgegaan, terwijl heel veel aankomende scriptschrijvers het allang hadden opgegeven. Hij verdient het succes: het geld, zijn eigen kantoor, een assistent, de erkenning, het prestige. Belangrijker nog is dat zijn telefoontjes eindelijk worden beantwoord. Ik doe de laatste tijd niets anders dan het afhandelen van verzoeken tot samenwerking: iedereen die een beetje verstand van zaken heeft, wil een stukje van David Armitage.'

Ik was al druk bezig met het tweede seizoen van *Selling You*, dus het merendeel van de verzoeken legde ik naast me neer. Alleen omdat Alison het me aanraadde, ging ik in op het verzoek van een jonge vrouw van Fox genaamd Sally Birmingham.

'Ik heb haar pas één keer gesproken,' zei Alison, 'maar in het wereldje is men het erover eens dat zij het helemaal gaat maken. Ze heeft een leger mensen tot haar beschikking én ze is wildenthousiast over *Selling You*. Ze is er zo weg van, dat ze me heeft gezegd dat ze je zó een kwart miljoen biedt voor welke pilotaflevering van een halfuur dan ook, en jij hebt volledig de vrije hand.'

Ik was er even stil van.

'Een kwart miljoen voor een pilotaflevering?'

'Jazeker. Eén advies: maak haar maar meteen duidelijk dat het inderdaad een kwart miljoen moet worden en dat ze het anders kan vergeten.'

'Ik hoop dat ze beseft dat ik geen tijd heb om zelfs maar naar nieuwe projecten te kíjken voor ik het tweede seizoen af heb.'

'Daar houdt ze rekening mee. Ze heeft gezegd dat ze kan wachten, maar wil wel graag dat er alvast getekend wordt. Laten we wel wezen: het is ook in haar belang om een vis als David Armitage binnen te halen. Denk eens even mee: als alles goed gaat, heb je zes weken vrij tussen het tweede en het derde seizoen. Hoe lang heb je nodig voor een pilotaflevering?'

'Maximaal drie weken.'

'De resterende drie weken zit je ergens lekker op het strand, als je tenminste zo lang kunt stilzitten, en mijmer je over het kwart miljoen dat je in drie weken hebt verdiend.'

'Oké, ik ga met haar lunchen.'

'Goed zo. Je zult haar vast aardig vinden. Ze is hyperintelligent en beeldschoon.'

Alison had gelijk. Sally Birmingham was hyperintelligent. En beeldschoon.

Haar secretaresse had met die van mij geregeld dat we bij Ivy gingen lunchen. Dankzij de gebruikelijke file op de grote weg was ik een paar minuten te laat. Sally zat al aan een van de beste tafeltjes op me te wachten. Zodra ze was opgestaan om me te begroeten, was ik al door haar gefascineerd (hoewel ik mijn uiterste best deed dat niet te tonen). Ze was vrij lang, had hoge jukbeenderen, een smetteloze huid, dik, lichtbruin haar en een ondeugende glimlach. Ik dacht haar meteen te kunnen plaatsen: een prachtig product van de hogere kringen, dat de beste scholen aan de Oostkust had bezocht en op haar tiende ongetwijfeld een eigen paard had. Nog geen kwartier later had ik door dat ze haar deftige afkomst compenseerde met een uitgekookte mix van eruditie en koopmansgeest. Inderdaad, ze wás in Bedford opgegroeid en had op Rosemary Hall en Princeton gezeten. Hoewel ze enorm belezen was – én een cinefiel – begreep ze precies hoe het er in het moorddadige Hollywood aan toeging. Ze vertelde me dat ze het prachtig vond om het spelletje van de incrowd mee te spelen. Ik begreep waarom de grote *cojones* van Fox Television haar zo hoog hadden zitten: ze had klasse, maar sprak hun taal. Bovendien had ze een prachtige glimlach.

'Wil je mijn mooiste anekdote over LA horen?' vroeg ze.

'Kom maar op.'

'Oké. Vorige maand lunchte ik met Mia Morrison, die in de directie van Fox zit. Ze roept de ober en zegt: "Wat voor water hebben jullie?" De ober, zo'n oude rot in het vak, vertrekt geen spier en zegt: "We hebben Franse Perrier, Ierse Ballygowan, Italiaanse Pellegrino en…" Mia onderbreekt hem en zegt: "Nee, geen Pellegrino. Veel te zwaar op de maag."'

'Die kan ik misschien stelen,' zei ik lachend. 'Díé gebruik ik nog wel eens.'

'"Onvolwassen dichters imiteren, volwassen dichters stelen",' zei ze.

'Eliot?'

'Aha, dus je hebt inderdaad aan Dartmouth gestudeerd…'

'Ik ben onder de indruk van je antecedentenonderzoek,' zei ik.

'En ik van je kennis van het werk van T.S. Eliot.'

'Je hebt toch zeker wel gemerkt dat er aardig wat verwijzingen naar *Four Quarters* in mijn programma zitten?'

'Ik dacht dat je meer iemand voor *Waste Land* zou zijn.'

'Nee, veel te zwaar op de maag…'

Het klikte meteen en we kletsten over van alles en nog wat, met inbegrip van het instituut huwelijk.

'En?' zei ze terwijl ze een blik op de ring aan mijn vinger wierp. 'Ben je getrouwd of *getrouwd*?' Het klonk luchtig.

Ik lachte. 'Ik ben getrouwd. Geen cursivering.'

'Hoe lang al?'

'Elf jaar.'

'Dat is heel indrukwekkend. Gelukkig?'

Ik haalde mijn schouders op.

'Dat is normaal,' zei ze. 'Zeker na elf jaar.'

'En jij? Heb je een vriend?' vroeg ik zo nonchalant mogelijk.

'Ik hád een vriend,' zei ze, 'maar het was niet erg serieus. We hebben er een maand of vier geleden een punt achter gezet en sinds die tijd fladder ik in mijn eentje rond.'

'De grote stap nooit gezet?'

'Nee, hoewel ik best een heel dramatische stap had kunnen zetten door met mijn vriendje op Princeton te trouwen. Hij wilde maar wát graag, maar ik wist dat studentenhuwelijken een uiterste houdbaarheidsdatum hebben van zo'n twee jaar. Trouwens, laten we wel zijn, de echte passie is na een paar maanden al verdwenen. Daarom heb ik het nooit langer dan een maand of drie met iemand uitgehouden.'

'Je gelooft dus niet dat er ergens op de wereld iemand voor jou bestemd is?'

Ze lachte en zei: 'Nou, eigenlijk wel. Ik ben hem alleen nog niet tegengekomen.'

Het klonk allemaal heel onschuldig, maar we keken elkaar wel even aan.

Na die ene blik pakten we de draad van onze levendige conversatie meteen weer op. Het verbaasde me dat we elkaar zoveel te vertellen hadden, dat we elkaar aanzetten tot gevatte opmerkingen en dat we er hetzelfde wereldbeeld op na hielden. Het was wonderlijk hoe goed we met elkaar konden opschieten… een beetje beangstigend, haast. Want tenzij ik er finaal naast zat, was de enorme aantrekkingskracht wederzijds.

Eindelijk kwamen we ter zake en vroeg ze me naar de pilotaflevering die ik in gedachten had. Ik had maar één zin nodig om mijn waar aan te prijzen: 'Het gecompliceerde leven, zowel privé als op het werk, van een vrouwelijke huwelijksconsulent van middelbare leeftijd.'

Ze glimlachte. 'Leuk. Vraag één: is ze gescheiden?'

'Natuurlijk.'

'Kinderen met problemen?'

'Een dochter, een tiener, die haar moeder een kreng vindt.'

'Leuk. Heeft de consulente een ex?'

'Ja. Hij is ervandoor gegaan met een yogalerares van vijfentwintig.'

'We hebben het dus duidelijk over LA?'

'Ik dacht aan San Diego.'

'Goed idee. De Californische levensstijl, maar zonder de bagage van LA. Gaat ze met mannen uit?'

'Ze doet niet anders, en met desastreuze gevolgen.'

'Haar cliënten…'

'Die zijn geestig, dat garandeer ik je.'

'Heb je al een titel?'

'*Talk It Over.*'

'Verkocht,' zei ze.

Ik deed mijn best om niet al te happig over te komen.

'Je weet dat ik er pas aan kan beginnen als ik het tweede seizoen van…'

'Dat heeft Alison me al verteld. Wat mij betreft is dat geen punt. Waar het om gaat, is dat ik je heb vastgelegd.'

Ze klopte op mijn hand en ik trok hem niet weg.

'Ik ben er heel erg blij mee,' zei ik.

Ze keek me recht in de ogen en zei: 'Zin om morgenavond ergens te eten?'

We spraken bij haar thuis, in West Hollywood, af. Zodra ik een voet over de drempel had gezet, rukten we elkaar de kleren van het lijf. Veel later, toen we in bed lagen en nipten aan een postcoïtaal glaasje Pinot Noir, vroeg ze: 'Kun je goed liegen?'

'Over dit soort dingen?'

'Ja.'

'Nou, dit is pas de tweede keer dat ik vreemdga in de elf jaar dat ik met Lucy getrouwd ben.'

'En de eerste keer?'

'Een slippertje met een actrice die in de boekhandel kwam. Lucy en

Caitlin zaten een paar dagen bij Lucy's ouders aan de Oostkust.'

'Dat is alles? Dat was tot nu toe je enige buitenechtelijke uitspatting?'

Ik knikte.

'Hemel. Ik moet zeggen dat je wel principes hebt.'

'Ik beken. Dat is absoluut een zwakte van me, zeker hier in LA.'

'Wat denk je? Ga je je nu schuldig voelen?'

'Nee,' zei ik zonder aarzelen.

'Hoe dat zo?'

'Omdat mijn relatie met Lucy nu heel anders is en omdat…'

'Nou?'

'Omdat eh… jíj het bent.'

Ze gaf me een tedere zoen op mijn mond en vroeg: 'Is dat een bekentenis?'

'Ik denk het.'

'Dan heb ik er ook een. Gisteren, tien minuten nadat ik je zag, wist ik het: dit is 'm. Gisteravond en vandaag is dat besef alleen maar gegroeid. Ik heb de uren zitten aftellen tot het zeven uur was en je op de stoep zou staan. En nu…' Ze streek met haar wijsvinger langs mijn kaaklijn. 'Nu laat ik je niet meer gaan.'

Ik zoende haar. 'Beloofd?'

'Je hebt mijn erewoord. Je weet natuurlijk wat dat betekent…'

'Dat ik moet leren liegen.'

Ik was er al mee begonnen. Ik had Lucy verteld dat ik een vlucht naar Las Vegas had geboekt om een beetje couleur locale op te doen voor een komende aflevering. Sally had geen bezwaar dat ik om elf uur haar telefoon even leende om naar huis te bellen en mijn vrouw te zeggen dat ik lekker in het Bellagio zat en haar erg miste. Toen ik de volgende avond thuiskwam, keek ik of Lucy misschien iets vermoedde. Ik vroeg me af of ze het Bellagio had gebeld om te verifiëren dat ik daar ook werkelijk had ingecheckt, maar ze begroette me heel hartelijk en maakte geen toespelingen op het hoe en wat van de avond ervoor. Om precies te zijn, ze was bijzonder aanhankelijk en trok me al vroeg mee richting slaapkamer. Ja, ik voelde me schuldig, maar die gevoelens werden tenietgedaan door een ander besef: ik was stapelverliefd op Sally Birmingham.

En zij op mij. Ze wist het zó zeker, dat het bijna een beetje overweldigend was. Ik was de man met wie ze de rest van haar leven wilde delen. We zouden het fantastisch hebben samen, glanzende carrières hebben en prachtige kinderen. Nooit zouden we verzanden in die ongepassioneerde, verveelde staat waarin zo veel huwelijken verkeren, want waarom zouden we ooit níét stapelgek op elkaar zijn? We zouden een gouden koppel vormen, gewoon omdat het niet anders kon.

Er was natuurlijk één probleem: ik was nog met een ander getrouwd en ik maakte me grote zorgen over het effect dat mijn aanstaande vertrek op Caitlin zou hebben. Sally was vol begrip.

'Ik zeg niet dat je nu al moet vertrekken. Zet die stap maar wanneer je er zelf aan toe bent, en wanneer je denkt dat Caitlin het aankan. Ik wacht op je. Je bent het waard.'

Wannéér je er zelf aan toe bent, niet áls. Een overduidelijk wannéér. Sally's stelligheid verontrustte me niet, noch had ik het idee dat we na twee weken te hard van stapel liepen. Integendeel, ik deelde haar zekerheid over onze gezamenlijke toekomst, hoewel ik me in stilte zorgen maakte over het leed en de schade die ik mijn gezin zou berokkenen.

Ik moet Sally nageven dat ze me niet één keer onder druk zette, dat wil zeggen, niet de eerste acht maanden. Tegen de tijd dat ik klaar was met het tweede seizoen van de televisieserie, was ik een expert geworden in het uitwissen van mijn buitenechtelijke sporen. Toen ik gebukt ging onder de deadline voor de laatste drie afleveringen, heb ik me twee weken in het Four Seasons Hotel in Santa Barbara opgesloten onder het mom dat ik me volledig moest concentreren en keihard moest werken. En ik heb inderdaad keihard gewerkt, zij het dat Sally één hele week en niet te vergeten beide weekenden aan mijn zijde was. Toen er een week lang in Chicago buitenopnamen gemaakt moesten worden, ben ik daar na afloop nog een paar dagen blijven hangen, zogenaamd om vrienden van vroeger op te zoeken. De werkelijkheid was dat Sally en ik in het Westwood logeerden en onze suite haast niet uit zijn geweest.

In LA wisten we onze werktijden met enige moeite op elkaar af te stemmen. We brachten één avond per week bij haar thuis door en minstens tweemaal per week zagen we elkaar 's middags voor de lunch en, niet te vergeten, in een kamer in het Westwood Marquis.

Het verbaasde me hoe goed ik was in het uitwissen van de sporen van mijn buitenechtelijke uitstapjes en het verzinnen van smoezen. Natuurlijk, je kunt zeggen dat ik als scenarioschrijver niet meer deed dan schaven aan mijn ambacht, maar ik had mezelf altijd een belabberde leugenaar gevonden. Een paar dagen na het slippertje met de actrice had Lucy me aangekeken en gevraagd: 'Je bent met een ander naar bed geweest, hè?'

Ik trok wit weg en ontkende het, maar ze geloofde er geen woord van.

'Zeg het maar,' zei ze. 'Ik heb waandenkbeelden, nietwaar? Ik kijk recht door je heen, David. Je bent zó doorzichtig.'

'Ik lieg niet.'

'Kom op, zeg.'

'Lucy…'

Ze was de kamer uit gelopen en heeft het er daarna nooit meer over gehad. Binnen een week waren mijn schuldgevoelens en de minstens zo heftige angst ontmaskerd te worden verdwenen, mede dankzij mijn heilige voornemen nooit meer ontrouw te zijn.

Ik heb het zes jaar volgehouden, maar toen kwam Sally Birmingham in mijn leven. Na die eerste nacht in haar appartement voelde ik me maar een heel klein beetje schuldig. Misschien was dat omdat mijn huwelijk me weinig meer te bieden had of omdat ik van meet af aan wist dat ik nog nooit zoveel voor iemand had gevoeld als voor Sally.

Dit alles maakte me een expert in leugens, tot op het punt dat Lucy al niets meer vroeg als ik haar zei dat ik 'wat langer moest doorwerken'. Eigenlijk had ze me niet meer toegenegen of een grotere steun kunnen zijn dan gedurende die tijd. Het leed geen twijfel dat onze materiële welstand haar affectie voor mij nieuw leven had ingeblazen (tenminste, dat was mijn inschatting). Toen ik de laatste versie van de nieuwe afleveringen had ingeleverd en met de vier scenario's voor het volgende seizoen aan de slag was, zei Sally steeds nadrukkelijker dat de situatie nu maar eens 'gereguleerd' moest worden en dat ze graag wilde dat ik bij haar introk.

'Dit clandestiene gedoe heeft lang genoeg geduurd,' zei ze. 'Ik wil je helemaal voor mezelf… dat wil zeggen, als jij mij nog wilt.'

'Reken maar. Dat weet je best.'

Wat ik óók wist, was dat ik de dag des oordeels, het moment waarop ik Lucy's hart zou breken, zo ver mogelijk voor me uit wilde schuiven. Ik bleef tijdrekken en Sally werd steeds ongeduldiger. 'Geef me nou nog één maandje,' zei ik dan.

Toen, op een avond dat ik na een langdurig etentje met Brad Bruce rond middernacht thuiskwam, zat Lucy me in een stoel in de zitkamer op te wachten. Ik zag dat mijn koffer naast haar stond.

'Wat ik nou wel eens wil weten,' begon ze, 'en dat vraag ik me al een maand of acht af, is of ze lekker kreunt of dat ze zo'n frigide type is dat ondanks haar beeldschone verschijning al verstijft als iemand maar een vinger naar haar uitsteekt.'

'Ik heb geen idee waar je het over hebt,' zei ik terwijl ik een zo luchtig mogelijke toon aansloeg.

'Wil je nou beweren dat je geen idee hebt met wie je de afgelopen zeven – of is het acht? – maanden de koffer in bent gedoken?'

'Heus, Lucy, er is niemand.'

'O, dus Sally Birmingham is níémand?'

Ik ging zitten.

'Daar moet je dus even over nadenken, zie ik,' klonk het beheerst.

Het duurde even voor ik wat kon zeggen. 'Hoe ben je achter haar naam gekomen?' vroeg ik.

'Daar heb ik iemand voor ingehuurd.'

'Pardon?'

'Ik heb een privédetective in de arm genomen.'

'Je hebt me laten vólgen?'

'Spaar me dat verongelijkte "dat kun je niet maken"-toontje nou maar. Het was overduidelijk dat je een scharrel had.'

Hoe was ze erachter gekomen? Ik was zo voorzichtig geweest, had het zo onopvallend gespeeld.

'... toen je steeds vaker wegbleef, begreep ik dat het niet zomaar een slippertje was om je ego mee te strelen en heb ik een privédetective gebeld.'

'Kost dat geen fortuin?'

'Achtendertighonderd dollar... die ik op de een of andere manier wel terug weet te krijgen als ik mijn eisen voor de scheiding op tafel leg.'

'Lucy, ik wil niet van je scheiden,' hoorde ik mezelf zeggen.

Ze reageerde kalm en met vaste stem. 'Het kan mij niet schelen wat je wel en niet wilt, David. Ik wil van je scheiden. Dit huwelijk is voorbij.'

Ik werd overmand door gevoelens van angst en wanhoop. Zíj had de hete kolen voor me uit het vuur gehaald en het begin van het einde ingeluid, dus ik mocht niet mopperen, maar toch was ik doodsbang. 'Als je het nou meteen tegen me had gezegd,' zei ik, 'dan hadden...'

Ze liep rood aan. 'Wat dan?' klonk het woedend. 'Had ik je dan moeten herinneren aan onze elf jaar samen, aan het feit dat we een dochter hebben, dat we het ondanks alle ellende van de laatste tien jaar hebben gered en het eindelijk financieel goed hebben?'

Ze zweeg en stond op het punt in tranen uit te barsten. Ik wilde haar hand pakken, maar ze trok hem meteen weg.

'Blijf van me af,' zei ze. 'Ik wil niet dat je me ooit nog aanraakt.'

Even zeiden we niets, maar zij verbrak de stilte. 'Toen ik hoorde wie je liefje was, weet je wat ik toen dacht? Hij is nu echt een treetje hogerop geklommen. Programmadirecteur van Fox, cum laude afgestudeerd aan Princeton en nog een schoonheid ook. Ja, die privédetective is heel grondig te werk gegaan. Hij heeft me een paar foto's van haar laten zien. Ze is heel fotogeniek, hè?'

'Lucy, we hadden het er rustig over kunnen hebben en…'

'Nee, wat valt er verder te bespreken? Een leven zoals wordt bezongen in een country-and-westernsmartlap is niets voor mij. Ik was echt niet van plan de rol van het arme vrouwtje te spelen dat haar overspelige man smeekt weer bij haar terug te komen.'

'Waarom heb je het al die tijd voor je gehouden?'

'Omdat ik hoopte dat je gezond verstand het zou winnen.' Ze zweeg en ik zag dat ze vocht tegen haar emoties, maar deze keer deed ik geen poging haar hand te pakken.

'Ik heb mezelf een ultimatum gesteld,' zei ze. 'Eerst een halfjaar en toen heb ik er stom genoeg een maand bij gedaan, toen nog een… Een week geleden begreep ik dat je had besloten te vertrekken…'

'Dat heb ik helemaal niet,' loog ik.

'Gelul. Het straalde gewoon van je af, ik mag wel zeggen dat het in neonletters op je voorhoofd geschreven stond. Hoe het ook zij, ik heb de beslissing dus maar voor je genomen. Ga maar. Nú.'

Ze stond op en ik volgde haar voorbeeld.

'Toe, Lucy, laten we er nou aan werken…'

'Waaraan? Aan onszelf voor de gek houden en net doen alsof er de afgelopen acht maanden niets is gebeurd?'

'Hoe moet het dan met Caitlin?'

'Kijk aan, eindelijk betrek je je dochter erin.'

'Ik wil graag met haar praten.'

'Da's prima. Kom daar morgen dan maar even voor terug.'

Ik stond op het punt haar over te halen me die nacht op de bank te laten slapen, zodat we het er de volgende ochtend in het louterende daglicht nog eens over konden hebben, maar ik wist bij voorbaat dat dat niet zou lukken. Bovendien, ik had nu toch wat ik wilde? Ja toch?

Ik pakte de koffer en zei: 'Het spijt me…'

'Met de spijtbetuiging van een klootzak als jij kan ik helemaal niets,' zei ze, waarna ze de trap op rende.

De volgende tien minuten zat ik roerloos in de auto. Ik vroeg me af wat ik moest beginnen. Plotseling stapte ik uit, rende naar de voordeur en beukte er met mijn vuist op, ondertussen de naam van mijn vrouw schreeuwend. Na een paar minuten hoorde ik haar stem aan de andere kant van de deur.

'Ga weg, David.'

'Laat me het uit…'

'Wat wil je nou? Moet ik nog meer leugens aanhoren?'

'Ik heb een gigantische fout gemaakt.'

'Jammer dan. Dat had je je maanden geleden maar moeten bedenken.'

'Ik wil graag nog een kans…'

'Ik heb je niets meer te zeggen.'

'Lucy…'

'Einde gesprek.'

Ik graaide naar mijn sleutels, maar ik hoorde dat ze het nachtslot omdraaide.

'Zet het maar uit je hoofd, David. Je komt er niet meer in. Het is voorbij. Wegwezen. Nú.'

Ik geloof dat ik nog vijf minuten ben blijven bonzen, pleiten en smeken of ze me terug wilde nemen, hoewel ik wist dat ze niet meer geïnteresseerd was in wat ik te zeggen had. Aan de ene kant was ik er kapot van dat ik dit mijn gezin had aangedaan, dat ik alles had verspeeld door mijn ijdelheid en het succes dat me boven het hoofd was gegroeid. Maar ik wist ook heel goed waarom ik alles kapot had gemaakt. Ik besefte wel degelijk wat er zou gebeuren als Lucy de deur voor me had opengedaan en me had gewenkt: ik zou weer vervallen in een saai bestaan zonder uitdagingen en spanning. Ik dacht aan de woorden van een bevriende scenarioschrijver die zijn vrouw voor een ander had verlaten. 'Natuurlijk, mijn vrouw en ik hadden best wat problemen, maar niet echt iets waar we niet uit waren gekomen. We waren wat ingedut, maar dat krijg je als je twaalf jaar bij elkaar bent. In wezen zat het wel goed tussen ons. Waarom ik toch ben weggegaan? Omdat er een stemmetje was dat me steeds dat ene, simpele vraagje stelde: "Is dit nou alles?"'

De woorden van mijn vriend werden overstemd door de tekst die maar in mijn hoofd bleef rondwaren: 'Ik kan niet weggaan…' Ik besefte dat ik precies voldeed aan het aloude cliché van de overspelige man en dat ik alles waar ik waarde aan hechtte, aan een onzekere sprong in het diepe had opgeofferd. Ik pakte mijn mobieltje en toetste ons telefoonnummer in. Toen Lucy opnam, zei ik: 'Lieverd, ik zal alles voor je doen, als ik maar…'

'Alles?'

'Alles. Je hoeft het maar te vragen en…'

'Oké. Val dood.'

Ze hing op. Ik keek nog even naar het huis. De benedenverdieping was donker. Ik zuchtte diep, liep terug naar de auto en stapte in. Ik pakte mijn mobieltje en zat er even naar te staren, omdat ik wist dat als ik het nummer zou bellen, ik de grens zou overschrijden die betekende dat er geen weg terug meer was.

Ik belde. Sally nam op. Ik vertelde haar dat ik eindelijk had gedaan wat ze wilde: ik had mijn vrouw verteld dat ons huwelijk voorbij was. Hoewel ze alle sentimentele vragen stelde die er te stellen zijn, zoals hoe Lucy had gereageerd ('Niet goed,' zei ik) en hoe ik eronder was ('Ik ben blij dat het eindelijk zover is'), klonk ze oprecht verheugd. Heel even dacht ik dat het voor haar niet meer betekende dan een overwinning, de ultieme fusie of overname, maar die gedachte werd algauw verdrongen toen ze me vertelde hoeveel ze van me hield, hoe moeilijk het voor me geweest moest zijn en dat ze er altijd voor me zou zijn. Ondanks haar geruststellende woorden voelde ik me vreselijk leeg. Onder de omstandigheden was dat niet zo vreemd, maar het was wel een beetje verontrustend.

'Kom hierheen, lieverd,' zei ze.

'Ja, waar kan ik anders naartoe?'

De dag daarop kwamen Lucy en ik tijdens een ongemakkelijk telefoongesprek overeen dat ik Caitlin van school zou halen.

'Heb je het al verteld?' vroeg ik.

'Natuurlijk.'

'En?'

'Je hebt al haar zekerheden onderuitgehaald, David.'

'Wacht even,' zei ik, 'ík ben niet degene die wil scheiden. Het was jouw idee. Zoals ik gisteravond al zei: als je me nog één kans wilt geven om te bewijzen dat…'

'Vergeet het maar,' zei ze, en ze hing op.

Caitlin wilde geen kus van me toen ze me bij de school zag staan. Ze wilde niet eens dat ik haar bij de hand nam, en toen we in de auto zaten, zei ze geen woord. Ik stelde voor naar Santa Monica te rijden en daar over de boulevard te lopen. Ik stelde voor iets te eten bij Johnny Rockets in Beverly Hills (haar favoriete restaurant) of een kijkje te nemen bij de speelgoed-winkel in het Beverly Center. Terwijl ik de riedel mogelijkheden voor haar opsomde, realiseerde ik me dat ik nu al als een typische gescheiden vader klonk.

'Ik wil naar mama. Ik wil naar huis.'

'Caitlin, ik vind het echt heel naar dat...'

'Ik wil naar mama toe.'

'Ik weet hoe erg het allemaal is. Ik weet hoe je over me...'

'Ik wil naar mama.'

De volgende vijf minuten probeerde ik haar over te halen om naar me te luisteren, maar ze wilde er niets van weten. Ze zei alleen maar dat ze naar mama toe wilde, dus uiteindelijk restte me niets anders dan haar wens in te willigen. Zodra de voordeur openging, vloog ze in Lucy's armen.

'Fijn dat je haar hebt gehersenspoeld,' zei ik.

'Als je me wilt spreken, dan doe je dat maar via mijn advocaat,' zei ze, en dicht ging de deur.

Inderdaad verliep onze verdere communicatie via twee advocaten van Sheldon en Strunkel, die me waren aangeraden door Brad Bruce (hij had hen voor zijn twee eerdere scheidingen ingeschakeld en ze stonden al klaar om hem indien nodig ook door nummer drie te slepen). Mijn advocaten spraken met Lucy's advocaat, een vrouw genaamd Melissa Levin, die door mijn kamp werd omschreven als exponent van de school met het adagio 'die kerels benen we mooi uit'. Vanaf het begin was duidelijk dat de raads-vrouwe er niet alleen op uit was al mijn materiële zaken te confisqueren. Ze moest en zou me ook op de knieën krijgen, nee, ten val brengen.

Uiteindelijk, na veel peperdure uren touwtrekken, wisten mijn mannen die tactiek van de geschroeide aarde een halt toe te roepen, maar de scha-de was al aanzienlijk. Lucy mocht het huis houden (inclusief de overwaar-de) en kreeg niet minder dan elfduizend dollar aan alimentatie. Dankzij mijn glanzende carrière kon ik het me veroorloven en ik wilde niets liever dan Caitlin alles geven wat haar hartje begeerde, maar ik zag het niet zitten dat de eerste twee ton die ik verdiende al bij voorbaat vergeven waren. Waar ik ook niet erg over te spreken was, was dat Haaibaai Levin in het convenant had opgenomen dat het Lucy vrij stond te verhuizen indien haar werk dat vereiste.

Vier maanden nadat de scheiding was uitgesproken, beriep Lucy zich daar al op. Ze kreeg een baan bij de afdeling Personeelszaken van een of ander softwarebedrijf even ten noorden van San Francisco, in Marin County. Van de ene op de andere dag woonde mijn dochter niet meer bij me in de buurt. Ik kon niet even mijn snor drukken om haar na school mee te nemen naar het strand van Malibu, of naar de schaatsbaan in Westwood. Opeens moest ik een uur vliegen om mijn dochter te zien, en toen de televisieserie in productie was genomen, kon ik haar nog maar één keer per maand zien. Het zat me zo dwars dat ik heel wat slapeloze nachten door het grote appartement dat Sally en ik huurden ijsbeerde en me afvroeg waarom ik mijn gezin had verscheurd. Ik wist natuurlijk best waarom het zo was gelopen: een sleets huwelijk, het duizelingwekkende uiterlijk en de brille van Sally Birmingham, de verleidelijkheden die inherent zijn aan het succes (en de wens om de deur na al die jaren van falen achter me dicht te slaan). Toch had ik er niet al na één duwtje voor moeten vallen, bedacht ik me dan om vier uur 's nachts. Ik had Lucy wel kunnen overhalen me terug te nemen, we hadden er best nog wat van kunnen maken.

's Ochtends was er altijd wel een scenario om aan te werken, een bespreking, een contract dat getekend moest worden, of een festiviteit waar Sally en ik bij moesten zijn. Met andere woorden, we leidden het leven van succesvolle mensen. Het bood me de gelegenheid mijn schuldgevoelens en de twijfels die ik over mijn nieuwe leven had, te verdringen.

Het nieuws van mijn veranderde omstandigheden werd vrijwel direct via de tamtam verspreid. Iedereen zei de juiste medelevende dingen (tegen mij, althans) over de problemen die het beëindigen van een huwelijk met zich meebrengt. Het gegeven dat ik 'ervandoor was gegaan' (om die weinig smaakvolle uitdrukking maar even te bezigen) met een van de belangrijkste jonge televisiebonzen van LA deed mijn reputatie geen kwaad. Het was een stapje omhoog en, zoals Brad Bruce het verwoordde: 'Iedereen wist al dat je een slimme vent bent, David, maar nu weten ze dat je superslim bent.'

Mijn agent reageerde natuurlijk op de voor haar gebruikelijke boude wijze. Alison kende Lucy en kon het goed met haar vinden. Vlak nadat het contract voor het eerste seizoen van *Selling You* was beklonken, had ze me gewaarschuwd voor de verleidingen die me mijn huwelijk konden kosten. Toen ik haar vertelde dat ik van plan was met Sally een nieuw leven te beginnen, was het even stil. Na enig nadenken zei ze: 'Ik denk dat ik je moet feliciteren omdat je nog een jaar hebt gewacht met wilde dingen doen. Aan de andere kant, ach… Zo vergaat het iedereen die hier doorbreekt.'

'Ik hou van haar, Alison.'

'Gefeliciteerd. Liefde is een mooi iets.'

'Ik wist wel dat je zo zou reageren.'

'Hoor eens, lieverd. Je weet toch wel dat er in deze wereld eigenlijk maar tien verschillende scenario's zijn, en op dit moment figureer jij in één daarvan. Toch moet ik zeggen dat jij er nog een aparte draai aan hebt gegeven.'

'Hoezo?'

'In jouw geval komt het erop neer dat de scenarioschrijver de producer neukt. Mijn ervaring, en ik heb nogal wat ervaring, is dat het meestal andersom is. Hulde. Je hebt Hollywoods wetten van de zwaartekracht aan je laars gelapt.'

'Wacht even, Alison. Jij hebt onze ontmoeting geregeld.'

'Vertel mij wat. Maar maak je geen zorgen: ik eis geen vijftien procent van de opbrengsten van deze verbintenis.'

Alison wees er wel op dat het gezien de relatie die ik nu met Sally had, beter was de pilotaflevering voor Fox (waar ik nog niet aan begonnen was) af te blazen.

'Je zult moeten toegeven dat dat contract net een bruidsschat zou zijn. Ik zie al gebeuren dat een of ander journalistje dat in de voetsporen van Peter Bart wil treden, er in de *Daily Variety* een hoop heisa over gaat maken.'

'We hebben het er al over gehad en we zijn het erover eens dat we die pilotaflevering maar moeten vergeten.'

'Gezellige bedgesprekken houden jullie erop na.'

'Het kwam tijdens het ontbijt ter sprake.'

'Voor of na de gymnastiek?'

'Waarom laat ik me dat allemaal zeggen?'

'Omdat ik het beste met je voor heb en een vriendin ben in de ware zin des woords. Ik wil je beschermen, weet je. Het advies dat ik je zojuist heb gegeven, kost me veertigduizend dollar.'

'Wat altruïstisch van je.'

'Nee, noem het maar stom. Als je nog een raad van je zuster voor vijftien procent wilt aannemen: hou je maar een beetje gedeisd de komende maanden. Het is je te zeer voor de wind gegaan.'

Ik wilde haar advies best opvolgen, maar Sally en ik zaten al in de rol van 'superpaar'. We waren het boegbeeld van 'het nieuwe Hollywood': hoog opgeleid, van goede afkomst, we kenden onze klassieken, en waren toch een succes in het explosieve televisiewereldje. We zagen er piekfijn uit, hoewel we deden alsof we elke vorm van vertoon verafschuwden. Ons appartement was schaars ingericht, mijn Porsche en Sally's Land Rover waren beide een proeve van goede smaak: de betere kwaliteit maar niet overdreven, duidelijk voor mensen die het gemaakt hadden maar niet naast hun schoenen liepen. We kregen uitnodigingen voor de juiste partijtjes en premières. In elk interview dat ik gaf vertelde ik dat het succes ons niet naar het hoofd was gestegen en dat we niet verleid werden tot een leven van 'beroemde mensen'. We hadden het trouwens veel te druk om ons in de jetset te begeven. Los Angeles is in feite een vroeg-naar-bedstad. Sally werkte aan de planning van de comedyseries voor de herfst en het tweede seizoen van *Selling You* was in een vergevorderd stadium. We hadden nauwelijks tijd voor sociale contacten, laat staan voor elkaar. Ik had al snel door dat Sally haar leven strikt indeelde en een ijzeren schema hanteerde. Ik geloof zelfs dat ze, hoewel ze het nooit hardop zei, stilzwijgend een schema had opgesteld voor drie keer per week seks. Zelfs als ze zich spontaan op me leek te storten, had ik nog het idee dat het allemaal van tevoren gepland was, zoals op die zeldzame ochtenden dat ze geen ontbijtafspraak had en ze nog net een minuut of tien vóór haar fitness had om elkaar een orgasme te bezorgen.

Toch had ik niets te klagen. Het ging me voor de wind, waarbij ik moet aantekenen dat ik me schuldig bleef voelen over wat ik Lucy en Caitlin had aangedaan.

'Ik teken voor jouw problemen,' zei mijn kersverse vriend Bobby Barra me op een van de zeldzame avonden dat ik het laat maakte (let wel, het was een vrijdagavond). Ik had één martini te veel op en had hem toevertrouwd dat ik me schuldig voelde over mijn mislukte huwelijk.

Bobby Barra vond het prachtig dat hij mijn biechtvader mocht zijn, want dat betekende dat we dikke maatjes waren, en Bobby Barra vond het maar wat mooi om dikke maatjes met me te zijn. Ik had naam gemaakt, ik wás iemand: een van de weinige echte successen in een stad waar je veel vaker wanhopige aspiraties en constant falen ziet.

'Je moet het zó zien,' zei hij. 'Je huwelijk vertegenwoordigt al die jaren dat het maar niet wilde lukken. Het spreekt voor zich dat je daarvan af wilde toen het geluk je toelachte.'

'Je zult wel gelijk hebben,' zei ik weinig overtuigd.

'Reken maar dat ik het bij het rechte eind heb. Een nieuw leven vereist vernieuwing. Op alle fronten.'

En dat betekende ook vrienden als Bobby Barra.

2

Bobby Barra was rijk. Stinkend rijk, maar niet helemaal 'wie doet me verdomme wat' rijk.

'Wat bedoel je met "wie doet me verdomme wat" rijk?' vroeg ik hem ooit.

'Heb je het over bedragen of over het air dat erbij hoort?' antwoordde hij.

'Dat air is overduidelijk. Ik heb het over bedragen.'

'Honderd miljoen.'

'Zo veel?'

'Zo veel is het niet.'

'Het lijkt me genoeg.'

'Hoeveel miljoen gaat er in een miljard?'

'Dat weet ik eigenlijk niet.'

'Duizend.'

'Duizend miljoen is een miljard?'

'Helemaal juist.'

'Dus een miljard is wat je noemt "wie doet me verdomme wat" rijk?'

'Meer dan dat. "Wie doet mij en tien generaties ná mij wat" rijk.'

'Dat is rijk, ja, maar als jij nog geen honderd miljoen hebt…'

'Dan nóg kun je "wie doet me verdomme wat" zeggen, maar dan moet je wel goed weten tegen wie.'

'Wat jou aangaat moet ik het dus in die regionen zoeken, Bobby.'

'Ik zit ertegenaan.'

'Niet gek.'

'Het kan beter. Voor grote jongens als Bill Gates, Paul Allen en Phil Fleck is honderd miljoen peanuts. Je zit nog maar op tien procent van een miljard en wat moeten kerels die goed zijn voor dertig, veertig of vijftig miljard daar nou mee.'

'Die zien het als zakgeld.'

'Klopt. Zakgeld, een aalmoes.'

Ik kon een glimlach niet onderdrukken.

'Nou, ik ben maar een simpele ziel die het afgelopen jaar één miljoen heeft verdiend,' zei ik.

'Tja, maar jij komt er wel. Dat wil zeggen, met mijn hulp.'

'Ik luister.'

Als het om de aandelenbeurs ging, had Bobby Barra altijd wel een advies, want daar verdiende hij zijn geld mee. Hij zat in de aandelen en deed het zo goed dat hij nu, op zijn vijfendertigste, al tegen 'wie doet me verdomme wat' aan zat.

Het indrukwekkendst was dat hij zijn vermogen geheel op eigen kracht had vergaard. Bobby noemde zichzelf wel eens 'de Dago van Detroit'. Hij was de zoon van een elektricien bij de Ford-fabrieken in Dearborn. Zodra Bobby zijn rijbewijs had gehaald, was hij Detroit uit gereden, maar ook vóór die tijd, op een leeftijd dat de meeste kinderen nog worstelen met die vermaledijde jeugdpuistjes, dacht Bobby al aan het grote geld.

'Laat mij eens raden naar de boeken die jij op je dertiende las,' zei hij toen we elkaar pas kenden. 'John Updike?'

'Hou op,' antwoordde ik. 'Dat is van die gezapige rommel. Tom Wolfe daarentegen...'

'Verbaast me niets.'

'En jij dan? Wat las jij toen je zo oud was?'

'Lach niet: dat boek van Lee Iacocca over zijn jaren bij Chrysler.'

'Ik lach helemaal niet.'

'En niet alleen Iaccoca, ook Tom Peters, Adam Smith, John Maynard Keynes en Donald Trump.'

'Een nogal breed scala, Bobby. Denk je dat Trump ooit iets van Keynes heeft gelezen?'

'Nee, maar hij weet wel hoe je een casino moet neerzetten. Dat is er nou zo een uit de 'wie doet me verdomme wat'-club. Toen ik zijn boek had gelezen, wist ik dat ik daarbij wilde horen.'

'Waarom ben je dan niet in de projectontwikkeling gegaan?'

'Omdat het daar allemaal draait om wat ze *goombah* noemen: neef Sal heeft een ome Joey, die weer een neefje Tony heeft, die die Israëliër met dat braakliggende stuk grond kan bewerken om dat te verkopen... Kun je me volgen?'

'Klinkt een beetje primitief.'

'De grote jongens doen het net zo. Het verschil is dat ze dure pakken dragen, een bul van Wharton in hun achterzak hebben en het *leveraged buy-outs* noemen. Nou ja, dat *goombah* was niets voor mij, maar ik wist dat ze op Wall Street niet zaten te wachten op een plat pratende figuur uit Detroit. Ik begreep dat het zakelijke klimaat in LA veel geschikter was voor iemand als ik. Wees eerlijk, we hebben het hier over een stad waar het om de knikkers gaat en waar je met praatjes weinig klaarspeelt. Hier interesseert het niemand dat je klinkt als de zoon van een maffiabaas. Hier gaat het om de poen. Geld is aanzien.'

'Precies wat John Maynard Keynes beweerde.'

Ik moet het Bobby Barra nageven: hij bekostigde zijn studie aan USC door drie avonden per week als duvelstoejager van Michael Milken te werken, in de nadagen van diens succesvolle handel in junkbonds. Na zijn studie werkte Bobby bij een dubieuze figuur genaamd Eddie Edelstein, een beleggingsexpert in Century City, die ze uiteindelijk wegens illegale praktijken naar een getralied vakantiekamp hebben afgevoerd.

'Eddie was mijn goeroe. De allerbeste effectenmakelaar ten westen van de continentale waterscheiding met een neus voor goede emissies. Wat betreft *margin calls* was de man een ware artiest. Alleen moest hij zo nodig een of andere Zuid-Afrikaanse makelaar tippen over een emissie van een raffinaderij annex smelterij, waardoor hij een ton in zijn zak kon steken. Die Zuid-Afrikaanse boer bleek een undercoveragent van de Security and Exchange Commission. Ik heb Eddie nog aangeraden het op uitlokking te gooien, maar het heeft weinig geholpen. Hij heeft drie tot vijf jaar gekregen, en hoewel het zo'n gevangenis was waar je je tennisracket mee naartoe mocht nemen, is hij er toch onderdoor gegaan. Prostaatkanker, drieënvijftig jaar. Flos jij eigenlijk, David?'

'Zeg dat nog eens?' Ik moest glimlachen om de wending die de conversatie had genomen.

'Op zijn sterfbed heeft Eddie me nog twee adviezen gegeven: vertrouw geen enkele Zuid-Afrikaan en als je geen prostaatkanker wilt krijgen, moet je veelvuldig flossen.'

'Ik volg het niet helemaal.'

'Als je niet flost, komt je tandsteen en al die andere rommel in je keelgat terecht, en uiteindelijk komt het dan in je prostaat. Dat was het lot van die arme Eddie, een getalenteerde vermogensbeheerder, uitstekende gozer. Hij had meer moeten flossen.'

Na die conversatie met Bobby ben ik serieus gaan flossen. Ik vroeg me af waarom ik in hemelsnaam zoveel tijd met hem doorbracht. Eigenlijk wist ik het antwoord op die vraag wel: omdat Bobby in zijn functie van vermogensbeheerder geld voor me verdiende en altijd onderhoudend gezelschap was.

Bobby was in mijn leven gekomen tijdens het eerste seizoen van *Selling You*. Toen de derde aflevering op tv was geweest, schreef hij me via FRT op het briefpapier van zijn bedrijf dat mijn serie de leukste en beste was die hij in jaren had gezien. En passant bood hij zijn diensten als vermogensbeheerder aan. 'Ik ben niet zo'n *gannef* die u hemel en aarde belooft, ik zeg niet dat u à la minute bakken met geld gaat verdienen, maar ik ben wel de beste vermogensbeheerder in LA en ik weet zeker dat het u geen windeieren zal leggen. Ik ben een man van mijn woord. Als u me niet gelooft, kunt u bellen met...' Er volgde een hele lijst A- en B-sterren die volgens hem allemaal cliënten van hem waren.

Ik had de brief vluchtig doorgelezen, maar voordat ik hem in mijn archief gooide, kon ik een glimlach niet onderdrukken. Sinds *Selling You* op televisie was, had ik al tig van dergelijke brieven gekregen: van dealers van dure automerken, makelaars in onroerend goed, belastingconsulenten, fitnesstrainers en de gebruikelijke new-agefiguren die me adviseerden bij hen te komen voor een channelingsessie. Stuk voor stuk feliciteerden ze me met mijn succes en boden me hun diensten aan. Geen van allen waren ze echter zo onbescheiden als Bobby Barra. De laatste zin van zijn brief was ronduit belachelijk. 'Ik ben niet gewoon goed in wat ik doe. Ik ben briljant. Als u graag ziet dat uw geld voor u werkt, dan moet u me bellen. Zo niet, dan zult u dat de rest van uw leven betreuren.'

De dag nadat ik zijn brief had gelezen, ontving ik een kopie van de brief met een handgeschreven briefje erbij waarop stond: 'Ik neem aan dat u mijn eerdere brief ongelezen hebt weggegooid, vandaar dat ik u een kopie stuur. Laten we geld gaan verdienen, Dave.'

Ik kon niet anders dan bewondering hebben voor zijn lef, hoewel ik het vervelend vond dat hij me daarna elke dag op kantoor belde. Ik droeg Jennifer, mijn secretaresse, op dat ze moest volhouden dat ik in bespreking was. Ook toen hij me een kist Au Bon Climat-wijn stuurde, liet ik me niet overhalen. Ik deed wat de beleefdheid vereiste en stuurde hem een vriendelijk bedankje. Een week later werd er een kist Dom Perignon afgeleverd met een briefje. 'Als u me toestaat echt geld voor u te verdienen, kunt u dit net zo vaak drinken als 7-Up.'

Toevallig zat Brad Bruce bij me op kantoor toen de kist champagne werd bezorgd.

'Wie is die aanbidster? Heb je haar telefoonnummer?' vroeg hij.

'Om eerlijk te zijn is het een híj.'

'Slecht idee, David.'

'Nee, hou op. De afzender zegt geld voor me te kunnen verdienen. Hij is vermogensbeheerder en ik moet zeggen, het is wel een bijtertje.'

'Hoe heet-ie?'

'Bobby Barra.'

'O ja, die...'

Ik fronste mijn voorhoofd en vroeg: 'Ken je die Barra?'

'Zeker. Ted Lipton werkt met hem.' Lipton was de adjunct-directeur van FRT. 'Plus...' Er volgde een hele riedel namen, waaronder een paar die Bobby Barra in zijn brief had genoemd.

'Dus het is een bonafide figuur?'

'Absoluut. Ik hoor niet anders. Zo te zien is het nog een handige vent ook. Ik wou dat mijn vermogensbeheerder me champagne stuurde.'

Die middag belde ik Ted Lipton. We hadden het even kort over het werk, waarna ik hem vroeg wat hij van Roberto Barra vond.

'Hij heeft vorig jaar zevenentwintig procent voor me verdiend. Jazeker, ik vertrouw die kerel wel.'

Omdat mijn leven in een stroomversnelling was geraakt sinds de eerste serie was aangekocht, had ik nog geen tijd gehad om me te buigen over bijkomende zaken als hoe ik mijn zojuist verkregen rijkdom het best kon beleggen. Ik vroeg mijn secretaresse alles wat ze maar over Roberto Barra kon vinden voor me te printen. Binnen twee dagen had ze allerhande inside-information voor me: tevreden cliënten, geen strafblad, geen duistere connecties, en zowel de SEC als de Vereniging van Huisvrouwen stond pal achter hem.

'Goed,' zei ik toen ik haar rapportje had gelezen, 'maak maar een lunchafspraak met hem.'

Bobby Barra was een minuscuul mannetje van nauwelijks een meter vijfenvijftig met een kop met kort, krullend haar, uitstekend gekleed in een zwart, Italiaans (was dat even een verrassing) maatpak. We gingen naar Orso. Hij praatte snel, maar ik moet zeggen dat hij een vlotte babbel had. Hij bleek intelligent, had veel gelezen en wist heel veel over films. Hij smeerde me stroop om de mond en maakte daar dan weer een grapje over. 'Ik verkoop je geen onzin als "ik beschouw je als een vriend", zoals je hier in de stad zoveel hoort', en nog geen vijf minuten later bezigde hij dat woord 'vriend' al. 'Jij bent niet iemand die een beetje voor televisie schrijft, maar iemand die het schrijven voor televisie serieus opvat, en dat is niet in tegenspraak met elkaar.' Hij was uitstekend gezelschap, een handige bliksem die niet alleen erudiet bleek te zijn, maar ook liet doorschemeren dat hij connecties had. 'Als je ooit iemands poten wilt laten breken,' fluisterde hij, 'dan weet ik wel twee Mexicaanse knapen die dat voor driehonderd dollar plus benzinegeld voor je kunnen opknappen.' Terwijl ik hem aanhoorde, moest ik denken aan die leperds van de onderwereld van Chicago die Saul Bellow altijd zo trefzeker beschreef. Barra was glad, slim en een tikkeltje gevaarlijk. Hij deed niets anders dan beroemde namen laten vallen, maar gaf ook grif toe dat hij door die lieden geïmponeerd werd. Ik snapte waarom al die grote namen met hem in zee gingen. Hij had verstand van zaken en straalde dat ook uit. LA was een enclave waarin je jezelf constant moest aanprijzen, en hij was daar een ster in.

'Je moet weten dat ik een obsessie heb met geld verdienen voor mijn cliënten. Als het om poen gaat, dan hebben we het over bepaalde keuzes. Geld maakt dat je kunt doen wat je wilt. Met geld kun je het lot in al zijn grilligheid sturen en talloze problemen, de complexe zaken die je op je levenspad tegenkomt, het hoofd bieden. Met geld, en dan heb ik het over het grote geld, kun je zonder vrees beslissingen nemen en zeggen: "Wie doet me verdomme wat?"'

'Was dat niet exact de stelling die Adam Smith in *The Wealth of Nations* verdedigde?'

'Ben je een bewonderaar?' vroeg hij.

'Ik heb het niet gelezen, alleen wat erover is geschreven.'

'Machiavelli en *Success is a Choice* zijn pure rotzooi. *The Wealth of Nations* van Adam Smith is het beste kapitalistische manifest.'

Hij haalde diep adem en droeg in wat het best omschreven kon worden als 'luid Detroits' voor: '"Zodra alle andere systemen, of die nu geprefereerd werden of uit onmacht waren ontstaan, in onbruik zijn geraakt, zal het systeem dat op aangeboren vrijheden is gestoeld juist vanwege dat grondbeginsel ingeburgerd raken. Het staat iedereen, met inachtneming van de geldende wetten, vrij op zijn eigen wijze zijn belangen na te streven, waardoor zijn ambacht en kapitaal kunnen wedijveren met die van ieder ander... Voorzichtigheid echter is beter dan het najagen van te grote rijkdom."'

Hij zweeg, nam een slokje van zijn San Pellegrino en zei: 'Ik weet dat ik geen Ralph Fiennes ben, maar...'

'Hé,' zei ik, 'ik ben echt onder de indruk. En dát zonder autocue.'

'Kijk,' zei hij. 'Het gaat hierom: we leven in een tijd waarin de mens zich meer "aangeboren vrijheden" kan veroorloven dan ooit tevoren. Wat Smith zegt, is helemaal waar. Voor je uit de band springt, moet je wel weten dat er genoeg geld is om je rugdekking te verschaffen. Daar ben ik voor. Ik zorg niet alleen dat je rugdekking hebt, ik bouw een kasteel voor je, gemaakt van geld. Met andere woorden: wat de toekomst ook brengt, ik zorg ervoor dat je financieel sterk staat. Laten we wel wezen: zolang je geld hebt, is geen mens geneigd je als voetveeg te gebruiken.'

'Dus wat is je voorstel nou precies?'

'Ik stel niets voor. Ik ga je laten zien hoe ik te werk ga. Ik heb het volgende voor ogen. Als je me een bedrag van pakweg vijftigduizend toevertrouwt, garandeer ik dat ik het binnen het halfjaar verdubbeld heb. Jij schrijft een cheque van vijftigduizend uit aan mijn bedrijf, ik stuur je de benodigde paperassen en over een halfjaar krijg je van mij een cheque van een ton.'

'Wat als het niet goed gaat, als je fouten…'

Hij onderbrak me en zei: 'Bij mij gaat niets fout.'

Het was even stil.

'Ik wil nog wel graag iets weten,' zei ik. 'Waarom heb je zoveel moeite gedaan om mij als klant binnen te halen?'

'Omdat jij het helemaal bent, daarom. Ik omring me graag met toppers. Sorry dat ik weer even een naam laat vallen, maar heb je ooit gehoord van ene Phil Fleck?'

'Die miljardair die zich nooit laat zien? De gemankeerde filmregisseur? Wie kent die naam nou niet? Hij is berucht.'

'Eigenlijk is het maar een heel gewone vent, zij het dat hij goed is voor twintig miljard.'

'Dat is nog eens een "wie doet me verdomme wat" bedrag, Bobby. Dat moet je toegeven.'

'Phil is dat stadium al voorbij. Bovendien is hij een goede vriend van me.'

'Dat is leuk voor je.'

'Hij is trouwens een grote fan van je.'

'Dat meen je niet.'

'Afgelopen week nog noemde hij je "de absolute topper in televisieland".'

Ik wist niet of ik daar in moest trappen, dus ik zei: 'Bedank hem maar voor het compliment.'

'Je denkt waarschijnlijk dat ik weer met *name dropping* bezig ben?'

'Als jíj zegt dat Phil Fleck een vriend van je is, dan geloof ik dat.'

'Vertrouw je me genoeg om een cheque voor vijftigduizend aan me uit te schrijven?'

'Absoluut,' antwoordde ik een tikkeltje ongemakkelijk.

'Ga je gang,' zei hij.

'Nu?'

'Ja. Haal je chequeboek maar uit je borstzak.'

'Hoe weet je dat ik het bij me heb?'

'De ervaring heeft me geleerd dat iemand die na jaren van ellende een som geld heeft verdiend, zijn chequeboek meeneemt. Opeens kan hij grote uitgaven doen en met een cheque laat je zien dat je klasse hebt, meer dan iemand die een of ander goudkleurig stuk plastic op de toonbank gooit.'

Ongewild tastte ik naar mijn borstzakje.

'Ik geef het meteen toe,' zei ik.

'Nou, onderteken de cheque dan maar.'

Ik pakte mijn chequeboek en een pen en legde ze op het tafeltje. Ik staarde er even naar, maar Bobby tikte al ongeduldig met zijn wijsvinger op het chequeboek.

'Kom op, Dave,' zei hij. 'Het wordt tijd dat we wat gaan doen. Dit is een van die momenten die je toekomst bepalen. Ik raad je gedachten: "Kan ik die kerel wel vertrouwen?" Ik heb geen zin om mezelf nog meer op de borst te slaan. Het enige wat ik je nog wil vragen is: heb je de moed om rijk te worden?'

Ik pakte mijn pen, sloeg het chequeboek open en schreef de cheque uit.

'Goede zet,' zei Bobby.

Een paar dagen later ontving ik de officiële papieren van de firma Roberto Barra en Partners. De twee maanden daarop hoorde ik niets van hem, afgezien van een kort telefoontje waarin hij vroeg hoe het met me ging en zei dat we 'aan het verdienen' waren. Hij beloofde me twee maanden later weer te bellen en hij hield woord, op de dag af zelfs. We hadden opnieuw een kort en prettig telefoongesprek, waarin hij gehaast klonk, maar wel positief over de aandelenmarkt. Twee maanden daarna werd er een envelop van Fedex bezorgd waarin een kascheque zat voor 122.344,82 dollar. Er zat een briefje bij waarop stond: 'Het is dus meer geworden dan honderd procent. Dat moeten we vieren'.

Ik had bewondering voor zijn werkwijze. Hij had me weten om te praten, had nauwelijks nog wat laten horen... totdat hij resultaat had. Meteen na dat fantastische rendement herinvesteerde ik het hele bedrag, en toen ook dat goed rendeerde, deed ik er nog een kwart miljoen bij. Zo nu en dan zetten Bobby Barra en ik de bloemetjes buiten. Hij was vrijgezel ('Een gevangenis is niets voor mij,' vertelde hij me), maar hij had altijd wel een lekkere meid bij zich, meestal een fotomodel of een meisje dat actrice wilde worden. Ze waren allemaal blond, lief en niet erg slim. Ik pestte hem er wel eens mee dat híj een typische rijke patser was.

'Hé,' reageerde hij dan, 'ik was een spaghettivretertje uit Detroit, nu ben ik een spaghettivretertje uit Detroit met geld. Vind je het gek dat ik me inlaat met grietjes die me vroeger zagen als een simpele automonteur?'

Na een paar avonden uit met Bobby en zijn vriendinnetje voor die dag, liet ik hem weten dat ik niet erg geïnteresseerd was in wat hij verstond onder het snelle leven. Sindsdien beperkte onze avondjes uit zich tot een rustig etentje *à deux*, waarin ik Bobby zijn snelle babbel over van alles en nog wat gunde. Sally begreep niet dat ik hem mocht. Ze was natuurlijk goed te spreken over hoe hij mijn geld belegde, maar hun eerste en enige ontmoeting verliep vrij rampzalig. Bobby had me tijdens mijn scheiding gesteund en toen de spreekwoordelijke wind was gaan liggen, had hij de wens geuit met Sally kennis te maken, niet in de laatste plaats omdat ze een hotemetoot van Fox Television was. Een maand of drie nadat Sally en ik officieel een stel waren, stelde hij voor met z'n drieën bij La Petite Port in Hollywood te gaan eten. Zodra we aan tafel zaten, had ik al door dat Sally hem een boer vond.

Bobby deed zijn best haar met zijn geijkte teksten voor zich te winnen. 'Iedereen die wat betekent, weet wie Sally Birmingham is,' klonk het slijmerig. Hij etaleerde zijn literaire kennis door te vragen welke roman van Don DeLillo zij het beste vond. 'Geen van alle,' beet ze hem toe. 'Het leven is veel te kort om je te verdiepen in dat soort literair gepoch.' Hij probeerde het zelfs met zijn 'ik ken beroemde mensen'-praatje. Hij vertelde dat Johnny Depp hem de dag ervoor vanuit Parijs had gebeld om iets over aandelenopties te bespreken. 'Wat heb je toch een interessant leven,' reageerde ze neerbuigend.

Ze prikte heel kalm door Bobby's pogingen haar voor zich te winnen. Het was een tamelijk zenuwslopend schouwspel, zij het dat Sally haar sloopwerk verrichtte met die beleefde glimlach die ze van huis uit had meegekregen. Niet één keer zei ze iets bots als 'Wat ben jij een opschepper' en niet één keer verhief ze haar stem. Tegen het eind van de avond had ze hem klein gekregen en was het overduidelijk dat ze hem maar een sneu burgermannetje vond.

Toen we die avond naar huis reden, streek ze over mijn achterhoofd en zei: 'Schat, je weet dat ik je aanbid, maar doe me zoiets niet meer aan.'

Het was even stil. 'Was het nou zo erg?' vroeg ik.

'Je weet best wat ik bedoel. Hij mag dan een goede vermogensbeheerder zijn, sociaal gezien is hij een idioot.'

'Ik moet wel om hem lachen.'

'Dat snap ik, en als je ooit iets voor Scorsese mag schrijven, kun je een type als hij goed gebruiken. Hij is een verzamelaar, David, en deze maand ben jij zijn *object d'art*. Als ik jou was, zou ik hem mijn investeringen laten doen en verder niets. Hij is een armoedzaaier, een poseur, een handige donder die 's ochtends dan misschien Armani-aftershave gebruikt, maar nog steeds naar Brut stinkt.'

Ik besefte dat Sally iets wreeds had en die onsympathieke kant van haar bekoorde me allerminst, maar ik hield mijn mond. Toen Bobby me een paar dagen na het etentje belde met de mededeling dat hij dat jaar gokte op negenentwintig procent vermogensgroei, hield ik me op de vlakte op het moment dat het gesprek op Sally kwam.

'Negenentwintig procent...' Ik was met stomheid geslagen. 'Dat is vast illegaal.'

'Nee hoor. Zo legaal als maar kan.'

'Het was een grapje,' zei ik toen ik merkte dat ik hem in de verdediging had gedrukt. 'Ik ben meer dan tevreden. Volgende keer betaal ik het eten.'

'Is er dan een volgende keer? Sally vond me helemaal niks.'

'Niet dat ik weet.'

'Je liegt, maar dat waardeer ik in je. Geloof me, ik weet heel goed wanneer ik het bij iemand heb verbruid.'

'Het klikte gewoon niet erg tussen jullie, dat is alles.'

'Je redt je er keurig uit. Zolang jij het maar niet met haar eens bent...'

'Waarom zou ik? Zeker niet nu je er negenentwintig procent uit peurt.'

Hij moest lachen. 'Het gaat om het resultaat, nietwaar?'

'En dat moet jij míj vragen?'

Bobby was slim genoeg om de rampzalige avond met Sally niet meer ter sprake te brengen, hoewel hij wel altijd even naar haar informeerde. Een keer in de maand ging ik met hem eten. Negenentwintig procent is tenslotte negenentwintig procent, maar ik vond hem ook echt aardig. Ik zag dat achter die ordinaire koopmansgeest en achter al die gelikte bravoure een man school die hard werkte en zijn best deed er wat van te maken in een onverschillige wereld. Net als wij allemaal besteedde hij zijn tijd aan opgeschroefde ambities en zorgen, in de waan dat het allemaal wat uitmaakt gedurende het korte spasme dat we het leven noemen.

Hoe het ook zij, ik was zo verrekte druk met het tweede seizoen, dat ik afgezien van ons maandelijkse etentje geen contact had met Bobby. Tegen de tijd dat het tweede seizoen van de serie in productie werd genomen, was ik tot de slotsom gekomen dat mijn leven een optelsom was van zo veel mogelijk doen in zo weinig mogelijk tijd: ik werkte veertien uur per dag, zeven dagen per week. De luttele uren die ik per dag overhield, besteedde ik aan Sally. Zij klaagde niet dat we te weinig tijd hadden samen. Als zij geen zeventien uur per dag werkte, vond ze zichzelf maar lui.

De enige lichtpuntjes in dit slopende leefritme waren de twee weekenden per maand die ik met Caitlin in Sausolito doorbracht. De breuk tussen ons was snel geheeld. Tijdens mijn eerste bezoekje was ze nog wat afstandelijk, maar we hadden een fantastische dag in San Francisco en allengs verdween haar afstandelijkheid. Die avond zaten we in een restaurant aan Fisherman's Wharf.

'Ik wil je wat vragen, pap,' begon ze.

'Vraag maar,' zei ik.

'Mis je mama en mij niet erg?'

Ik ervoer een immens gevoel van droefheid.

'Zeg maar rustig elk uur van de dag,' zei ik terwijl ik haar hand pakte. Ze liet me begaan en kneep even in mijn hand.

'Kun je dan niet weer bij ons komen wonen?'

'Ik wou dat het kon, maar…'

'Is het omdat je niet meer van mama houdt?'

'Ik zal altijd van je moeder blijven houden, maar soms is het voor mensen die van elkaar houden heel moeilijk om samen te leven. Ze groeien uit elkaar of ze…'

'Ze kunnen ook weer aan elkaar groeien.'

Ik glimlachte om haar rake woordkeuze.

'Zo simpel ligt het niet, Caitlin. Mensen kunnen elkaar dingen aandoen die moeilijk te vergeven zijn. Of ze vinden dat ze aan een ander leven toe zijn.'

Ze trok haar hand terug en staarde naar het tafelkleed.

'Ik vind het niet leuk dat je niet meer bij me bent.'

'Ik vind het ook jammer dat ik niet meer bij jou ben,' zei ik. 'Ik wou dat ik een toverstokje had dat alles weer in orde maakte, maar dat heb ik niet. We hebben twee weekenden per maand samen en als je vakantie hebt, mag je zo lang als je wilt bij me logeren.'

'Als ik vakantie heb, moet je vast werken.'

'Ik zorg wel dat ik niet hoef te werken.'

'Erewoord?'

'Erewoord.'

'Kom je om de twee weken?'

'Nou en of.'

Ik liet geen enkele keer verstek gaan. Niets en niemand stond het twee-wekelijkse tripje om mijn dochter te zien in de weg.

Een halfjaar vloog voorbij. Het tweede seizoen was opgenomen en de mensen van FRT waren razend enthousiast. Alison was al met Brad Bruce en Ted Lipton in onderhandeling over een derde seizoen, en dat terwijl de afleveringen voor het tweede seizoen pas twee maanden daarna zouden worden uitgezonden. Mijn leven was chaotisch, maar goed. Mijn carrière nam een hoge vlucht, mijn passie voor Sally was niet gedoofd en zij op haar beurt was erg gek op mij. Mijn investeringen brachten veel op en hoe-wel Lucy me nog steeds uiterst koel behandelde als ik in Sausolito was, was Caitlin altijd dolblij om me te zien. Eén weekend per maand kwam ze zelfs bij ons in LA logeren.

'Wat is er met je?' vroeg Alison toen we op een goede dag zaten te lun-chen. 'Je lijkt wel gelukkig.'

'Dat ben ik ook.'

'Moet ik de pers inlichten?'

'Is er wat mis met gelukkig zijn?'

'Niet echt. Ik wil alleen maar zeggen... dat jij nooit zo happy over-kwam.'

Dat was zo, want tot voor kort had ik ook niet bereikt wat ik wilde.

'Dan moest ik daar maar eens wat aan doen,' zei ik.

'Dat is een goed idee. Terwijl je aan jezelf werkt, zou ik je willen aanra-den er een tijdje tussenuit te gaan. Je ziet er moe uit.'

Alweer had ze het bij het rechte eind. Ik had in geen veertien maanden vakantie gehad. Ik was moe en toe aan vakantie. Zozeer zelfs, dat toen

Bobby me medio maart belde met de vraag of Sally en ik zin hadden de komende week met hem naar het Caribisch gebied te gaan, ik meteen ja zei.

'Uitstekend,' zei hij. 'Phil Fleck wil je graag spreken.'

3

EEN PAAR FEITEN OVER PHILIP FLECK. HIJ WERD VIERENVEERTIG JAAR geleden in Milwaukee geboren. Zijn vader was er de eigenaar van een bedrijf in verpakkingsmateriaal en toen pa in 1981 aan een hartaanval bezweek, werd Philip gesommeerd de filmacademie van NYU de rug toe te keren om het familiebedrijf te komen leiden. Hij voelde er weinig voor die verantwoordelijkheid op zich te nemen – hij wilde filmregisseur worden – maar gaf toch gehoor aan de wensen van zijn moeder en werd de nieuwe directeur. Binnen tien jaar had hij het kleine, regionaal opererende bedrijf omgevormd tot een van de grootste in de Verenigde Staten. Hij bracht de zaak naar de beurs en verdiende zijn eerste miljard. Het geld dat hij daarmee had verdiend, stak hij in risicodragend kapitaal en daarna, begin jaren negentig, stak hij het in een tot dan toe onbekende bedrijfstak die internet werd genoemd. Hij investeerde slim en tegen 1999 had hij twintig miljard verdiend.

In het jaar 2000 vierde hij niet alleen zijn veertigste verjaardag, het was ook het jaar dat hij opeens besloot uit het zicht te verdwijnen. Hij trad af als directeur en werd niet meer in het openbaar gesignaleerd. Hij nam een bewakingsbedrijf in de arm om zijn privacy te waarborgen en wimpelde alle verzoeken voor interviews en lezingen af. Fleck verschool zich in het gigantische apparaat dat zijn imperium bestuurde. Hij leek van de aardbodem verdwenen en velen dachten dat hij of dood, of gek, of net de kluizenaar-schrijver J.D. Salinger was.

En toen kwam Philip Fleck opeens weer boven water. Herstel: niet hijzelf, maar zijn naam. Flecks eerste film, *The Last Chance*, ging in première. Hij had het scenario geschreven en de film zelf geregisseerd en ook gefinancierd. In het enige interview dat hij voor het uitkomen van de film gaf, aan *Esquire*, noemde hij het 'de culminatie van tien jaar nadenken en plannen'. De film vertelde het apocalyptische verhaal van twee stellen die ergens op een eiland voor de kust van Maine in een soort metafysische crisis terechtkomen wanneer een ongeluk met een kerncentrale het noordoosten van Amerika van de kaart heeft geveegd. Het viertal zit op het eiland en kan geen kant op. Ze hopen dat het nucleaire gif niet hun kant op waait.

Terwijl ze ruziën, vechten en neuken, bespreken ze 'de ware zin van het toch zo tijdelijke bestaan' en, hoe kan het ook anders, hun naderende einde.

De recensies waren dodelijk; Fleck zelf werd pompeus genoemd en door iedereen belachelijk gemaakt. De critici zeiden dat hij een van alle talenten gespeende rijkaard was die alleen om zijn ijdelheid te strelen het duurste filmproject ooit had gefinancierd.

Na die hartverwarmende ontvangst verdween Philip Fleck weer uit het zicht. Hij communiceerde alleen nog met een handjevol vrienden, zij het dat zijn naam weer even in het nieuws was toen bekend werd dat hij eindelijk was getrouwd, en wel met de scripteditor van *The Last Chance*. (Even terzijde: toen Brad Bruce op het kantoor van FRT in de rubriek 'Milestones' van *Time Magazine* las dat Fleck getrouwd was, zei hij: 'Misschien omdat zij de enige was die hem niet heeft uitgelachen om dat godvergeten scenario.')

Hoewel de critici Philip Flecks imago een flinke deuk hadden toegebracht, was zijn bankrekening nog helemaal intact. Volgens *Forbes* behoorde hij nog steeds tot de honderd vermogendste Amerikanen. Fleck stond op nummer acht op de lijst en zijn nettovermogen werd geschat op twintig miljard. Hij had niet alleen huizen in Manhattan, Malibu, Parijs, San Francisco en Sydney, maar bezat bovendien een eilandje ergens in de buurt van Antigua. Hij had zijn eigen 767 en was een verwoed collectioneur met een voorkeur voor twintigste-eeuwse Amerikaanse kunst, met name abstracte schilders uit de jaren zestig zoals Motherwell, Philip Guston en Rothko. Hoewel hij veel aan goede doelen schonk, stond hij voornamelijk bekend als een absolute filmgek die zowel het Amerikaanse Filminstituut als de Cinémathèque Française en de filmafdeling van NYU financieel ondersteunde. Hij was een rasechte cinefiel. In het interview met *Esquire* zei hij dat hij minstens tienduizend films had gezien. Heel af en toe werd hij gesignaleerd in de kleine bioscopen op de Rive Gauche in Parijs, zoals de Accatone en de Action Christine. Volgens zeggen zag hij er zo doodgewoon uit dat het moeilijk was hem uit het publiek te pikken.

'Hij draagt geen maatpakken,' schreef de journalist van *Esquire* in zijn puntige portret van Fleck. 'Van dichtbij is hij een heel gewone man, ietwat gedrongen, en met een mild psychisch probleem. Je weet niet of hij nou gebukt gaat onder een terminale vorm van verlegenheid of last heeft van de arrogante mensenhaat die je bij de puissant rijken wel meer ziet, maar met zijn megakapitaal hoeft hij zich niet bezig te houden met de rest van de mensheid. Als je Philip Fleck spreekt, met zijn gigantische weelde, zijn enorme financiële draagkracht en alle grandeur, denk je onwillekeurig dat de goden zo nu en dan het goede voorhebben met sukkels als hij.'

Na Bobby's voorstel om een weekendje in Flecks Caribische schuilplaats door te brengen, vroeg ik mijn secretaresse het interview in *Esquire* voor me op te zoeken. Zodra ik het had gelezen, belde ik Bobby op zijn werk en vroeg: 'En? Leeft die journalist nog?'

'Ternauwernood, een baantje als stadsverslaggever van de *Bangor Daily News* is niet echt te vergelijken met een baan bij een topconcern als Hearst Magazines.'

'Als ik dergelijke recensies had gekregen, had ik me aangemeld als kamikazepiloot.'

'Tja, maar stel dat je twintig miljard op de bank had staan.'

'Da's ook weer waar.'

'Ik neem toch aan dat hij na alle bagger die hij sinds *The Last Chance* over zich heen heeft gekregen, alle hoop op een carrière als regisseur heeft opgegeven.'

'Van wat ik over Phil weet, zit hij misschien te mokken, maar hij geeft nooit op. Hij weet niet van ophouden en als hij iets wil, dan krijgt hij het ook. Nu wil hij dus iets van jou.'

Juist. Dat was de onderliggende reden dat ik moest aantreden in zijn huis in het Caribische gebied, zoveel begreep ik wel tijdens het telefoongesprek waarin Bobby me uitnodigde om met de grote kluizenaar te komen praten.

'De situatie is als volgt,' zei Bobby. 'Hij zit op zijn eiland bij Antigua. Het heet Saffron Island en ik kan je vertellen dat het een super-de-luxe paradijsje is.'

'Laat me eens raden? Heeft hij daar zijn eigen fastfoodrestaurant? Een Taco Bell misschien?'

'Wat doe je nou sarcastisch?'

'Ik vind het leuk je te pesten met die megarijke vriend van je.'

'Luister nou. Phil is heel bijzonder, daar zijn er niet veel van. Hij mag zijn privacy dan tegenwoordig bewaken alsof het een nucleair testgebied is, onder vrienden is het een doodgewone vent.'

En volgens Bobby mocht hij Bobby Barra erg graag. 'Omdat ik ook zo'n doodgewone vent ben.'

'Niet om het een of ander,' zei ik, 'maar ik snap niet hoe jij in zijn vriendenkring hebt geïnfiltreerd.'

Bobby legde uit dat iemand hem drie jaar daarvoor tijdens de preproductie van Flecks film met Philip in contact had gebracht. Fleck was de enige investeerder in de film en hij wilde iets verzinnen waardoor de hele onderneming één gigantische aftrekpost voor de belastingen werd. Een van Flecks naaste medewerkers was een cliënt van Bobby en omdat de man begreep dat hij met een financieel wonder te maken had (ja, zo zei Bobby het), stelde hij voor dat Fleck maar eens met Barra moest gaan praten. Zodoende was Bobby gesommeerd naar San Francisco te komen, naar Flecks 'bescheiden optrekje op Russian Hill'. Ze tastten elkaar even af en babbelden wat. Bobby ontvouwde een plan dat inhield dat als de film in Ierland zou worden opgenomen, Fleck het totale budget van twintig miljoen het volgende jaar zou kunnen afschrijven en dat de belastingen dan het nakijken hadden.

The Last Chance werd opgenomen op een godvergeten eilandje ergens voor de kust van County Clare en de binnenopnamen in een studio in Dublin. Hoewel de hele onderneming voor iedereen rampzalig verliep, ging Bobby er met de hoofdprijs vandoor: zijn vriendschap met Philip Fleck.

'Geloof het of niet, David, maar we spreken dezelfde taal. Ik weet dat hij waarde hecht aan mijn financiële adviezen.'

Genoeg om jou met zijn geld te laten spelen? wilde ik vragen, maar ik slikte het in. Ik wist bijna zeker dat een man als Philip Fleck wel twintig Bobby Barra's op de loonlijst had staan. Wat ik niet helemaal snapte, was wat een man als Fleck zag in een rommelaar als Bobby Barra. Misschien beschouwde hij hem, net als ik, als een aardige afleiding, maar het kon ook zijn dat Bobby karaktereigenschappen had die hij een personage van een volgend filmproject kon toebedelen.

'Hoe is zijn echtgenote?' vroeg ik.

'Martha? Zo'n typische vrouw uit New England. Een beetje saai om te zien, maar niet onaantrekkelijk voor wie van het type Emily Dickinson houdt.'

'Ken jij Emily Dickinson?'

'Ik ben nooit met haar uit geweest, maar...'

Ik moest het hem nageven: Bobby Barra was ad rem.

'Hou dit wel voor je,' ging hij verder, 'maar niemand was erg verbaasd dat Phil had besloten dat zij de uitverkorene was. Vóór Martha had hij altijd een of andere mooie meid bij zich, hoewel het wel raar was dat hij zich inliet met fotomodellen die hun eigen naam nauwelijks konden spellen.

Ondanks al zijn geld is hij niet iemand die de vrouwen van zich af moet slaan.'

'Toch leuk dat hij iemand heeft gevonden,' zei ik, maar ik bedacht dat deze vermoedelijke schoonheid van goede komaf waarschijnlijk op zijn geld uit was.

'Kortom, wat die invitatie betreft, dat ligt heel simpel. Philip is weg van *Selling You*, wil graag kennis met je maken en dacht dat je het misschien leuk zou vinden om een weekje met je vriendin onder de palmen van Saffron Island te liggen.'

'Sally is ook uitgenodigd?'

'Dat heb ik je meteen al gezegd.'

'Het is niet meer dan een eerste kennismaking?'

'Precies,' zei Bobby, maar ik hoorde een zweempje aarzeling in zijn stem. 'Hij wil het natuurlijk wel even met je over de filmwereld hebben.'

'Dat is best.'

'Misschien heb je er geen bezwaar tegen om voor we daarheen gaan even een scenario van hem te lezen?'

'Ik wist dat er een addertje onder het gras zat.'

'Niks addertje onder het gras. Hij wil alleen dat je even naar zijn scenario kijkt en wat suggesties doet.'

'Ik sleutel niet aan scenario's. Dat is mijn vak niet.'

'Gelul. Je doet niet anders als je de niet door jou geschreven dialoog voor *Selling You* doorneemt.'

'Ja, maar dan hebben we het wel over mijn eigen televisieserie. Neem me niet kwalijk als het erg bot overkomt, maar ik voel er hoegenaamd niets voor mond-op-mondbeademing toe te passen op andermans werk.'

'"Bot" is hier inderdaad wel van toepassing, maar goed. Niemand verwacht van je dat je het verbetert. Het gaat alleen om een paar suggesties voor de scenarioschrijver, en dat is toevallig wel ene Philip Fleck die je in zijn privéjet naar zijn privé-eilandje wil vliegen, waar je een privésuite krijgt met privézwembad, een eigen butler en een zessterrenbehandeling die je nergens anders krijgt. In ruil voor deze overdadige luxe hoef je alleen maar even naar een scenario te kijken, dat trouwens maar honderdvier pagina's telt. Ik heb het vermaledijde pak papier hier voor me liggen. Als je het hebt gelezen, ga je met hem onder de palmbomen van Saffron Island zitten, je nipt aan een pina colada en praat een uurtje met de op zeven na rijkste Amerikaan over zijn scenario.'

Hij zweeg even om op adem te komen, en voor het effect.

'Nou vraag ik je, meneer Armitage: is dat nou zo'n verrekt grote opgave?'

'Goed dan,' zei ik. 'Stuur maar een koerier.'

Twee uur later had ik het en dook ik erin. Er was iets heel intrigerends aan de paradox die Philip Fleck was: zo veel geld en zo weinig creativiteit. En, als ik de journalist van *Esquire* mocht geloven, had de man een wanhopige behoefte de wereld te bewijzen dat hij wel degelijk talent had. 'Zonder erkenning betekent geld helemaal niets,' aldus Fleck. Maar stel nou eens dat je ondanks je centen geen greintje talent hebt? Wat dan? Ik denk dat de gemenerik in me wel een paar dagen getuige wilde zijn van die ultieme ironie.

Zelfs Sally was nieuwsgierig hoe het was om je een paar dagen in dergelijke luxe te kunnen wentelen.

'Weet je zeker dat het niet een of andere list is van die kleine Bobby Barra?' vroeg ze.

'Ik geef toe, Bobby is een gladjanus, maar ik neem toch niet aan dat hij de beschikking heeft over een 767, laat staan een eilandje in het Caribisch gebied. Hoe het ook zij, ik heb een kopie van Flecks script en heb Jennifer even laten nakijken of het inderdaad geregistreerd staat bij de SATWA. Fleck wordt genoemd als scenarist, dus ja, het ziet ernaar uit dat het allemaal klopt.'

'Hoe is het?'

'Dat weet ik nog niet. Het is net voor ik wegging binnengekomen.'

'Als we vrijdag al gaan, dan moet je wel even tijd vrijmaken om wat aantekeningen te maken. Tenslotte heb jij het paspoort voor de hele onderneming in handen.'

'Dus je gaat mee?'

'Een volledig betaalde week op het idyllische eiland van Philip Fleck? Reken maar dat ik meega. Daar kan ik maanden op teren.'

'Stel dat het allemaal vreselijk ordinair blijkt te zijn?'

'Dan heb ik in elk geval een aardig verhaal om te vertellen.'

Die nacht, geteisterd door slapeloosheid, stond ik om twee uur op, liep naar de zitkamer en sloeg Flecks scenario open. Het heette *Fun and Games* en de eerste scène was als volgt:

Buddy Miles, vijfenvijftig, doorleefde kop, altijd een sigaret in zijn mondhoek, zit achter de toonbank van een bijzonder groezelige seksshop. Hoewel hij is omgeven door vunzige omslagen van diverse pornotijdschriften, zien we algauw dat hij *Ulysses* van James Joyce leest. Het begin van Mahlers eerste symfonie schalt uit de boombox naast de kassa. Hij pakt zijn koffiemok, neemt een slok, trekt een vies gezicht, reikt onder de toonbank en pakt een fles Hiram Walker-whisky, die hij op de toonbank zet. Hij draait de schroefdop los, giet een scheut in de mok, zet de fles terug en neemt nog een slok. Deze keer kan het vocht zijn goedkeuring wegdragen. Als hij opkijkt, ziet hij dat er iemand voor de toonbank staat. De man is gekleed in een dikke regenjas en zijn gezicht wordt grotendeels bedekt door een bivakmuts. Buddy ziet dat de man met de muts een vuurwapen op hem heeft gericht. Na een paar seconden zegt de man met de bivakmuts:

LEON Is dat Mahler?

BUDDY (verbijsterd door het zien van het vuurwapen) Mijn complimenten. Ik wil om tien dollar wedden dat je niet weet welke symfonie het is.

LEON Je hangt. Mahlers eerste.

BUDDY Als je weet wie de dirigent is, verdubbel ik de inzet. Weet je het niet, dan ben je alles kwijt.

LEON Driemaal de inzet.

BUDDY Dat is wel heel gewaagd.

LEON Klopt, maar ik heb een pistool.

BUDDY Dat kan ik niet ontkennen. Oké, driemaal de inzet. Wie zwaait er met het stokje?

Leon zwijgt en luistert aandachtig naar de opname.

LEON Bernstein.

BUDDY Pech gehad. Georg Solti dirigeert het Symfonieorkest van Chicago.

LEON Lul je nou maar wat?

BUDDY Ga maar kijken.

Leon, met zijn pistool nog steeds op Buddy gericht, maakt het klepje van de boombox open, pakt de cd eruit en bekijkt het label met enig afgrijzen, waarna hij het schijfje wegkeilt.

LEON Dat Symfonieorkest van Chicago vind ik maar niets.
BUDDY Snap ik. Je oren moeten er even aan wennen, vooral aan al dat koper. Goed, zullen we ter zake komen?
LEON Verdomme, het lijkt wel of je gedachten kunt lezen. (Hij komt weer op Buddy af.) Opschieten nu. Doe die kassa open en maak me blij.
BUDDY Geen probleem.

Buddy opent de kassa. Leon leunt over de toonbank en met zijn vrije hand reikt hij naar de bankbiljetten, maar Buddy slaat de geldlade dicht, waardoor Leons hand tussen de lade en de kassa vast komt te zitten. Intussen heeft hij een afgezaagd jachtgeweer vanachter de toonbank gepakt. Voordat Leon weet wat er gebeurt, heeft hij de loop tegen zijn slaap en een hand waar hij niets mee kan doen.

BUDDY Misschien moest je dat pistool maar even laten vallen, hè?

Leon doet wat er van hem verlangd wordt. Buddy opent de geldlade, maar houdt de loop van zijn geweer nog steeds tegen Leons slaap. Hij trekt de bivakmuts van zijn hoofd. Leon blijkt een zwarte man van midden vijftig te zijn. Buddy staart Leon met grote ogen aan.

BUDDY Leon? Leon Wachtell?

Nu is het Leons beurt om grote ogen op te zetten. Eindelijk heeft hij het door.

LEON Buddy Miles?

Buddy laat het geweer zakken.

BUDDY Voor jou ben ik nog altijd sergeant Miles, lul.
LEON Ik kan mijn ogen niet geloven.

BUDDY Ik snap niet dat je me niet herkende.
LEON Ja zeg, Vietnam is ook een hele tijd geleden.

Ik las niet verder. Ik legde het scenario neer, stond op en liep naar de grote gangkast. Na enig zoeken tussen allerlei dozen vond ik wat ik zocht: een kist die was volgestouwd met scenario's uit de tijd van mijn lange verblijf in Nergenshuizen. Ik maakte de kist open en rommelde in de flinke stapel afgewezen scenario's en nooit aangekochte pilotafleveringen. Uiteindelijk vond ik *We Three Grunts*, een van de eerste scenario's die ik had geschreven nadat Alison me in haar stal had opgenomen. Ik liep ermee terug naar de bank in de zitkamer en begon te lezen.

INTERIEUR SEKSSHOP – NACHT
Buddy Miles, vijfenvijftig, doorleefde kop, altijd een sigaret in zijn mondhoek, zit achter de toonbank van een bijzonder groezelige seksshop. Hoewel hij is omgeven door vunzige omslagen van diverse pornotijdschriften, zien we algauw dat hij *Ulysses* van James Joyce leest. Het begin van Mahlers eerste symfonie schalt uit de boombox naast de kassa. Hij pakt zijn koffiemok, neemt een slok, trekt een vies gezicht, reikt onder de toonbank en pakt een fles Hiram Walker-whisky, die hij op de toonbank zet. Hij draait de schroefdop los, giet een scheut in de mok, zet de fles terug en neemt nog een slok. Deze keer kan het vocht zijn goedkeuring wegdragen. Als hij opkijkt, ziet hij dat er iemand voor de toonbank staat. De man is gekleed in een dikke regenjas en zijn gezicht wordt grotendeels bedekt door een bivakmuts. Buddy ziet dat de man met de muts een vuurwapen op hem heeft gericht. Na een paar seconden zegt de man met de bivakmuts:

LEON Is dat Mahler?
BUDDY (verbijsterd door het zien van het vuurwapen) Mijn complimenten. Ik wil om tien dollar wedden dat je niet weet welke symfonie het is.

De scène was exact hetzelfde als in Philip Flecks scenario. Ik pakte zijn tekst erbij, liet die op één knie balanceren en legde mijn eigen scenario op de andere. Ik vergeleek de tekst bladzijde voor bladzijde en zag dat Fleck mijn werk, dat ik acht jaar geleden al had laten registreren, exact had gekopieerd en het een maand geleden had laten registreren bij de SATWA, de beroepsvereniging van scenarioschrijvers voor film en televisie. Dit was niet zomaar plagiaat, dit was woord voor woord, leesteken voor leesteken geplagieerd. De pagina's waren identiek ingedeeld, dus ik wist vrijwel zeker dat hij een of andere ondergeschikte had opgedragen een nieuwe titelpagina met zijn naam erop te tikken voor hij het naar de SATWA had opgestuurd.

Ik kon mijn ogen niet geloven. Wat Fleck had geflikt, was niet alleen van de gekke, het was een grof schandaal. Met de mensen van de SATWA achter me was het een fluitje van een cent om hem te ontmaskeren als literair letterdief. Iemand die zo op zijn privacy gesteld was, had toch moeten weten dat de pers hem handenwrijvend zou vierendelen als hij van plagiaat werd beschuldigd. En hij begreep natuurlijk heel goed dat hij zich, door de opdracht te geven het script bij mij te bezorgen, op zijn minst míjn woede op de hals zou halen. Wat was dit voor misselijk spelletje?

Ik keek op mijn horloge. Het was elf over halfdrie. Ik herinnerde me wat Bobby me ooit had gezegd: 'Ik sta vierentwintig uur per dag en zeven dagen per week voor je klaar.' Ik pakte de telefoon en toetste zijn mobiele nummer in. Na drie keer overgaan werd er opgenomen. Op de achtergrond hoorde ik keiharde technomuziek en het geluid van een optrekkende auto. Bobby klonk nogal opgewonden. Hij had iets lekkers gesnoven of had een aan Ritalin verwant product van de farmaceutische industrie geslikt.

'Dave! Wat ben jij nog laat op.'

'Schikt het even?'

'Als ik je nou vertel dat ik op de grote weg zit, honderdveertig kilometer per uur rijd en dat een Hawaïaanse schone genaamd Heather Fong iets lekkers in haar mond heeft, geloof je me dan?'

'Nee.'

'Goed zo. Ik heb de hele avond met een tweetal gisse Venezolanen over de Nasdaq zitten bomen.'

'En ik heb zitten lezen. Verdomme, wat denkt die Fleck wel niet? Dat-ie mijn scenario zomaar kan kopiëren?'

'O, dat is je dus opgevallen.'

'Dat is het zeker. Meneer Fleck moet oppassen. Om te beginnen kan ik tegen Alison zeggen dat ze het aanhangig moet maken, en…'

'Wacht even. Het is dan wel bijna drie uur 's nachts, maar misschien moet je toch even aan je gevoel voor humor schaven. Fleck wil je alleen maar een compliment maken, sukkel. Een heel groot compliment nog wel. Hij wil jouw scenario verfilmen! Dat is zijn volgende project en hij is bereid er heel veel voor te betalen.'

'En dan gaat hij het brengen alsof hij het heeft geschreven?'

'Dave, die man is goed voor twintig miljard. Zo dom is hij niet. Hij weet dat het jóúw scenario is. Hij heeft je op zijn eigen, ietwat vreemde manier willen zeggen dat hij het heel goed vindt.'

'Was het niet eenvoudiger geweest als hij me had gebeld om me te vertellen dat hij het goed vindt of, zoals in dit soort zaken gebruikelijk is, hadden zijn mensen niet met mijn mensen kunnen praten?'

'Wat moet ik daar nou op zeggen? Phil laat de mensen graag raden. Maar hoor eens, als ik jou was, zou ik dolblij zijn. Alison kan hem voor de verkoop van je scenario uitwringen.'

'Ik moet er nog eens goed over nadenken.'

'Wat een onzin. Kom op, neem een pilletje om je gevoel voor humor op te wekken en ga slapen. Morgenochtend kun je er gegarandeerd om lachen.'

Ik hing op. Ik was opeens vreselijk moe, zo moe dat ik me niet meer het hoofd kon breken over het spelletje dat Philip Fleck met me speelde. Voor ik in bed stapte, legde ik de twee scenario's op de eerste pagina opengeslagen op de keukentafel. Ik legde er een briefje voor Sally naast.

Lieverd,

Ik hoor graag wat je van dit vreemde geval van plagiaat vindt.
Ik hou van je...

D. xxx

Ik sloop de slaapkamer in, stapte in bed en sliep meteen in.

Vijf uur later werd ik wakker. Sally zat aan het voeteneind van het bed en hield een cappuccino voor me op. Ik mompelde verward een bedankje. Ze glimlachte naar me. Ik zag dat ze al gedoucht had en aangekleed was, maar ook dat ze de twee scripts onder haar arm had.

'Wil je echt weten wat ik hiervan vind?' vroeg ze.

Ik nam een slokje cappuccino en knikte.

'Om je de waarheid te zeggen, vind ik het nogal gewoontjes. Een snufje

Quintin Tarantino en een snufje van die parodieën op spannende films waar ze in de jaren zeventig patent op hadden.'

'Je wordt bedankt.'

'Je wilde toch weten wat ik ervan vond? Bij dezen dus. Het is tenslotte een werkje uit je beginjaren. Zeg nou zelf, de openingsscène komt een beetje geforceerd over. Misschien vind jij het geestig dat er aan Mahler wordt gerefereerd, maar het grote publiek heeft daar geen boodschap aan.'

Ik nam nog een slok en zei: 'Au…'

'Ik zeg toch niet dat het waardeloos is? Integendeel, het heeft heel wat van de elementen in zich die van *Selling You* een succes hebben gemaakt. Wat ik wil zeggen, is dat je in de tussentijd heel wat beter bent geworden.'

'Het zal wel,' zei ik een beetje beledigd.

'Kom op! Je wilt toch zeker niet dat ik je de hemel in prijs als het niet echt goed is?'

'Natuurlijk wil ik dat wel.'

'Dat zou niet eerlijk zijn.'

'Wat heeft het nou met eerlijkheid te maken? Ik wilde alleen je mening over Flecks poging tot plagiaat.'

'Plagiaat? Je moest jezelf eens horen. Je bent net als al die andere scenarioschrijvers: altijd bloedserieus over je eigen werk. Goed, hij heeft je een poets gebakken om te zien hoe je zou reageren op het "stelen" van je scenario. Je hebt het niet door, hè? Snap je niet wat hij hiermee wil zeggen?'

'Ik begrijp het heel goed: hij wil genoemd worden als coauteur.'

Ze haalde haar schouders op. 'Ja, meer niet. Dat is de prijs die je moet betalen als hij je scenario verfilmt. Ik vind dat je hem dat ook moet gunnen.'

'Waarom zou ik?'

'Dat weet je best: omdat het spelletje nu eenmaal zo wordt gespeeld. Bovendien is het niet bepaald het beste filmscenario dat ooit is geschreven, dus waarom zou je hem niet willen noemen?'

Ik zweeg. Sally kwam naar me toe en gaf me een kusje op mijn hoofd.

'Niet mokken, oké?' zei ze. 'Ik voel er nou eenmaal weinig voor om tegen je te liegen. Het is een oud, sleets werkje. Als de op zeven na rijkste man van het land het van je wil kopen, dan moet je zijn klinkende munten maar aannemen, ook al betekent het dat hij op de aftiteling komt te staan. Geloof me nou maar als ik zeg dat Alison het roerend met me eens zal zijn.'

Toen ik Alison belde om haar te vertellen over de stunt die Fleck had uitgehaald, zei ze: 'Ere wie ere toekomt. Het is wel een heel gelikte en originele manier om je aandacht te krijgen.'

'En om me te vertellen dat hij als coauteur vermeld wil worden.'

'Nou en? Dit is Hollywood. Zelfs de heren die je auto voor je naar de parkeerplaats rijden, vinden dat ze recht hebben op een vermelding als coauteur. Nou ja, het is toch niet bepaald je beste werk.'

Ik reageerde niet.

'Hemel. Een pijnlijke stilte,' zei Alison. 'Is de auteur vanochtend een beetje overgevoelig?'

'Een beetje.'

'Je bent te veel verwend door FRT, David. Je denkt dat je overal een vinger in de creatieve pap kunt houden, maar vergeet niet dat we het bij dit scenario over een bioscoopfilm hebben. Het maken van een film is niet mogelijk zonder het sluiten van compromissen. Tenzij Fleck besluit dat hij er zo'n lullig filmpje voor het alternatieve circuit van wil maken.'

'Het is een pastiche op films over roofovervallen.'

'Oké, maar als Fleck ermee aan de slag gaat, kan het uitgroeien tot een existentialistische draak. Heb je *The Last Chance* nooit gezien?'

'Nog niet.'

'Doe jezelf een lol en huur 'm even. Het is een van de beste voorbeelden van onbedoeld geestige films die er zijn.'

Ik volgde haar raad op, huurde die middag de film en wilde hem gezien hebben voordat Sally die avond thuiskwam. Ik schoof de dvd in de speler, trok een biertje open, ging in een gemakkelijke stoel zitten en wachtte op het moment dat ik er plezier in zou krijgen.

Ik hoefde niet lang te wachten. De eerste shot van *The Last Chance* is een close-up van ene Prudence, een elegante, treurende beauty in een lange, wervelende cape. We zien haar op een rots op de kust van een kaal eilandje staan kijken naar de paddenstoelvormige wolk op het vasteland in de verte. Zodra ze zich bewust is van de omvang van de nucleaire ramp, spert ze haar ogen open en horen we haar zeggen: 'De wereld verging... en ik zag het gebeuren.'

Wat een begin! Een paar minuten later maken we kennis met de eilandgenoten van Prudence, zoals Helene, ook zo'n treurige schoonheid (zij het met een hoornen brilletje), die getrouwd is met een maffe kunstenaar genaamd Herman. Hij schildert gigantische doeken met apocalyptische scènes van stedelijke slachtpartijen.

'Ik ben hierheen gekomen om aan de materiële wereld te ontsnappen,' zegt hij tegen Helene, 'en nu is die wereld verdwenen. Onze droom is uitgekomen.'

'Ja, mijn lief,' antwoordt Helene, 'dat is zo. Onze droom is uitgekomen. Maar er is één probleem: ook wij gaan dood.'

Het vierde lid van dit vrolijke kwartet is een Zweedse kluizenaar die Helgor heet. Hij speelt Thoreau bij Walden Pond in een huisje ergens in een uithoek van het eiland. Helene is verkikkerd op Helgor, die seks heeft afgezworen, alsmede elektriciteit, versterkte muziek, wc's die doorspoelen en alles wat niet op biologisch verantwoorde grond is verbouwd. Als hij hoort dat de wereld is vergaan, besluit hij dat seks weer kan en laat hij zich door Helene verleiden. Als ze op de stenen vloer van zijn krot liggen, zegt hij: 'Ik wil je lichaam drinken. Ik wil je levenssappen tot me nemen.'

Dan blijkt natuurlijk dat rare Herman het met Prudence doet en dat zij zwanger is geraakt. Tijdens een moment van enorme diepgang zegt ze tegen hem: 'Nu de dood zich overal manifesteert, voel ík het leven in me groeien.'

Helene komt erachter dat Herman met Prudence is vreemdgegaan en Helgor laat vallen dat hij het met Helene heeft gedaan. De twee heren gaan even op de vuist, dan volgt een halfuur van lange, broeierige stiltes, waarna ze het uiteindelijk allemaal goedmaken. Vervolgens ontstaat er een ellenlange discussie over de zin van het bestaan, een scène die is opgenomen op een groot terras met witte en zwarte tegels. De vier personages stappen van de zwarte op de witte tegels (kun je nagaan) alsof het een schaakbord is. Terwijl de postnucleaire branden op het vasteland woeden en de dodelijke wolken richting het eiland drijven, besluit het viertal dat ze het lot onder ogen moeten zien.

'We moeten het leven niet door verstikking verlaten,' zegt maffe Herman, 'maar de vlammen tegemoet treden.'

Dat gezegd hebbende, stappen ze gevieren in een bootje en begeleid door de muziek van Siegfrieds reis over de Rijn varen ze richting het inferno, hun eigen götterdämmerung.

Beeld op zwart. Aftiteling.

Na afloop bleef ik een paar minuten met stomheid geslagen in de stoel zitten, waarna ik opstond en mijn agent belde om even stoom af te blazen. Toen ik mijn zegje gedaan had, zei Alison: 'Ja, het is een regelrechte ramp.'

'Ik kan toch niet met die man werken! Ik ga dat reisje afzeggen.'

'Rustig nou,' zei ze. 'Waarom zou je hem niet willen spreken? We hebben het tenslotte over een luxueuze zonvakantie, nietwaar? Om precies te zijn: wat is erop tegen het scenario van *We Three Grunts... Fun and Games* of hoe hij het ook wil noemen, aan hem te verkopen? Als je echt niet achter zijn versie wilt staan, dan haal je je naam er toch van af? Intussen peur ik er een mooi bedrag uit. Ik zet hem voor het blok: betalen of we doen niet mee. Ik vraag een miljoen en ik garandeer je dat hij het betaalt. Hoewel wij allebei weten dat hij je alleen maar heeft willen paaien door jouw scenario onder zijn naam te registreren, denk ik niet dat hij het leuk vindt als we dat aan de grote klok hangen. Ik weet zeker dat hij er grif voor wil betalen om het stil te houden, en zonder dat we erom hoeven vragen.'

'Je slaat de menselijke natuur niet zo hoog aan, hè?'

'Nou, ik ben toch agent?'

Na het gesprekje met Alison belde ik Sally. Haar secretaresse zette me een minuut of drie in de wacht, waarna ze weer aan de lijn kwam. Ze klonk gespannen, zei dat er 'iets mis was' en dat Sally me over een minuut of tien wel terug zou bellen.

Pas na een klein halfuur belde ze. Op het moment dat ik haar stem hoorde, wist ik dat er iets aan de hand was.

'Bill Levy heeft zojuist een hartaanval gehad,' zei ze met trillende stem.

'Jezus,' zei ik. Levy was niet alleen haar baas, maar ook degene die Sally naar Fox Television had gehaald. Hij was haar mentor, een vaderfiguur haast, en een van de weinigen daar die ze vertrouwde.

'Is het ernstig?' vroeg ik.

'Nogal. Hij is tijdens een vergadering ingestort. Gelukkig was de bedrijfsverpleegkundige in huis. Die heeft hartmassage toegepast totdat de ambulance er was.'

'Waar is hij nu?'

'Op de intensive care van het Academisch Ziekenhuis. Er heerst hier nu totale chaos, dus ik kom wat later thuis.'

'Natuurlijk,' zei ik. 'Als ik iets kan doen...'

Ik hoorde nog 'Ik moet nu echt gaan' en toen hing ze op.

Ze kwam pas na middernacht thuis. Ze zag er moe uit. Ik omhelsde haar, maar ze duwde me voorzichtig van zich af en liet zich op de bank vallen.

'Hij heeft het gered, maar het was wel kantje boord,' zei ze. 'Hij ligt nog in coma en ze weten niet of er hersenbeschadiging is opgetreden.'

'Ik ben er kapot van,' zei ik. Ik bood aan een borreltje voor haar te halen, maar ze wilde liever een Perrier.

'Tot overmaat van ramp,' zei ze, 'hebben ze besloten dat Stu Barker Levy's werk overneemt.'

Dat was inderdaad slecht nieuws. Stu Barker was een superambitieuze zak die al zeker een jaar op Levy's baan aasde. Bovendien zag hij Sally niet erg zitten, omdat die zich nadrukkelijk in het kamp van Levy ophield.

'Wat ga je daaraan doen?' vroeg ik.

'Precies wat een situatie als deze vereist. Ik moet me omringen met mijn troepen en hopen dat die eikel van een Barker er niet op uit is alles wat ik bij Fox heb opgebouwd, teniet te doen. Ik ben bang dat ik het weekje Chez Fleck aan me voorbij moet laten gaan.'

'Daar was ik al bang voor. Ik bel Bobby wel en zeg dat we niet kunnen.'

'Jíj toch wel? Ga jij nou maar.'

'Met alles wat jou boven het hoofd hangt? Ik peins er niet over.'

'Hoor eens, volgende week moet ik me een ongeluk werken. Met Barker aan het roer kan ik maar beter vijftien uur per dag op kantoor zijn.'

'Oké, maar als je 's avonds laat thuiskomt, zit ik wel gezellig met een martini op je te wachten.'

Ze boog zich voorover en raakte even mijn hand aan.

'Dat vind ik lief van je, maar ik wil echt dat je gaat.'

'Sally...'

'Luister nou eens even. Het is misschien juist gunstig als ik volgende week alleen ben, want dan kan ik al mijn energie steken in het gevecht om mijn baan. Belangrijker nog is dat jij deze gelegenheid niet aan je voorbij mag laten gaan. In het ergste geval is het allemaal nonsens. In het beste geval verdien je een fortuin, en aangezien Stu Barker niets liever wil dan mij de wacht aanzeggen, komt het geld misschien goed van pas.'

Ik wist dat ze onzin uitkraamde. Sally was een van die televisiemensen die waar dan ook aan de slag konden. Ik deed nog een laatste poging haar ervan te overtuigen dat ik graag thuis wilde blijven, maar ze wilde er niets van horen.

'Ik hoop niet dat je het verkeerd opvat,' zei ze.

'Dat doe ik ook niet,' zei ik. Ik moest mijn best doen om opgewekt te klinken, omdat ik doorhad dat ze me maar wat graag zag gaan. 'Als je wilt dat ik naar planeet Fleck ga, het zij zo.'

'Mooi,' zei ze, en zoende me lichtjes op mijn lippen. 'Sorry, maar ik heb zo meteen een conference call met Louis en Peter.' Ze had het over haar naaste medewerkers.

'Geen punt,' zei ik terwijl ik opstond. 'Ik ga alvast naar bed. Ik wacht op je.'

'Het duurt niet lang,' zei ze, en pakte de telefoon.

Toen ik twee uur later in slaap viel, was ze nog niet in bed, en toen ik de volgende ochtend om zeven uur opstond, was ze al vertrokken. Ze had een briefje op haar kussen gelegd: 'Ben al naar een bespreking met mijn mensen. Ik bel je nog'. Onderaan stond een S, maar er stonden geen lieve woordjes. Alleen een initiaal.

Een uurtje later belde Bobby Barra om te melden hoe laat Flecks chauffeur ons de volgende ochtend kwam afhalen om ons naar het vliegveld van Burbank te rijden.

'Phil is zondag met de 767 naar het eiland gevlogen,' zei hij, 'dus ik vrees dat we het met de Gulfstream moeten doen.'

'Dat overleef ik wel. Trouwens, het ziet ernaar uit dat ik alleen kom.' Ik vertelde hem over de strubbelingen bij Fox en wat dat voor Sally's carrière betekende.

'Mij best,' zei hij. 'Neem me niet kwalijk dat ik het zeg, maar ik zal er geen traan om laten als ze niet meegaat.'

Hij liet me weten dat de chauffeur de volgende ochtend om acht uur bij me voor de deur zou staan.

'Man, het wordt één groot feest,' zei hij voor hij ophing.

Ik pakte een bescheiden formaat koffer, reed naar het productiekantoor van *Selling You* en bekeek een paar ruwe opnamen. Sally belde niet. Toen ik die avond thuiskwam, stond er geen boodschap van haar op de voicemail. Die avond herlas ik *We Three Grunts*. Ik maakte een paar aantekeningen voor het verbeteren van de verhaallijn en om de dialoog wat vloeiender te maken. Ik veranderde een paar termen die het verhaal actueler maakten en met een rode pen schrapte ik wat overbodige dialoog. Voor een scenario geldt: hoe strakker de dialoog, hoe beter. Spring economisch met je woorden om en hou het simpel. Laat de beelden voor zich spreken, want je bent uiteindelijk bezig met een visueel medium. Met beelden heb je niet veel woorden nodig.

Tegen elven had ik het halve scenario doorgeploegd en Sally had nog steeds niet gebeld. Ik overwoog even haar op haar mobieltje te bellen, maar besloot het niet te doen. Ze zou het misschien als klef of bazig opvatten, zo van 'waarom ben je nog niet thuis?', dus ik ging gewoon naar bed.

De wekker liep om zeven uur af en weer lag er een briefje op het kussen naast me: 'Gekkenhuis! Was pas om één uur thuis en om halfzeven heb ik een werkontbijt met de juridische afdeling. Bel me om acht uur op mijn mobiel, oké? O ja, wil je alsjeblieft een mooi bruin hoofd voor me regelen?'

Deze keer stond er 'Liefs, S' onder. Dat deed me goed, maar toen ik haar een uur later op de door haar genoemde tijd belde, was ze kortaf.

'Het schikt niet erg,' zei ze. 'Neem je je mobieltje mee?'

'Natuurlijk.'

'Ik bel je zo gauw mogelijk.'

Ze hing op. Ik zei tegen mezelf dat ik me geen zorgen hoefde te maken over haar norse toon. Sally was nu eenmaal een hotemetoot en als er gevochten werd, dan gedroegen die zich altijd zo.

Een paar minuten nadat we hadden opgehangen, ging de deurbel. Ik werd opgewacht door een chauffeur in livrei die naast een glimmende Lincoln Town Car stond.

'Goedemorgen, meneer,' zei de man. 'Hoe gaat het met u?'

'Ik ben helemaal klaar voor een luie vakantie in de zon.'

4

Bobby en ik waren de enige passagiers in de Gulfstream, afgezien van een crew van vier: twee piloten en twee stewardessen. De stewardessen waren blond, ergens in de twintig en zagen eruit alsof ze vroeger bij de majorettes hadden gezeten. Ze heetten Cheryl en Nancy. Beide vrouwen werkten exclusief voor 'Fleck Air', zoals Bobby de kleine vloot vliegtuigen van Philip Fleck noemde. Nog voor we waren opgestegen, had Bobby zijn zinnen al op Cheryl gezet.

'Wat denk je? Zit er tijdens de vlucht een massage in?'

'Natuurlijk,' antwoordde Cheryl. 'Ik doe een cursus orthopedie.'

Bobby schonk haar een veelbetekenende glimlach en zei: 'Stel dat ik nou een heel plaatselijke massage wil?'

Cheryls mond verstrakte. Ze keek mij aan en zei: 'Meneer, wilt u misschien iets drinken voor het opstijgen?'

'Graag. Heb je koolzuurhoudend water?'

'Kom nou, Dave,' zei Bobby. 'Tijdens een vlucht als deze moet je toosten met een Frans bubbelwijntje. Air Fleck serveert alleen Cristal, zo is het toch, schat?'

'Inderdaad, meneer,' antwoordde Cheryl. 'Hier aan boord wordt Cristal geschonken.'

'Doe dan maar twee glazen Cristal, schat, en maak er maar kingsize glazen van.'

'Natuurlijk, meneer. Moet ik Nancy vragen of ze voor het opstijgen even uw ontbijtbestelling komt opnemen?'

'Goed idee,' zei Bobby.

Zodra Cheryl in de pantry was, wendde Bobby zich tot mij en zei: 'Lekker kontje. Dat wil zeggen, als je van het type cheerleader houdt.'

'Wat ben je toch een botte boer, Bobby.'

'Hé, ik flirt alleen maar een beetje.'

'Noem je een verzoek om een nummertje handwerk flírten?'

'Heb je me dat horen zeggen? Ik deed het juist heel subtiel.'

'Zo subtiel als een frontale botsing. Trouwens, wie vraagt er nou om een kingsize glas Cristal? We zitten hier niet in de Burger King. Hoor eens. Een van de belangrijkste regels waar een nette gast zich aan houdt, is dat je geen poging doet met het personeel de koffer in te duiken.'

'Wacht even, meneer Hoogindebol. Jíj bent hier de gast.'

'En wat ben jij dan wel?'

'Een habitué.'

Cheryl kwam aangelopen met een blad met twee glazen champagne en twee stukjes geroosterd brood met kaviaar.

'Is dat Beluga?' vroeg Bobby.

'Het is Iraanse Beluga, meneer,' antwoordde Cheryl.

De piloot kwam de cabine in en vroeg ons onze veiligheidsriemen om te doen. We zaten in gemakkelijke leren stoelen, die dan wel met bouten aan de vloer waren bevestigd, maar volledig draaibaar waren. Volgens Bobby was dit de kleine Gulfstream, met in de voorste cabine acht stoelen en een klein tweepersoonsbed, en in de achterste een bureau en een zitbank. De vlucht die ochtend werd alleen voor ons tweeën uitgevoerd en daar klaagde ik niet over. Terwijl ik aan de Cristal nipte, taxiede het toestel naar de startbaan en kwam vervolgens tot stilstand, waarna de motoren begonnen te brullen en het de startbaan op raasde. Binnen een paar seconden zaten we in de lucht en verdween de San Fernando Valley beneden ons.

'Wat zullen we eens gaan doen?' vroeg Bobby. 'Wil je een paar films zien of heb je meer zin in een serieus spelletje poker? Wat wil je voor de lunch? Chateaubriand? Misschien hebben ze wel kreeft.'

'Ik ga een beetje werken,' zei ik.

'Gezellige vent.'

'Ik wil nog wat aan het scenario schaven voor ik het aan onze gastheer geef. Wat denk je? Heeft hij een secretaresse op dat eiland?'

'Phil heeft er een complete ondersteunende afdeling. Als dat script moet worden overgetypt, is dat geen enkel probleem.'

Nancy kwam vragen wat we voor ontbijt wilden hebben. 'Kun je een luchtige omelet van het wit van een ei maken, met groene uitjes en een heel klein beetje gruyère?'

'Natuurlijk,' zei Nancy effen, waarna ze mij met een brede glimlach aankeek en vroeg: 'En u, meneer?'

'Grapefruit, wat toast en een zwarte koffie graag.'

'Wanneer ben jij mormoon geworden?' vroeg Bobby.

'Mormonen drinken geen koffie,' zei ik. Ik verexcuseerde me en liep naar het bureau in de achterste cabine.

Ik pakte het scenario van *We Three Grunts,* mijn rode pen en ging aan de slag. Ik las de eerste helft door en was redelijk tevreden over mijn correcties. Wat me aan de versie van 1993 het meest opviel, was dat ik het nodig had gevonden alles te benoemen en niets aan de verbeelding over te laten. Sommige stukken waren heel redelijk, maar god, wat had ik mijn intelligentie en lef willen etaleren. In feite was het niet meer dan een pastiche op films over bankovervallen, en ik had dat willen maskeren door alle actie met een saus van slimme dialoog te overgieten. Dat sausje eiste echter meer aandacht op dan de actie zelf. Het was overduidelijk het werk van een onzekere scenarist.

Ik ging verder op de weg die ik was ingeslagen: ik redigeerde flink en schrapte hele stukken overbodige dialoog plus onnodige details in de plot. Het resultaat was een compacter scenario, veel krachtiger, vlammender… en puntiger.

Vijf uur lang ging ik er hard tegenaan. Ik werd maar een enkele keer uit mijn concentratie gehaald, door het ontbijt dat werd geserveerd en door Bobby, die óf zijn Hugh Hefner-act opvoerde en de meest idiote bestellingen deed ('Ik weet dat het een beetje een rare vraag is, maar heb je misschien een bananenlikeurtje voor me, schatje?'), óf aan de telefoon zat met het Barra-hoofdkwartier in LA en een of andere onderknuppel bevelen toeblafte. Cheryl kwam zo nu en dan koffie bijschenken en vragen of ik nog iets nodig had.

'Denk je dat je mijn vriend een prop in de mond kunt stoppen?'

Ze glimlachte en zei: 'Als dat zou kunnen.'

Bobby zat weer aan de telefoon te schreeuwen. 'Nou moet je eens goed luisteren, rund. Je zorgt maar dat dat probleem *pronto* wordt opgelost, anders ga ik niet alleen met je zus naar bed, maar ook met je moeder.'

Cheryls glimlach bevroor. 'Het is geen vriend van me, hoor,' verontschuldigde ik me tegenover haar, 'maar mijn vermogensbeheerder.'

'Ik neem direct aan dat hij een smak geld voor u verdient. Nu ik hier toch ben, kan ik verder nog iets voor u doen?'

'Zodra hij klaar is, zou ik graag even bellen.'

'Daar hoeft u niet op te wachten, meneer. We hebben twee telefoons.'

Ze toetste een code in op het toestel op het bureau en gaf het me aan. 'U hoeft alleen het kengetal en het abonneenummer in te toetsen.'

Zodra Cheryl de cabine uit was, belde ik Sally's mobiele nummer, maar na twee keer overgaan kreeg ik haar voicemail. Ik probeerde mijn teleurstelling voor haar te verbergen en sprak snel een korte boodschap in.

'Hallo, ik ben het, op zo'n tienduizend meter hoogte. Misschien moesten wij voor Kerstmis ook maar zo'n Gulfstream aanschaffen. Dit is echt de enige manier van reizen, maar dan zonder Bobby Barra, die zijn best doet de Oscar voor de beste ranzige mannelijke hoofdrol in de wacht te slepen. Nou ja, waar ik eigenlijk voor bel, is om te horen hoe de zaken er bij Fox voor staan en om te zeggen dat ik wilde dat je hier tegenover me zat. Schat, ik hou van je. Bel me op mijn mobiel zodra je je een minuutje of zo uit de loopgraven daar hebt kunnen verheffen. Tot dan, lieverd.'

Ik hing op en had dat onbevredigde gevoel dat je altijd hebt als je een boodschap hebt ingesproken, maar het werk wachtte en ik ging verder met schaven.

Toen de daling naar Antigua werd ingezet, was ik klaar. Ik keek nog even naar de correcties die ik had aangebracht en was tevreden over de strakkere verhaallijn en de puntiger dialoog, maar ik wist zeker dat ik zodra ik de overgetypte versie onder ogen kreeg, nog meer correcties zou willen aanbrengen. Als Philip Fleck echt van plan was het scenario te verfilmen, dan wilde hij waarschijnlijk een compleet nieuwe versie. Daarop zou een tweede versie volgen, die weer geredigeerd moest worden, en een derde versie, met weer correcties. Vervolgens zou er een scripteditor op losgelaten worden, die met zijn of haar versie zou komen. Dan waren daar weer correcties op, en er zou een derde scenarioschrijver aan te pas komen die zich moest bezighouden met de actiescènes. Ten slotte moest nog iemand de losse eindjes van de plot aan elkaar knopen, en wie weet wilde Fleck de plaats van handelingen overhevelen van Chicago naar Nicaragua en werd het uiteindelijk een musical over de sandinistische revolutie, compleet met zingende guerilla's.

'Gut,' zei Bobby toen ik de voorste cabine in liep, 'ben jij er ook nog? Help me onthouden dat ik nooit meer met jou reis.'

'Nou ja, íémand moet het werk doen. Als alles goed gaat, heeft Fleck morgen de geredigeerde versie. Trouwens, ik meende te horen dat jij ook aan het werk was. Was dat een van je medewerkers die je uitkafferde?'

'Iemand die een dealtje van me om zeep heeft geholpen.'

'Help jij mij dan maar onthouden dat ik nooit tegenover je kom te staan.'

'Ik naai mijn cliënten niet, en dat bedoel ik letterlijk en figuurlijk.' Hij schonk me een brede glimlach. 'Tenzij de cliënt míj naait, maar waarom zou-ie?'

Ik glimlachte en zei: 'Tja, geen idee.'

De piloot vroeg ons via de intercom onze veiligheidsriemen vast te maken en de landing werd ingezet. Ik keek uit het raampje en zag een groot stuk blauw onder me. We maakten een vrij scherpe bocht en de zee werd vervangen door een sloppenwijk met tientallen kleine, grauwe onderkomens die me nog het meest deden denken aan een stelletje pas geworpen dobbelstenen. Na een paar seconden verdween de sloppenwijk en onder een gloeiende, meedogenloze zon daalden we naar de door palmbomen omzoomde landingsbaan die zich voor ons uitstrekte.

We taxieden een flink eind van de terminal vandaan. Cheryl opende de deur en drukte op de knop waarmee de trap naar beneden kwam. We werden getroffen door een warme golf tropische lucht. Ik zag dat we door twee mannen werden opgewacht: een bruinverbrande blonde vent in uniform en een geüniformeerde Antiguaan met een stempelkussen en stempel in de hand. Zodra we op het tarmac stonden, zei de blonde man: 'Meneer Barra, meneer Armitage, welkom op Antigua. Ik ben Spencer Bishop en ik vlieg u vanmiddag naar Saffron Island. Eerst moet u even door de Antiguaanse douane. Wilt u deze meneer uw paspoort overhandigen?'

We gaven ons paspoort aan de douanebeambte. De man keek niet eens naar de foto's en of de reisdocumenten wel geldig waren. Hij zette simpelweg een stempel op de eerste de beste lege bladzijde die hij zag en gaf ze terug. De piloot bedankte de man en stak zijn hand uit. Toen de beambte hem de hand schudde, zag ik dat hij zich een klein opgevouwen Amerikaans bankbiljet in de handpalm liet schuiven. Bishop tikte me op de schouder en wees naar een helikopter die een paar honderd meter van ons vandaan stond.

'Goed,' zei hij. 'Dan moesten we maar aan boord gaan.'

Binnen een paar minuten zaten we in de veiligheidsriemen via een koptelefoon met elkaar te praten, want de rotorbladen deden hun werk en maakten het onmogelijk elkaar zonder te verstaan. De piloot pakte de stuurknuppel, het vliegveld gleed onder ons weg en het blauw verscheen weer. Ik keek uit het raam naar de aquamarijnen horizon, geïmponeerd door zijn heldere kleur en oneindigheid. Na een paar minuten vliegen zag ik in de verte iets opdoemen dat allengs duidelijker vorm kreeg. Het was een eilandje met een omtrek van een paar honderd meter, begroeid met dikke palmbomen, waarop pal in het midden een gigantisch huis stond. Ik zag een strandje met een lange steiger waar een paar boten aangemeerd lagen en meteen daarna een rond stuk asfalt met een grote X in het midden. Met een zachte, maar voelbare bons landde de piloot precies op de X.

Wederom werden we opgewacht door twee functionarissen, maar nu waren het een blonde man en een vrouw, beiden ergens eind twintig en bruin verbrand, gekleed in hetzelfde tropisch uniform: kaki shorts, witte Nikes met dito sokken en een hemelsblauw poloshirt waarop heel bescheiden SAFFRON ISLAND was geborduurd. Het leek bijna een stelletje leiders van een duur jeugdkamp. Naast hen stond een nieuwe donkerblauwe Land Rover Discovery. Ze glimlachten ons allebei toe en toonden hun perfect onderhouden gebit.

'Dag, meneer Armitage,' zei de man. 'Welkom op Saffron Island.'

'Welkom terug, meneer Barra,' zei de vrouw.

'Leuk je weer te zien,' zei Bobby. 'Megan, is het niet?'

'U hebt een goed geheugen.'

'Hoe zou ik zo'n mooie vrouw nou kunnen vergeten?'

Ik sloeg mijn ogen ten hemel, maar zei niets.

'Ik ben Gary,' zei de man, 'en zoals meneer Barra al zei, dit is Megan.'

'Zegt u maar Meg.'

'Wij zorgen voor u tijdens uw verblijf hier. Als u iets nodig hebt, wat het ook is, dan moet u bij ons zijn.'

'Wie krijgt wie precies?' vroeg Bobby.

'Kijk, meneer Barra. De laatste keer dat u hier was, heeft Meg voor u gezorgd, dus we dachten dat het een goed idee zou zijn als zij zich deze keer over meneer Armitage ontfermt.'

Ik keek even op, maar hun opgeplakte glimlach verried niets. Bobby daarentegen keek een beetje sip.

'Het zal allemaal wel,' zei hij.

'Laten we dan nu de bagage maar even in de auto zetten,' zei Gary er snel overheen.

'Hoeveel koffers hebt u bij u, meneer Armitage?' vroeg Meg.

'Eentje maar. En zeg maar David.'

Terwijl Gary en Meg de koffers in de auto zetten, klommen Bobby en ik in de Land Rover, waarvan de motor nog draaide en de airconditioning aanstond.

'Laat me eens raden,' zei ik. 'Heb je de laatste keer dat je hier was geprobeerd om Meg te versieren?'

'Tja, dat krijg je ervan als je een pik hebt.'

'Nou, zo te zien doet ze aan fitness. Heeft ze je in de houdgreep genomen toen je haar wilde pakken?'

'Zo ver is het helemaal niet gekomen. Laat maar zitten, oké?'

'Gut, Bobby. Ik hoor juist zo graag over je romantische escapades. Ik word er altijd weer door geraakt.'

'Laat ik het zo zeggen: als ik jou was, zou ik maar niets proberen. Ze heeft spierbundels van hier tot ginder.'

'Wat zou ik nou met haar willen terwijl Sally thuis op me wacht?'

'O, wat zijn we weer monogaam. De perfecte echtgenoot en vader.'

'Bobby, ik waarschuw je…'

'Hé, het was maar een grapje.'

'Dat zal wel.'

'O, wat zijn we gevoelig.'

'Die rotopmerkingen, heb je die nou van jezelf of heb je daar les in gehad?' vroeg ik.

'Als ik je heb gekwetst dan spijt me dat.'

'Hoezo gekwetst?'

'Omdat je je vrouw en kind hebt verlaten.'

'Klootzak.'

Meg deed het portier aan de passagierszijde open en vroeg: 'Hoe gaat het hier?'

'We hebben onze eerste ruzie,' antwoordde Bobby.

Gary klom achter het stuur en schakelde. We reden over een ongeplaveide weg met een steeds dichter wordend bladerdak. Na een minuutje rijden draaide ik me om en keek achter ons. De ronde landingsplaats was niet meer te zien en vóór ons was alleen maar oerwoud.

'Heren,' zei Gary, 'ik heb een paar mededelingen. Meneer Fleck is heel verheugd dat u onze gast bent en hij hoopt dat u een fantastische tijd zult hebben. Helaas moest hij zelf een paar dagen weg en…'

'Pardon?' zei ik.

'Meneer Fleck is gisteren vertrokken. We verwachten dat hij over een paar dagen terug zal komen.'

'Je maakt een grapje,' zei Bobby.

'Nee, meneer Barra. Het is zeker geen grapje.'

'Hij wist toch dat wij kwamen?'

'Uiteraard. Het spijt hem zeer dat hij op zo'n korte termijn…'

'Heeft hij een zakelijke afspraak?'

'Niet helemaal,' zei Gary terwijl er een glimlach om zijn lippen speelde. 'U weet hoezeer hij van sportvissen houdt, en toen hij hoorde dat er marlijnen bij de kust van St. Vincent waren gesignaleerd...'

'St. Vincent?' zei Bobby. 'Dat is van hieruit minimaal twee dagen varen.'

'Zesendertig uur, om precies te zijn.'

'Mooie boel,' zei Bobby. 'Dus als hij daar vanavond aankomt en morgen gaat vissen, dan is hij nog minimaal drie dagen weg.'

'Ik vrees dat het daarop neerkomt,' zei Gary. 'Meneer Fleck staat erop dat u het rustig aan doet en geniet van alles wat Saffron Island te bieden heeft.'

'We zijn op zijn verzoek hier. Híj wilde ons spreken,' ging Bobby door.

'U zult hem zeker te spreken krijgen,' zei Gary, 'maar pas over een paar dagen.'

Bobby stootte me aan en vroeg: 'Wat vind jij hier nou van?'

Ik wist wat ik wílde zeggen – en jíj hebt steeds beweerd dat je zijn grote vriend was – maar ik voelde er weinig voor een tweede woordenwisseling met hem te beginnen, dus zei ik maar: 'Nou, als ik moest kiezen tussen een scenarioschrijver en een marlijn, dan koos ik ook voor de marlijn.'

'Oké, maar vissen hebben geen last van een klantenkring en de beroerde staat waarin de Nasdaq zich bevindt.'

'Meneer Barra? U weet dat u bij ons op kantoor welke aandelenmarkt dan ook kunt volgen. Indien nodig kunnen we een vierentwintiguursverbinding leggen met welke cliënt van u dan ook. Ik zou zeggen dat er geen reden voor paniek is.'

'Bovendien,' vulde Meg aan, 'is het weerbericht voor de komende week uitstekend. Geen regen, een briesje uit het zuiden en een temperatuur die even boven de dertig graden ligt.'

'Waardoor u niet alleen de aandelenmarkten kunt volgen, maar ook nog bruin kunt worden,' vulde Gary aan.

'Ben jij hier nou niet ziek van?' vroeg Bobby me.

Natuurlijk was ik dat, maar ik wilde de sfeer niet bederven en hield me op de vlakte. Ik haalde mijn schouders op en zei: 'Ik kan wel wat zon gebruiken.'

De Land Rover hobbelde verder over het pad en even later kwamen we bij een open plek. Gary zette de auto naast een grote carport waaronder nog drie Land Rovers en een wit busje stonden. Ik stond op het punt te vragen waarom je op zo'n klein eiland vier Land Rovers en een busje nodig had, maar ik hield me in. Ik volgde Meg over een smal kiezelpad en na een meter of tien kwamen we bij een smalle loopbrug over een enorme, prachtig verzorgde vijver. In het water zwom een grote variatie aan tropische vissen. Ik keek op en slaakte een zucht van verbazing. Vóór me doemde Chez Fleck in al zijn glorie op.

Vanuit de lucht zag het eruit als een enorm houten huis, maar van dichtbij zag je dat het een bijzonder stukje moderne architectuur was; uitgestrekte laagbouw met gigantische ramen en gelakt hout. Aan beide uiteinden van dit tropische optrekje stonden twee hoge torens, die aan alle vier de zijden voorzien waren van enorme ruiten. Tussen de twee torens in zag ik nog twee kleinere, driehoekige torentjes, ieder met een panoramaraam. We liepen over een houten plankier naar de andere kant van het huis. Toen we de bocht om gingen, wist ik met moeite een tweede zucht van verbazing te onderdrukken. Vlak voor het huis lag een gigantisch natuurlijk zwembad tussen de rotsen, en daarachter strekte zich het blauw uit, zodat je vanuit het huis een prachtig uitzicht had over de Caribische Zee.

'Mijn god,' zei ik, 'wat een uitzicht.'

'Klopt,' zei Bobby, 'godvergeten mooi.'

Zijn mobieltje ging over en binnen een paar seconden was hij verdiept in een zakelijk gesprek.

'Oké, wat is het surplus? Goed, maar verleden jaar om deze tijd deed het negenentwintig. Natuurlijk hou ik die jongens van Netscape in de gaten. Geloof je nou echt dat ik je een kat in de zak verkoop? Weet je nog dat de markt in 1998 in een dipje zat? Op 14 februari 1998, even nadat het gedonder met die Lewinsky aan het licht kwam. Klopt, er waren wat kleine correcties, maar na drie dagen was dat voorbij, en op de lange termijn...'

Ik was onder de indruk van Bobby's feitenkennis en de soepele manier waarop hij met zijn cliënten sprak (vergeleken bij de woedende gesprekken met zijn ondergeschikten). Ik zag dat Gary en Meg meeluisterden naar zijn uitmuntende overredingstechnieken. Ik vroeg me af of zij hetzelfde dachten als ik: hoe kon zo'n slimme zakenman zodra hij oog in oog kwam te staan met het grote geld veranderen in een botte idioot? Waarom moest hij altijd de rol van oermens spelen als het om vrouwen ging? Maar ja, geld en seks kunnen ons allemaal gek maken. Misschien had Bobby al lang geleden besloten zich niet meer te schamen voor zijn obsessies.

Hij klapte zijn mobieltje dicht, rechtte zijn rug en zei: 'Neem nooit van z'n leven een dermatoloog als cliënt aan. Ze beschouwen elk dipje in de markt als een ernstig geval van huidkanker. Nou ja,' zei hij met een knikje richting Gary, 'je hoorde me die eikel beloven dat hij binnen tien minuten antwoord krijgt.'

Gary pakte de walkietalkie van zijn riem en sprak erin.

'Julie? Meneer Barra komt er zo aan. Hij wil graag de complete Nasdaq op het scherm zien staan als hij binnenkomt. Ja, over een minuut of drie. Over.'

Er was wat gekraak te horen en: 'Komt in orde.'

'Ga maar voor,' zei Bobby tegen Gary, waarna hij zich tot mij wendde en zei: 'Ik zie je straks, als je je tenminste wilt verwaardigen met een plebejer als ik te praten.'

Zodra Gary en Bobby weg waren, zei Meg: 'Zal ik u naar uw suite brengen?'

'Uitstekend idee.'

We liepen naar binnen. De grote entree was een brede, lichte gang met witte muren en een blankhouten vloer. Ik was nog niet binnen of ik stond voor een van de belangrijkste kunstwerken van de twintigste-eeuwse Amerikaanse abstracte periode: een adembenemend doek met geometrische voorstellingen op een grijze achtergrond met briljante textuur.

'Is dat *Universal Field* van Mark Tobey?' vroeg ik.

'U kent uw klassiekers.'

'Ik heb er alleen maar afbeeldingen van gezien. Het is adembenemend.'

'Als u van beeldende kunst houdt, moet u straks maar eens een kijkje nemen in wat we de salon noemen.'

'Hebben we daar nu even tijd voor?'

'Natuurlijk. We zijn hier op Saffron Island, dus we hebben alle tijd.'

We liepen de gang links door en passeerden een verzameling ingelijste foto's van Diane Arbus. De salon was een grote ruimte die een van de twee enorme vleugels van het gebouw besloeg, met een plafond dat ruim tien meter hoog was en gigantische ramen. In het midden stond een grote palmboom die uit de vloer leek te groeien. Zoals alles wat ik tot dan toe had gezien, was de salon een voorbeeld van dure, uitstekende smaak. Er stonden een Steinway, grote zitbanken en gemakkelijke, met roomwitte stof beklede stoelen. In één muur was een groot aquarium ingebouwd en overal hingen kunstwerken die je zou verwachten in het Museum of Modern Art, het Whitney, het Getty of het Art Institute van Chicago.

Ik waande me in een museum en was diep onder de indruk van het geboden. Ik zag een Hopper en een Ben Shahn. Er hingen twee Philip Gustons uit zijn middelste periode. Ik zag werk van Man Ray, van Thomas Hart Baker, van Claus Oldenberg en George L.K. Morris, en een verzameling van Edward Steichens mooiste foto's die hij in de jaren dertig voor *Vanity Fair* had gemaakt.

Het ging maar door. Er hingen zeker veertig doeken en ik kon me geen enkele voorstelling maken van het geld dat met een dergelijke collectie gemoeid was.

'Het is ongelooflijk, wat hij hier heeft hangen.'

Vanuit het niets hoorde ik iemand zeggen: 'U moest eens zien wat er in de andere huizen nog hangt.'

Ik keek om en zag een kleine, vierkant gebouwde man staan van hoogstens een meter zestig, midden veertig, met schouderlang haar dat hij in een vettige paardenstaart had gebonden. Hij droeg een afgeknipte spijkerbroek, Birkenstock-sandalen en een T-shirt dat zich strak over zijn omvangrijke buik spande. Op het T-shirt was een foto van Jean-Luc Godard afgedrukt. Daaronder stond: CINEMA IS DE WAARHEID IN 24 BEELDEN PER SECONDE.

'U moet David Armitage zijn,' zei hij.

'Klopt helemaal.'

'Chuck Karlson.' Hij kwam met uitgestoken hand op me af. Ik schudde hem de hand en merkte dat die een beetje klef was. 'Ik ben een groot bewonderaar van u,' zei hij.

'Dat is natuurlijk fijn om te horen.'

'Wat mij betreft is *Selling You* het beste wat de televisie te bieden heeft. Phil denkt er trouwens net zo over.'

'Ah. U bent een vriend?'

'Een medewerker. Ik ben zijn filmkracht.'

'Filmkracht? Wat doet een filmkracht?'

'Zijn archief beheren.'

'Heeft hij een filmarchief?'

'Reken maar. Zo'n zevenduizend filmblikken en nog eens vijftienduizend video's en dvd's. Afgezien van het American Film Institute heeft hij de omvangrijkste verzameling in het land.'

'En niet te vergeten het Caribisch gebied.'

Chuck glimlachte. 'Hier op Saffron Island zijn maar tweeduizend films.'

'Tja, bij gebrek aan een megabioscoop in het dorp.'

'Inderdaad, en de videotheek verzendt geen Pasolini's naar het eiland.'

'Bent u een fan van Pasolini?'

'Voor mij is hij een god.'

'En voor meneer Fleck?'

'De vader van God. We hebben alle twaalf films die hij heeft gemaakt in huis. De huisbioscoop staat tot uw beschikking.'

'Bedankt,' zei ik, hoewel *Il vangelo secondo Matteo* (de enige Pasolini die ik had gezien) wel het laatste was waar ik op een Caribisch eiland naar wilde kijken.

'Ik weet dat Phil ernaar uitziet met u te werken.'

'Dat is leuk om te horen.'

'Als u het me niet kwalijk neemt dat ik het zeg, ook ík vind het een fantastisch scenario.'

'Welk? Dat van hem of het mijne?'

Hij grijnsde breed. 'Ze zijn van gelijke waarde.'

Gezien het feit dat ze identiek zijn, is dat een diplomatiek antwoord, dacht ik.

'Nu we het toch over het scenario hebben,' zei ik, 'ik heb er de laatste paar dagen hard aan gewerkt en ik vraag me af of iemand het voor me kan uittypen.'

'Geen probleem. Ik stuur Joan wel even naar uw suite om het op te halen. Ik zie u nog wel in de bioscoop.'

Meg bracht me naar mijn suite. Onderweg daarheen stelde ik haar een paar vragen over haarzelf. Ze vertelde dat ze uit Florida kwam en sinds twee jaar deel uitmaakte van de 'Saffron Island crew'. Daarvoor had ze op een cruiseschip dat vanuit Nassau voer gewerkt. Haar huidige werkkring beviel haar veel beter; meestal was alleen het personeel aanwezig op het eiland en viel er dus niet zo veel te doen.

'Wil je daarmee zeggen dat meneer Fleck niet vaak op het eiland te vinden is?' vroeg ik.

'Hoogstens een week of drie, vier per jaar.'

'En de rest van de tijd?'

'Tja, dan is hier niemand, hoewel hij er zo nu en dan een vriend laat logeren, maar dan hebben we het over hooguit een maand per jaar. Verder is het voor het personeel.'

'Met hoeveel mensen zijn jullie?'

'Veertien mensen fulltime.'

'Mijn god,' zei ik toen ik snel uitrekende wat zijn personeelskosten waren, en dat voor een eiland dat maar een maand of twee per jaar werd bewoond.

'Tja,' zei ze, 'meneer Fleck heeft er het geld voor.'

Mijn kamer bevond zich in een van de kleine, driehoekige torentjes die het middenstuk van het huis kenmerkten. 'Klein' was niet bepaald het juiste woord voor de grote suite, die wel wat van een penthouse weg had. Hij had witte muren, een eikenhouten vloer en gigantische ramen die op zee uitkeken. Er stond een groot houten tweepersoonsbed in de Mission-stijl en er was een ruim zitgedeelte met twee enorme banken. Ik zag een bar met dure flessen drank, een badkamer met een verzonken bad en een doucheruimte achter doorzichtig plexiglas met een douche die het water uit minstens vijf richtingen op je lichaam sproeit. In het slaapgedeelte liep een metalen wenteltrap naar een vide, waar een compleet, van de nieuwste snufjes voorzien kantoor was ingericht.

Wat ongetwijfeld het indrukwekkendst was, waren de drie flatscreen-computerschermen. Eentje stond er op het bureau, een andere op een bijzettafeltje in het zitgedeelte en nummer drie bij het bed. Zodra je ze met je vinger aanraakte, floepten ze aan en zag je staan dat dit je hoogstpersoonlijke audiovisuele centrum was. Ik tikte op het scherm, bewoog de cursor naar 'Videotheek' en zag een alfabet verschijnen. Ik activeerde de A en er verscheen een lijst van wel dertig films. Ik zag onder andere Godards *Alphaville* staan en Mankewiczs *All About Eve*. Ik bracht mijn vingertop naar *Alphaville* en de prachtige, aan de muur bevestigde Panasonic-flatscreentelevisie kwam tot leven. Na een paar seconden werd het beeld gevuld met Godards vreemde, futuristische meesterwerk. Ik ging terug naar het alfabet en koos de C. Mijn keus viel op *Citizen Kane*. Binnen een paar seconden was *Alphaville* verdwenen en keek ik naar Orson Welles' klassieke openingsscène: de enorme muren en poorten waarachter het gigantische paleis van een hedendaagse Koeblai Khan zich bevond.

Charles Foster Kane, de puissant rijke eigenaar van het paleis, had geen speeltje als deze hypermoderne thuisbioscoop.

Er werd op de deur geklopt en op mijn 'Binnen' verscheen Meg.

'Is het goed dat ik uw koffer nu uitpak?' vroeg ze.

'Bedankt, maar dat kan ik zelf wel.'

'Het hoort bij de service,' antwoordde ze terwijl ze mijn koffer oppakte. 'Ik ben uw butler.'

Ze schonk me een flauwe glimlach die me zei dat zich achter die non-chalant ogende, maar uiterst professionele façade iets van spot verborg.

'Ik zie dat u al hebt ontdekt hoe u films op het scherm krijgt. Wel grap-pig, hè?'

'Dat kun je wel stellen. Het is een prachtige verzameling.'

'Meneer Fleck heeft alles,' zei ze terwijl ze met mijn koffer in de garde-robe verdween. Ik liep de trap op naar het kantoorgedeelte, pakte mijn lap-top uit en stak de kabel voor de internetverbinding erin. Zoals Meg had beloofd, kwam die verbinding in een mum van tijd tot stand. Binnen een nanoseconde was ik online en kon ik mijn e-mail binnenhalen. Tussen de berichten van Alison en Brad Bruce stond de e-mail waarvan ik had ge-hoopt dat hij er zou zijn.

Schat,

Het is hier een compleet gekkenhuis, maar ik sta mijn mannetje.
  Ik mis je,

S.

Ik had meteen een paar gedachten over het mailtje. Ten eerste: ze heeft in elk geval contact opgenomen. Ten tweede: ze heeft tenminste geschreven dat ze me mist. En ten derde: waarom staat er niet iets in als 'ik hou van je'?

Ik zette het van me af en realiseerde me dat ze zich in een sturm-und-drangsituatie bevond en in Hollywood werd een dergelijke crisis door alle betrokkenen beschouwd als het equivalent van het beleg van Stalin-grad.

Met andere woorden: ze zat met haar gedachten heel ergens anders.

Er werd weer op de deur geklopt en er verscheen een vrouw van begin dertig, met kort zwart haar en een zongebruind gezicht. Ook zij was ge-kleed in het voor het personeel van Saffron Island voorgeschreven uni-form: een poloshirt met de naam van het eiland en shorts. Net als Meg deed ze me denken aan het type fris uitziende, goedgebouwde vrouwen dat lid was geweest van een studentendispuut en ongetwijfeld een vriend-je had dat Bud heette, die de ster van het footballteam was.

'Hallo, meneer Armitage. Ik ben Joan. Voelt u zich al een beetje thuis?'

'Nou en of,' zei ik.

'Ik hoorde dat u een scenario hebt dat moet worden overgetypt.'

'Dat klopt,' zei ik terwijl ik het uit mijn computertas opdiepte en de trap naar het zitgedeelte af kwam. 'Ik ben bang dat ik de cd-rom met het origineel niet bij me heb.'

'Dat geeft niets. We typen het in zijn geheel over.'

'Is dat geen heidens karwei?'

Ze haalde haar schouders op en zei: 'Er is de laatste tijd niet zo veel te doen geweest, dus ik vind het wel prettig iets omhanden te hebben.'

'Je moet zo nu en dan wel hiëroglyfen ontcijferen,' zei ik. Ik sloeg de derde pagina op en wees op mijn correcties en aanvullingen.

'Ik heb voor hetere vuren gestaan,' zei ze. 'U blijft een paar dagen?'

'Dat zeggen ze.'

'Als ik niet verder kan, bel ik u, als het mag.'

Joan ging de kamer uit en Meg kwam uit de garderobe met twee broeken over haar arm.

'Deze zijn een beetje gekreukeld uit de koffer gekomen, dus ik laat ze even persen,' zei ze. 'Hebt u zin in een complete avondmaaltijd of wilt u liever iets lichters?'

Ik keek op mijn horloge. Het was tegen negenen, maar mijn hersens draaiden nog op de tijd van Los Angeles, en daar was het vier uur vroeger. 'Iets lichts, als het kan.'

'Meneer Armitage, natuur...'

'Noem me toch David.'

'Meneer Fleck heeft liever dat we de gasten met meneer of mevrouw aanspreken. Voelt u wat voor oesters en een fles...'

'Gewürztraminer, graag, maar een glas is meer dan genoeg.'

'Ik stuur de sommelier wel met een fles en als u die niet opdrinkt, is dat natuurlijk geen enkel punt.'

'Is er een sommelier?'

'Zou elk eiland er niet een moeten hebben?' Weer dat flauwe glimlachje. 'Ik kom er zo aan met de oesters.'

Ze liep de kamer uit.

Na een paar minuten belde de sommelier. Hij stelde zich voor als Claude, zei dat hij me graag bijstond met het kiezen van een gewürztraminer en dat hij zo'n twintig flessen in de kelder had. Ik vroeg hem wat hij me kon aanraden en dat was voor hem het sein voor een opsomming, *goût par goût*, van zijn *choix preferés*-wijnen. Hij zei dat hij vooral gecharmeerd was van een Gisselbrecht uit 1986, die hij '*un vin d'Alsace exceptionnel*' noemde, 'met een perfecte balans tussen fruitigheid en zuurtegraad'.

'U weet dat ik maar één glaasje wil?'

'We laten u een fles brengen.'

Zodra ik had opgehangen, ging ik online en vond een website over oude wijnen. Ik typte 'Gisselbrecht gewürztraminer 1986' in en op het scherm van mijn laptop verscheen een afbeelding van de betreffende wijn, vergezeld van een uitgebreide beschrijving. Ik las dat het een *premier cru* gewürztraminer was, de absolute top, dat ik voor het luttele bedrag van tweehonderdvijfenzeventig dollar online een fles kon kopen en dat het hier om een speciale aanbieding ging.

Ik was er nu van overtuigd dat men in Flecks Caribische schuilplaats uitging van het motto dat geld geen enkele rol speelde.

Ik richtte me weer op het scherm en stuurde snel een e-mail naar Sally.

Lieverd,

Groeten uit het sprookjesland van de nouveaux riches. Het is hier tegelijkertijd prachtig en volkomen absurd. Zie het maar als een duurdere versie van het huis dat je in *Dynasty* hebt gezien. Ik moet eerlijk zeggen dat de man wel smaak heeft, maar al na een halfuur bedacht ik me dat het eigenlijk een beetje verwrongen is als je alles hebt wat je hartje begeert. Om wel even aan te geven wie hier de baas is, heeft Fleck besloten op het ogenblik niet *in situ* te zijn. Hij speelt hier ergens in de buurt voor Hemingway en jaagt op grote, witte vissen, terwijl ondergetekende niets anders kan doen dan duimendraaien. Ik weet niet of ik nou beledigd moet zijn of dat ik het maar moet zien als de ultieme vorm van een gratis vakantie. Voorlopig hou ik het op dat laatste, dus heb ik noodzakelijke dingen gepland als aan mijn teint werken en wat slaap inhalen. Je kunt me bereiken op 0704-555-8660, mijn directe nummer. Bel me als je je even uit de race met de triomfwagens kunt rukken. Ik ken je goed genoeg om te weten dat je een strijdplan hebt ontwikkeld waarmee je deze minicrisis aankunt. Tenslotte ben jij het slimst!

Ik hou van je en wou dat je hier was.

David

Ik verstuurde het mailtje, pakte de telefoon en toetste het nummer van mijn dochter in Sausolito in. Mijn ex nam op en was even vriendelijk als altijd.

'O, ben jij het,' klonk het effen.

'Ja, ik ben het. Hoe gaat het met je?'

'Doet dat er wat toe?'

'Hoor eens, Lucy. Ik neem het je niet kwalijk dat je nog steeds pissig bent, maar staat daar nou geen termijn voor?'

'Nee. Ik voel er weinig voor om me nog met een klootzak als jij in te laten.'

'Oké, oké. Zoals je wilt. We hebben het er niet meer over. Kan ik mijn dochter even spreken?'

'Nee, dat kan niet.'

'Hoezo?'

'Omdat het woensdagmiddag is en omdat je als verantwoordelijke ouder zou moeten weten dat ze op woensdagmiddag balletles heeft.'

'Ik bén een verantwoordelijke ouder.'

'Laten we het daar nou maar niet over hebben.'

'Mij best. Ik zit op een eiland in het Caribisch gebied. Het telefoonnummer...'

'Guttegut, die slet van Princeton leidt dankzij jou wel een luxeleventje.'

Mijn hand verstevigde de greep op de telefoon.

'Op een dergelijke rotopmerking geef ik niet eens antwoord, maar om je de waarheid te zeggen...'

'Laat maar zitten.'

'Noteer het telefoonnummer nou maar en vraag of Caitlin me even belt.'

'Waarom moet ze je bellen? Je ziet haar overmorgen toch?'

Mijn ergernis, die dankzij de vriendschappelijke en gezellige kout al flinke proporties had aangenomen, nam nog meer toe.

'Waar heb je het over?' vroeg ik. 'Ik mag pas vrijdag over twee weken komen.'

'Hemel. Vertel me nou niet dat je bent vergeten dat...'

'Wat?'

'Dat we hebben afgesproken dat jij Caitlin dit weekend hebt, omdat ik naar dat congres moet.'

O, shit, dat was ook zo. Dit zag er niet goed uit.

'Wacht even… wanneer hebben we dat afgesproken? Anderhalve maand geleden? Twee maanden?'

'Hou nou maar op met dat "het is ook zo lang geleden". Je lijdt toch niet aan geheugenverlies?'

'Het is wel heel lang geleden.'

'Gelul.'

'Wat kan ik zeggen? *Mea maxima culpa.*'

'Daar heb ik niets aan. Afspraak is afspraak, dus zorg maar dat je overmorgen hier bent.'

'Het spijt me, maar dat is onmogelijk.'

'David, je zorgt maar dat je er bent, zoals we hebben afgesproken.'

'Ik wou dat ik er kon zijn, maar ik…'

'Laat me niet zitten.'

'Ik zit achtduizend kilometer van jullie vandaan. Ik heb hier werk te doen. Ik kan niet weg.'

'Als je niet komt opdagen…'

'Kan je zus niet even vanuit Portland naar je toe komen? Regel anders een oppas en… ja, ik betaal wel.'

'Je bent het meest egoïstische zwijn dat er is.'

'Iedereen mag er een mening op na houden. Goed, hier komt het nummer waar ik te bereiken ben…'

'Wat moet ik met dat nummer? Ik betwijfel of Caitlin je ooit nog wil spreken.'

'Dat maakt ze zelf wel uit.'

'De dag dat je ons hebt verlaten, heb je haar gevoel van geborgenheid in één klap weggevaagd, en ik garandeer je dat ze van nu af aan een enorme hekel aan je heeft.'

Ik zweeg en de telefoon trilde in mijn hand. Na een korte stilte hoorde ik Lucy zeggen: 'Hier zal je spijt van krijgen.'

Ze hing op.

Ik legde de telefoon neer, steunde mijn hoofd in mijn handen en werd overmand door een gigantisch schuldgevoel.

Toch voelde ik er weinig voor om naar Amerika terug te vliegen zodat Lucy anderhalve dag een congres kon bijwonen. Ja, ik was de afspraak vergeten, maar jezus, het was twee maanden geleden dat we het erover hadden gehad. Ik had geen enkele keer verstek laten gaan, integendeel, Caitlin had zelfs tussendoor bij Sally en mij in LA gelogeerd, dus Lucy kon de pot op met dat 'ik betwijfel of Caitlin je ooit nog wil spreken'. Lucy's wrok kende geen grenzen: ik was de kwade pier. Natuurlijk, ik had haar iets geflikt, maar zij zou nooit toegeven dat ook zíj fundamentele zwakheden had die hadden bijgedragen aan de ondergang van ons huwelijk (tenminste, dat zei de therapeut bij wie ik na mijn scheiding een tijdje in behandeling was geweest).

Er werd weer geklopt. 'Binnen!' riep ik. Meg duwde een elegant metalen serveerwagentje voor zich uit. Ik kwam de trap af en zag naast de oesters een mandje met bruin brood en een fles gewürztraminer.

'Uw avondeten,' zei ze. 'Zal ik het naar het balkon rijden? Dan kunt u nog net even van de zonsondergang genieten.'

'Uitstekend idee.'

Ze opende de deuren naar het balkon en ik staarde naar een oranjerode zon die haast vloeibaar oogde en heel langzaam in het donkere water van de Caribische zee leek te druppelen.

Ik ging zitten en deed mijn best de wirwar van emoties te negeren die zich na het hatelijke gesprek met Lucy had gevormd. Ik denk dat Meg wel aan me zag dat er iets mis was, want toen ze de balkontafel had gedekt, zei ze: 'Zo te zien kunt u wel een glaasje wijn gebruiken.'

'Dat klopt.'

Terwijl ze de wijn ontkurkte, vroeg ik: 'Wat doet meneer Barra eigenlijk?'

'Die is constant aan het bellen, nou ja… schreeuwen.'

'Zeg hem maar dat ik vanavond vroeg naar bed ga,' zei ik. Ik kon echt geen dosis Barra meer verstouwen.

'Komt in orde.'

De wijn was open en ze schonk een bodempje in het smalle, hoge glas.

'Ga uw gang,' zei ze vrolijk.

Ik pakte het glas en deed wat je nu eenmaal met een glas wijn hoort te doen: ik walste de wijn even in het glas, rook er eens goed aan en liet een druppeltje op mijn tong vallen. Er ging iets door me heen wat het best te omschrijven is als een fantastische kick. Het smaakte verrekte goed.

'Uitstekend,' zei ik. Maar dat mag ook wel voor een fles van tweehonderdvijfenzeventig dollar.

'Mooi,' zei ze terwijl ze mijn glas bijschonk. 'Kan ik verder nog iets voor u doen?'

'Ik zou niet weten wat. Bedankt voor alles.'

'Het hoort allemaal bij de service. Als u nog iets nodig hebt, hoeft u maar te bellen.'

'Je verwent me.'

'Dat is ook precies de bedoeling.'

Ik hief mijn glas en keek naar het laatste stukje zon. Ik snoof en rook de typische lucht van de tropen, die mengeling van amandelbrood en euca-lyptusbomen. Ik nipte aan de belachelijk dure, maar overheerlijke wijn en zei zacht voor me uit: 'Ik geloof dat ik hier best aan kan wennen.'

5

IK SLIEP ALS EEN BLOK EN WERD WAKKER MET HET GELUKZALIGE GEVOEL
dat hoort bij negen uur van comateuze rust. Ik schoof de kussens in mijn
rug en besefte hoe gespannen ik was geweest sinds mijn doorbraak en alles wat daarmee samenhing. Succes zou het leven moeten vergemakkelij-
ken, maar het is onvermijdelijk dat het er juist gecompliceerder op wordt.
Misschien kunnen we niet zonder de bijkomende problemen, de intriges
en het najagen van meer succes. Hebben we eenmaal datgene wat we altijd
hebben nagestreefd, dan krijgen we het idee dat er iets aan ontbreekt en is
er altijd wel iets anders te wensen. Zo gaan we verder, op zoek naar een volgend succes, een nieuwe wending in het leven – ook al zet je daarmee alles
wat je tot dan toe hebt bereikt op het spel – in de hoop ooit permanente
tevredenheid te bereiken.

Heb je eenmaal dat volgende niveau bereikt, dan vraag je je af: kan ik dit
allemaal behouden of gaat het me ontglippen? Of, erger nog, gaat het je
vervelen en ontdek je dat wat je in het verleden had, eigenlijk precies was
wat je altijd wilde?

Ik duwde die melancholieke gedachten van me af en herinnerde mezelf
aan de woorden van de bekende Hollywoodinsider genaamd Marcus Au-
relius, die zei: 'Verandering is de pracht van de natuur.' De meeste mannen
die ik kende (in het bijzonder scenarioschrijvers), zouden hun moeder
nog verkopen om in mijn schoenen te kunnen staan, zeker als ze wisten
dat ik vanuit mijn bed op een knop kon drukken waarmee de zonwering
omhoogkwam waarachter zich de azuurblauwe Caribische ochtend bevond, en dat ik de telefoon maar hoefde te pakken om alles te krijgen wat
ik hebben wilde.

Voeg daarbij de plezierige omstandigheid dat Bobby Barra in allerijl het
eiland had verlaten. Daar kwam ik achter toen ik eindelijk was opgestaan
om een plas te doen en een envelop zag liggen die onder mijn deur door
was geschoven. Ik maakte hem open en las een in haast geschreven kattebelletje.

Zak,

Ik wilde je gisteravond nog bellen, maar Meg zei dat je al met je teddybeertje tussen de lakens was gekropen. Gisteren, vijf minuten nadat we aankwamen, is bekend geworden dat de directeur van een zaak in wapentuig die komende week naar de beurs zou gaan, door de FBI is beschuldigd van het wegsluizen van geld, fraude en sodomie met een teckel. Je begrijpt dat mijn compagnons en ik net in dát bedrijf dertig miljoen hebben zitten. Het betekent dat ik stante pede naar New York moet om dat brandje te blussen voordat de hele zaak in rook opgaat.

Dat betekent dus dat je het de komende dagen helaas zonder mijn gezelschap zult moeten stellen. Ik weet zeker dat je er zó kapot van bent, dat je terwijl je dit leest een champagnekurk laat knallen. We hebben ons gisteren een beetje aan elkaar zitten ergeren, wat natuurlijk helemaal jouw schuld was. Ik hoop maar dat we nog steeds vrienden zijn.

Geniet van het eiland. Dat moet lukken. Zo niet, dan ben je echt een enorme stommeling. Ik hoop met een dag of twee weer hier te zijn en tegen die tijd zal onze gastheer wel terug zijn met die zilvervisjes die hij gevangen heeft.

Doe rustig aan. Je ziet echt hartstikke bleek. Een paar dagen in de zon moet daar verbetering in kunnen brengen.

Tot dan,

Bobby

Ik kon een glimlach niet onderdrukken. Bobby was er een meester in om vrienden die op het punt stonden hem af te schrijven, op het allerlaatste moment weer binnen te halen.

Mijn ontbijt, vergezeld van een fles Cristal, werd geserveerd.

'Kijkt u maar hoeveel u ervan drinkt,' zei Meg terwijl ze de schalen op de balkontafel zette.

Ik dronk twee glazen champagne, verorberde de tropische vruchten, proefde de exotische muffins en dronk een paar kopjes koffie. Onder het eten luisterde ik naar Griegs *Lyrische Stücke* voor piano en zag dat er praktisch onzichtbaar een luidspreker in de muur van het balkon was gemetseld. De zon brandde op volle sterkte en de temperatuur lag even boven de dertig graden. Afgezien van een snelle blik op mijn e-mail had ik geen andere plannen dan van de zon genieten.

Meteen al had ik spijt van mijn beslissing mijn mail te lezen, want die ochtend waren de communiqués uit cyberspace verre van opbeurend. Om te beginnen was er een strijdbare missive van Sally.

David,

Ik was verbaasd en voelde me gekrenkt toen ik je beschrijving las van mijn huidig imbroglio bij Fox als 'een minicrisis'. Ik vecht op het ogenblik voor mijn bestaan daar en ik heb meer dan ooit behoefte aan je steun. In plaats daarvan doe je neerbuigend. Ik ben erg teleurgesteld, temeer omdat ik juist nu veel behoefte heb aan vertrouwen en liefde.

Ik vlieg vandaag naar New York. Bel me maar niet, stuur liever een e-mail. Ik hoop dat het niet meer dan een domme opmerking van je was.

Sally

Ik herlas de e-mail en verbaasde me erover dat ze mijn woorden zo volkomen verkeerd had geïnterpreteerd. Ik ging naar de map met verzonden mails om erachter te komen waarom ze in godsnaam zo beledigd was. Ik had tenslotte alleen maar geschreven:

Ik ken je goed genoeg om te weten dat je een strijdplan hebt ontwikkeld waarmee je deze minicrisis aankunt. Tenslotte ben jij het slimst!

Ik vatte 'm al. Ze vond het maar niks dat ik haar titanenstrijd had aangemerkt als minicrisis, terwijl ik alleen maar had willen zeggen dat de hele toestand in het grote geheel van ondergeschikt belang zou blijken te zijn.

Jezus, over overgevoeligheid gesproken. Ik wist meteen dat ik hier niet als winnaar uit kon komen. Tot op dat moment hadden Sally en ik iets heel uitzonderlijks, een relatie zonder grote misverstanden, en ik wilde absoluut niet dat dit het eerste zou zijn. Ik wist dat het niet genoeg was als ik iets zei van 'je hebt het totaal verkeerd opgevat' en besloot dat het het beste was maar meteen schuld te bekennen. Als er één ding was wat ik na al die jaren huwelijk had geleerd, was het dat als je de sfeer na een ruzie wilde verbeteren, je maar beter meteen kon toegeven dat je fout zat, ook al vond je zelf van niet.

Dus klikte ik op 'Beantwoorden' en schreef:

Lieverd,

Het laatste wat ik wil is dat jij je kwaad maakt. Het is zeker niet mijn bedoeling om wat jij doet als 'onbeduidend' aan te merken. Wat ik bedoelde is dat je zó briljant bent in alles wat je aanpakt, dat deze crisis – hoewel die nu immens lijkt – in de toekomst van ondergeschikt belang zal blijken, alleen omdat je er zo goed uit tevoorschijn gaat komen. Het is mijn fout dat ik dat niet duidelijker heb gezegd. Ik besef dat ik je heb gekrenkt en ik voel me daar heel naar onder.

Je weet dat ik je geweldig vind. Je weet dat ik zielsveel van je hou en dat ik je steun in alles wat je doet. Het spijt me verschrikkelijk dat dit misverstand door een verkeerde woordkeus in de wereld is gekomen. Vergeef me.

Ik hou van je,

David

Ik geef het toe, het was een beetje kruiperig, maar ik wist dat Sally ondanks haar ambities op het werk in wezen een klein ego had dat constant moest worden opgekrikt. Vanwege het prille stadium waarin we ons bevonden, was het belangrijk dat onze relatie stabiel was. Ik herhaalde mijn mantra van de laatste paar dagen: ze staat onder extreem grote druk. Als ik haar zou vragen hoe laat het was, zou ze dat al verkeerd opvatten. Zodra de storm bij Fox is gaan liggen, wordt ze vanzelf wel weer de oude.

Of liever gezegd, daar rekende ik op.

Ik verstuurde de e-mail en opende de volgende. Hij was van Lucy en het was zo'n bericht dat te omschrijven is als 'je kunt de pot op, brief op poten volgt'.

David,

Het zal je deugd doen dat Caitlin gisteren tranen met tuiten heeft gehuild toen ik haar vertelde dat je dit weekend niet komt. Gefeliciteerd. Je hebt haar hartje weer gebroken.

Ik heb Marge zover gekregen een vlucht te pakken om de twee nachten dat ik er niet ben op Caitlin te passen. Helaas was er gezien het late tijdstip van de boeking alleen plaats in de businessclass. Dido en Aeneas moeten het weekend naar het poezenhotel. Alles bij elkaar bedragen de kosten achthonderddrie dollar en vijfenveertig cent. Je cheque zie ik graag zo spoedig mogelijk tegemoet.

Je gedrag is voor mij eens te meer het bewijs dat je sinds de dag dat je succes hebt, wordt gedreven door niets anders dan puur egoïsme. Wat ik je gisteravond over de telefoon zei, staat nog steeds overeind. Hier zal je spijt van krijgen.

Lucy

Ik had de laatste woorden nog niet gelezen of ik pakte de telefoon en toetste een paar nummers in. Ik keek op mijn horloge en zag dat het veertien over tien was, dus in Sausolito veertien over zeven. Met een beetje geluk was Caitlin nog niet naar school.

Ik hád geluk, niet alleen was ze thuis, maar mijn dochter nam zelf op en ik hoorde aan haar stem dat ze heel blij was dat ik belde.

'Papa!' klonk het opgewonden.

'Hé, kleine,' zei ik. 'Alles kits?'

'Ik mag de engel zijn in het toneelstuk op school.'

'Je bént al een engel.'

'Ik ben toch geen engel? Ik ben Caitlin Armitage.'

Ik lachte.

'Het spijt me dat ik dit weekend niet kan komen.'

'Tante Marge komt nu op me passen. De poezen moeten wel naar het poezenhotel.'

'Dus je bent niet boos op me?'

'Je komt toch volgende week, hè?'

'Absoluut.'

'Mag ik dan bij jou in het hotel slapen?'

'Natuurlijk. We gaan iets leuks doen. Bedenk maar even waar je zin in hebt.'

'Neem je dan een cadeautje voor me mee?'

'Dat beloof ik. Is mama daar? Mag ik haar even?'

'Oké, maar jullie mogen geen ruziemaken.'

Ik zuchtte.

'We doen ons best, meisje.'

'Pap? Ik mis je.'

'Ik jou ook.'

Het was even stil en ik begreep dat de telefoon werd doorgegeven. Even hoorde ik niets, maar toen kwam Lucy's stem.

'Nou, wat valt er te bespreken?'

'Zo te horen is ze volledig van de kaart, Lucy. Helemaal kapot.'

'Ik heb je verder niets te zeggen.'

'Mij best. Ik heb jou ook niets te zeggen, behalve dat je nooit meer moet liegen over haar emotionele toestand. Ik waarschuw je, als je haar tegen me opzet...'

De verbinding werd verbroken. Ze had opgehangen. Een volwassen en rustig gesprek zat er dus niet in. Ik was opgelucht dat Caitlin er zo te horen geen probleem mee had dat ik komend weekend niet van de partij kon zijn. Tante Marge en de rekening van achthonderddrie dollar was een ander verhaal. Marge was een new-agegek die een probleem had met haar omvang. Ze woonde in een eenkamershram, omringd door twee poezen en haar kristallen, en met Nepalese geitengezang in de cd-speler. Ik moest het haar nageven: ze was een lieve vrouw die dol was op haar enige nichtje, en dat deed me goed. Maar toch, achthonderd dollar om haar omvangrijke taille naar San Francisco te vervoeren en niet te vergeten de vijfsterrenaccomodatie voor haar kostbare katachtige vriendjes... Hoe het ook zij, ik wist dat ik over de brug moest komen en dat swami Marge waarschijnlijk de helft van dat bedrag in eigen zak zou steken. Ik moest er verder maar geen woorden aan vuilmaken. De strijd met Lucy was in mijn voordeel beslecht. Toen Caitlin zei dat ze me miste, was al mijn matineuze, opgekropte ellende weggevaagd. Ik was in opperbeste stemming en had een heel Caribisch eiland voor mezelf.

Ik pakte de telefoon, vroeg of er ergens een krant was en kreeg te horen dat *The New York Times* zojuist per helikopter was bezorgd. 'Als iemand hem bij me kan brengen, graag.'

Ik tikte op het audiovisuele scherm, zocht naar het muziekaanbod en koos een paar pianosonates van Mozart. De krant werd gebracht en Meg klapte een ligbed voor me uit op het balkon. Ze liep de badkamer in en kwam terug met wel zes verschillende merken zonnebrandcrème met eenzelfde aantal beschermingsfactoren. Ze schonk wat champagne bij en zei dat ik moest bellen als ik nog iets nodig had.

Ik las de krant, luisterde naar Mozart en bakte in de zon. Na een uurtje vond ik het tijd om te gaan zwemmen. Ik pakte de telefoon en werd doorverbonden met Gary.

'Hallo, meneer Armitage. Bevalt het paradijs u vandaag?'

'Mij hoor je niet klagen. Wat ik me afvraag, is hier op het eiland, afgezien van het zwembad, ergens een mooi plek om te zwemmen?'

'We hebben hier een klein strandje, maar als u zin hebt om te snorkelen...'

Twintig minuten later stapte ik aan boord van de *Truffaut* (klopt, net als de Franse regisseur), een twaalf meter lange cabin cruiser met een vijfkoppige bemanning. We voeren een halfuur en kwamen bij een koraalrif bij een groepje minuscule eilandjes. Twee bemanningsleden hielpen me in een wetsuit ('Het water is vandaag aan de koude kant,' legde één van hen uit), en ik kreeg zwemvliezen, een duikbril plus snorkel. Een bemanningslid had een complete uitrusting voor diepzeeduiken aan.

'Dennis is uw gids. Hij zwemt met u om het rif,' zei Gary.

'Dank je, maar dat hoeft echt niet,' zei ik.

'Meneer Fleck wil niet dat de gasten alleen zwemmen. Het hoort bij de service.'

Die zin had ik op Saffron Island al vaker gehoord: *het hoort bij de service.* Een duiker die me begeleidde naar het koraalrif, hoorde bij de service, net als de overige vier bemanningsleden op de cabin cruiser, net als de kreeft en de chablis premier cru die ze me (ik was de enige die at) op de boot serveerden. Die middag, toen ik weer vaste grond onder de voeten had en vroeg of ze de laatste *The New Yorker* misschien hadden, werd de helikopter naar Antigua gevlogen om er een voor me te kopen (hoewel ik had bezworen dat ze niet zoveel moeite hoefden te doen – en kosten maken! – voor één lullig tijdschrift). Opnieuw kreeg ik als antwoord dat het allemaal bij de service hoorde.

Ik ging terug naar mijn kamer en werd gebeld door Laurence, de chefkok. Hij vroeg wat ik die avond wilde eten. Toen ik hem vroeg of hij me iets kon aanraden, antwoordde hij: 'Ik maak wat u maar wilt.'

'Het maakt niet uit wat?'

'Daar komt het wel zo'n beetje op neer.'

'Wat raad je me aan?'

'Tja, de keuken van het Verre Oosten is mijn specialiteit en aangezien hier genoeg verse vis is…'

'Ik laat het helemaal aan jou over.'

Een paar minuten daarna belde Joan me. Ze had het scenario voor de helft klaar, maar dankzij mijn afgrijselijke handschrift had ze een tiental vragen. We namen alle vragen door en ze verzekerde me dat het script de volgende middag uitgetypt zou zijn. Meneer Fleck werd laat in de middag terugverwacht, vertelde ze, en ze wist dat hij het aangepaste scenario onmiddellijk wilde lezen.

'Ik hoop niet dat je de halve nacht zit te typen,' zei ik.

'Het hoort allemaal bij de service,' zei ze. Ze vroeg of ik het goedvond dat ze het scenario met mijn ontbijt liet bezorgen, zodat ik het nog even kon bekijken en als er nog wijzigingen waren, kon ze die er 's ochtends nog even in verwerken.

Ik ging op bed liggen en sukkelde in slaap. Na een uur werd ik wakker en zag dat er een briefje onder mijn deur door was geschoven. Ik pakte het op en las:

Beste meneer Armitage,

We wilden u niet storen, daarom hebben we The New Yorker en de catalogus van beschikbare films voor de deur gelegd. We dachten dat u vanavond misschien een film zou willen zien. Zo ja, ik ben te bereiken op toestel 16. Zou u Claude de sommelier zodra het u schikt even willen bellen? Hij wil graag met u van gedachten wisselen over de wijn voor vanavond. U kunt hem dan meteen laten weten hoe laat u wilt eten. Wat de keuken betreft, daar zijn ze volkomen flexibel.

Nogmaals, het is een groot genoegen u als gast te hebben. Zoals ik gisteren al zei, ik hoop u vanavond in de huisbioscoop te zien.

Groet, Chuck

Ik deed de deur open en pakte de catalogus en *The New Yorker*, die speciaal voor mij was ingevlogen. Ik ging weer op bed liggen en vroeg me af hoe ze wisten dat ik even een uiltje had geknapt en niet gestoord moest worden. Hadden ze de kamer uitgerust met afluisterapparatuur? Zat er ergens een verborgen camera? Of was ik gewoon paranoïde? Misschien waren ze tot de conclusie gekomen dat ik na die zware werkdag in de zon wel toe was aan een korte siësta. Misschien was ik een beetje doorgedraaid van alle aandacht die ik kreeg.

Opeens moest ik denken aan een mooie literaire anekdote. Hemingway en Fitzgerald zitten in een café in Parijs en zien een stelletje chic geklede types langslopen. 'Weet je, Ernest,' zegt Fitzgerald, 'de rijken zijn anders dan jij en ik.' Waarop Hemingway nors zegt: 'Ja, ze hebben meer geld.'

Nu pas besefte ik dat geld de rijken een cordon sanitaire bood, waarmee ze alle vervelende, alledaagse zorgen en problemen waar de rest van de mensheid mee kampt, op afstand kunnen houden. Natuurlijk, geld gaf macht, maar uiteindelijk kwam het neer op het onderscheid tussen hoe jij en de rest van de mensheid leefde. Twintig miljard! Ik had nog steeds moeite met dat bedrag en met de wetenschap (die had ik natuurlijk van Bobby) dat Fleck per week zo'n twee miljoen aan rente ontving, en dat ná belastingen. Zonder ook maar één cent in te teren, had hij een netto-inkomen van tegen de honderd miljoen per jaar om mee te spelen. Het was van de gekke. Twee miljoen per week besteedbaar inkomen. Wist Fleck nog hoe het was om te sappelen voor de huur, geld bij elkaar te scharrelen voor de telefoonrekening of een tien jaar oude auto te hebben die maar niet in de vierde versnelling wil omdat er geen geld is om de versnellingsbak te laten repareren?

Had hij nog wel aspiraties, nu al zijn aardse wensen in vervulling waren gegaan? Wat doet het met je wereldbeeld als er geen materiële zaken meer zijn waar je voor moet werken? Richt je je dan op de niet-stoffelijke zaken van het leven, streef je dan belangwekkende gedachten en daden na? Misschien werd je wel een filosoof-koning als De Medici. Of werd je juist een wrede Borgia.

Ik was na één dag Chez Fleck al volkomen verpest en als ik eerlijk ben vond ik het prachtig. Ik had ergens het idee dat ik er ook echt recht op had, en dat idee werd hier niet bepaald de kop ingedrukt. Het kostte me geen moeite te accepteren dat er een hele staf op het eiland was die welke wens ik ook had, kon vervullen. Op de boot had Gary gezegd dat mocht ik zin hebben de volgende ochtend naar Antigua te gaan, ik dat gewoon moest zeggen. Hij kon de helikopter zo voor me regelen. Als ik verder weg wilde, de Gulfstream stond toch maar ongebruikt op het vliegveld van Antigua en kon wanneer ik maar wilde, voor me in gereedheid worden gebracht.

'Dat is heel vriendelijk van je,' zei ik, 'maar ik denk dat ik op het eiland blijf en héél weinig ga doen.'

En inderdaad, ik deed héél weinig. Na de exquise bouillabaisse, die vergezeld ging van een even verbluffende Au Bon Climat-chardonnay, genoot ik in de huisbioscoop in mijn eentje van twee klassieke Fritz Lang-films: *Beyond a Reasonable Doubt* en *The Big Heat*. In plaats van de gebruikelijke popcorn bracht Meg een schaaltje Belgische bonbons en een armagnac uit 1985. Na afloop kwam Chuck langs, die een paar verhalen voor me had over Langs tijd in Hollywood. Hij wist zo verrekte veel over alles wat met film te maken had, dat ik hem vroeg een glas armagnac met me te drinken en wat over zichzelf te vertellen. Hij vertelde dat hij Philip Fleck begin jaren zeventig had leren kennen toen ze samen op de filmacademie van NYU zaten.

'Dat was jaren voordat Phil ook maar in de buurt kwam van enige rijkdom. Ik weet dat zijn vader ergens in Wisconsin een fabriek in verpakkingsmateriaal had, maar voor ons was Phil gewoon een van de velen die later bij de film wilden. Hij woonde in een weinig verheffend appartementje op Eleventh Street, bij First Avenue. Al zijn vrije tijd bracht hij door in de Bleecker Street Cinema, de Thalia, de New Yorker of een van de vele andere inmiddels verdwenen filmhuizen waar oude films werden vertoond. Zo is onze vriendschap ontstaan. We kwamen elkaar constant tegen in die filmhuizen en hadden er geen enkele moeite mee om per dag een stuk of vier films te zien.

Hoe het ook zij, Phil wilde altijd scenarioschrijver worden, terwijl ik droomde van het runnen van mijn eigen bioscoopje en zo nu en dan een stuk schrijven voor een van die mooie Europese filmtijdschriften als *Sight and Sound* en *Cahiers du cinema*. Tijdens ons tweede jaar op NYU overleed Phils vader en moest hij naar Milwaukee om het roer van het familiebedrijf over te nemen. Daarna zijn we elkaar uit het oog verloren, hoewel ik natuurlijk wel wist hoe het hem verging, omdat de kranten er destijds veel aandacht aan besteedden dat hij door zijn bedrijf naar de beurs te brengen zijn eerste miljard had binnengehaald. Jaren later heeft hij zijn slag geslagen met investeringen en werd hij… nou ja, Philip Fleck. Ik kon het maar niet geloven: mijn vroegere filmmaatje als miljardair.

Op een goede dag belde Phil me. Het telefoontje kwam volslagen onverwacht. Hij had me laten opsporen, had te horen gekregen dat ik in Austin zat en assistent-filmarchivaris van de universiteit daar was. Dat was overigens zeker geen slechte baan, zij het dat ik maar zevenentwintigduizend per jaar verdiende. Ik kon niet geloven dat ik hem aan de lijn had. "Hoe heb je me in godsnaam gevonden?" vroeg ik hem.

"Daar heb ik mijn mensen voor," zei hij, waarna hij meteen ter zake kwam en zei dat hij een eigen filmbibliotheek wilde opzetten, de grootste filmbibliotheek van Amerika in eigen beheer, en graag zag dat ik dat voor hem regelde. Nog voor ik wist wat ik zou gaan verdienen, had ik de baan al aangenomen. Het opzetten van een dergelijk archief is een aanbod dat je hoogstens één keer in je leven krijgt. Bovendien beschouwde ik Phil als een goede vriend.'

'Sindsdien ben je bij hem in dienst? Reis je hem overal achterna?'

'Dat klopt, ja. Het grote archief is gevestigd in een pakhuis in de buurt van zijn huis in San Francisco. Alle andere huizen hebben een wat kleinere verzameling. Ik geef leiding aan een team van vijf medewerkers die het grote archief beheren. En ja, als Phil op reis gaat, ben ik van de partij, waardoor hij altijd over me kan beschikken. Film is voor Phil heel belangrijk.'

Dat geloof ik graag, dacht ik. Je moet wel een enorme filmgek zijn om je eigen fulltimearchivaris waar je ook gaat of staat bij je te willen hebben voor het geval je 's avonds laat opeens behoefte hebt aan een vroege Antonioni of over Eisensteins montagetechnieken wilt bomen terwijl je de zon achter de palmbomen van Saffron Island ziet wegzakken.

'Lijkt me een leuke baan,' zei ik.

'Het kan niet beter,' zei Chuck.

Ook die nacht sliep ik ononderbroken, het bewijs dat ik na één hele dag op het eiland al totaal ontspannen was. Ik zette de wekker niet en vroeg niet om op een bepaald uur gewekt te worden. Ik werd gewoon wakker, en dat was pas tegen elf uur. Ook die ochtend was er een briefje onder mijn deur 'door geschoven.

Beste meneer Armitage,

Ik hoop dat u goed hebt geslapen. Ik wil u alleen zeggen dat we vanochtend bericht hebben ontvangen van meneer Fleck. Hij doet u de hartelijke groeten en laat weten dat het hem spijt dat hij een dag of drie is vertraagd. Maandag is hij er in elk geval en hij heeft de wens uitgesproken dat u zich tot dan op het eiland zult vermaken. Hij zei dat u het ons moet laten weten als u iets wilt doen, als u ergens heen wilt of als we wat dan ook aan activiteiten voor u moeten organiseren.

Met andere woorden, meneer Armitage, u hoeft de telefoon maar te pakken en u kunt me bereiken. We staan voor u klaar.

Wij hopen dat u weer een plezierige dag in het paradijs hebt.

Groet, Gary

De marlijnen beten dus en blijkbaar was Philip Fleck nog steeds de mening toegedaan dat ik minder belangrijk was dan een paar vissen. Om de een of andere reden kon ik me er niet druk over maken. Als hij me wilde laten wachten, dan moest dat maar.

Voor ik me boog over de belangrijke vraag wat ik voor mijn ontbijt wilde, zette ik me schrap voor mijn e-mail, maar die ochtend zat er niets verontrustends bij. Integendeel, ik kreeg een ronduit verzoenende mail van Sally.

Lieverd,

Excuus, excuus. In het vuur van de strijd was ik zo prikkelbaar, dat ik even was vergeten wie mijn ware steun en toeverlaat is. Dank je voor je fijne e-mail en vooral voor het feit dat je begrip toont.

Ik zit op het ogenblik in New York en ben ingekwartierd in het Pierre, wat niet eens het slechtste adres is. Ik ben hier op verzoek van Stu Barker, die een paar hoge heren van het hoofdkantoor moet spreken. Hij wilde dat ik erbij zou zijn voor het uiteenzetten van de plannen voor de komende herfst. We zijn hier gewoon met een luchtvaartmaatschappij heen gevlogen, omdat Stu niet de indruk wilde wekken dat hij zodra hij Levy's baan had overgenomen, goede sier wilde maken met de company jet. Tijdens de vlucht was hij bijzonder vriendelijk, ik mag wel zeggen dat het een complete volte-face was. Hij zei dat hij naar onze samenwerking uitkeek, dat het team het niet zonder mij kon stellen en dat hij hoopte dat de jaren van vijandigheid nu achter ons lagen. 'Mijn mishegas gold Levy, niet jou,' zei hij.

Hoe het ook zij, over een paar uur begint de grote vergadering. Ik ben best een beetje zenuwachtig, omdat het belangrijk is een goede indruk te maken, zowel op de hoge heren als op mijn directe baas. Ik wou dat je hier was om me even te omhelzen (en meer, misschien, maar ik moet hier in cyberspace maar niet al te expliciet zijn). Ik doe mijn best je vandaag nog even te bellen, maar ik geloof dat we meteen na de vergadering weer terugvliegen. Ik hoop dat je bruin genoeg wordt voor ons tweetjes. Zo te horen is Fleck Island het absolute einde.

Ik hou van je,

Sally

Nou, dat was een hele verbetering. Stu Barkers verzoenende houding had haar duidelijk goed gedaan. Een excuusbriefje van de vrouw van wie je houdt is natuurlijk altijd een uitstekend begin van een nieuwe dag.

En er was nog meer goed nieuws. Terwijl ik online was, zag ik het icoontje 'nieuwe mail' knipperen. Ik opende de mail en las het volgende bericht van Alison:

Hé Superstar,

Ik hoop dat je een prettige zonnesteek hebt en lekker in je hangmat ligt, want ik heb heel goed nieuws.

Je bent zojuist genomineerd voor een Emmy.

Ik heb nu al medelijden met degenen die te maken krijgen met je nu wel heel hard opgepompte ego (grapje).

Ik vind het fantastisch voor je, David. Voor mezelf ook, want ik weet dat ik voor de volgende serie nu zeker vijfentwintig procent kan vangen. Dat komt neer op... Ach, reken zelf maar uit.

Om King Lear maar even aan te halen: je hebt het gemaakt, vrind. Mag ik mee naar de prijsuitreiking, of gaat Sally dan blazen?

Liefs, Alison

Aan het eind van de middag was ik extatisch van alle felicitaties die ik had ontvangen. Brad Bruce belde om me te vertellen hoe blij het hele team van *Selling You* voor me was, hoewel ze best een beetje pissig waren dat het programma maar één nominatie had gekregen. Ook de baas van de comedy-divisie van FRT, Ned Sinclair, belde, evenals twee acteurs. Verder ontving ik nog een tiental felicitaties per e-mail van vrienden en kennissen uit het vak.

Wat me in een nog betere stemming bracht, was Sally's telefoontje vanuit New York.

'Halverwege de vergadering kwam de secretaresse van een van de Fox-mensen binnen met een lijst van genomineerden. De hoge heren stortten zich er natuurlijk meteen op om te zien hoeveel Fox er had gekregen. Een van hen keek me aan, merkte op "David Armitage is toch uw vriend?" en zei dat je erbij stond. Ik schreeuwde het zowat uit. Ik ben apetrots op je en, ik zal het maar eerlijk zeggen, het doet mijn reputatie bij de hoge heren bepaald geen kwaad.'

'Hoe gaat het daar?'

'Ik kan op het ogenblik niet zoveel zeggen, maar ik geloof dat we aan de winnende hand zijn.'

We? Sally en Stu Barker, die ze ooit beschreef als de Heinrich Himmler van de televisie?

'Zo te horen kunnen jullie het goed met elkaar vinden,' zei ik.

'Ik vertrouw hem voor geen cent,' fluisterde ze, 'maar het is beter hem in mijn kamp te hebben dan dat hij zijn kernkoppen op mij richt. Nou ja, ik moet je eigenlijk niet vervelen met die kantoortoestanden.'

'Jij verveelt me nooit, schat.'

'En jij bent de liefste, getalenteerdste man die er is.'

'Nu loop ik echt naast mijn schoenen.'

'Doe dat maar lekker. Je verdient het.'

'Hoor eens,' zei ik, 'mijn gastheer is nog steeds aan het vissen bij een van de eilanden hier in de buurt en komt op zijn vroegst maandag pas terug. Ik heb hier carte blanche en dat betekent dat ik zo met de Gulfstream naar New York kan vliegen, je op kan pikken en je mee kan nemen hiernaartoe.'

'O, dat klinkt fantastisch, schat, maar ik moet met Stu mee terug naar LA. Het is echt heel belangrijk dat de goede samenwerking die er nu is, een vervolg krijgt. Bovendien wil hij dat ik zondag op kantoor kom om de planning met hem door te nemen.'

'Het zij zo.'

'Als er geen vuiltje aan de lucht was, zat ik nu absoluut bij je. Dat weet je.'

'Ik snap het.'

'Mooi,' zei ze. 'Ik wilde alleen even zeggen dat ik dolblij ben met het goede nieuws, dat ik van je hou en dat ik nu echt die vergadering weer in moet. Ik bel je morgen.'

Voor ik de kans kreeg afscheid te nemen, was de verbinding al verbroken. Mijn vijf minuten met Sally waren op.

Mijn onzekerheid werd in de kiem gesmoord door al weer een avond van topverzorging: een absurd lekkere Morgan uit 1975, de twee films die ik zag (Billy Wilders *Ace in the Hole* en Kubricks *The Killing*) en een taart (ontworpen door de banketbakker van het eiland) in de vorm van een Emmy.

'Hoe wist je dat ik genomineerd ben?' vroeg ik Gary toen hij met zes andere mensen van het personeel de taart naar de bioscoop kwam brengen.

'Dat soort nieuws gaat als een lopend vuurtje.'

In de wereld waarin ik verkeerde, wist iedereen alles van je, werden al je verzoeken ingewilligd en werd aan elk detail, hoe klein ook, aandacht geschonken. Je kreeg precies wat je wilde en wanneer je dat wilde, maar als ontvanger veranderde je heel langzaam in het wandelende equivalent van een losgescheurd netvlies, blind voor de realiteit van alledag.

Niet dat ik het erg vond toerist te zijn in een zo uniek koninkrijk. Hoewel ik mezelf had beloofd niet te werken op het eiland, lag ik meteen nadat Joan me het uitgetypte scenario had bezorgd, al met een rood pennetje in de hangmat op het balkon. De nieuwe versie was acht pagina's korter. De tekst liep lekker en had een goed ritme. De dialoog was wat sneller geworden, minder snoeverig. De plot zat technisch goed in elkaar, maar toch, toen ik alles herlas, vond ik de derde akte een beetje geforceerd overkomen. De periode na de overval en de manier waarop de lieden die erbij betrokken waren zich tegen elkaar keerden, kwamen iets te gewoontjes over.

Gedurende het weekend stortte ik me volledig op het werk en herschreef de complete derde akte, alle eenendertig pagina's. Het prachtige weer ten spijt sloot ik me de hele dag op in mijn suite en nam maar een uur of drie per dag pauze. Zondag om zes uur 's avonds was ik klaar. Joan meldde zich om de veertig blaadjes van mijn blocnote met de herschreven derde akte op te halen. Ik vierde het met een glas champagne en een uur in een warm bad. Het avondeten bestond uit krab, waar ik een halve fles van een heerlijke Nieuw-Zeelandse sauvignon bij nuttigde. Tegen tienen die avond kwam Joan het uitgetypte stuk brengen.

'Je hebt het voor middernacht terug,' zei ik.

'Dank u, meneer.'

Ik leverde het werk op het afgesproken tijdstip in en ging naar bed. Ik sliep uit en toen ik mijn ontbijt geserveerd kreeg, lag het ingebonden scenario op het dienblad. Er zat een briefje bij waarop stond: 'We hebben bericht gekregen van meneer Fleck. Hij heeft uw scenario ontvangen en zal het zo spoedig mogelijk lezen. Helaas wordt hij nog steeds op zee opgehouden, maar hij verwacht nu woensdagochtend hier te zijn en verheugt zich erop u te spreken.'

Mijn eerste reactie op die missive was: je zoekt het maar uit, vriend. Je kunt de pot op. Ik ga hier niet zitten wachten totdat het jou behaagt om op te komen dagen. Maar toen ik Sally te pakken kreeg op haar mobiele nummer en zei dat ik de indruk had dat Fleck me nu wel heel duidelijk aan het lijntje hield, zei ze: 'Wat verwacht je dan? Die vent kan doen wat hij wil, dus doet hij dat natuurlijk ook. Tja, mijn lief, je bent uiteindelijk niet meer dan de scenarist…'

'Bedankt, hoor.'

'Kom op, je weet toch hoe het werkt in de hiërarchie? Hij mag dan een amateurtje zijn, hij heeft wél het geld, en daarom kraait zijn haan koning.'

'Terwijl ik slechts een horige ben.'

'Kijk, als je woedend bent, moet je maar even een rel maken en eisen dat ze je met de Gulfstream naar LA vliegen. Weet wel dat ik er de komende drie dagen niet ben. Ik moet op bezoek bij onze stations in San Francisco, Portland en Seattle.'

'Sinds wanneer weet je dat?'

'Sinds gisteravond. Stu acht het wenselijk dat we een tournee maken langs de grotere stations hier aan de Westkust.'

'Jij en die Stu kunnen het echt goed met elkaar vinden.'

'Ik geloof inderdaad dat ik hem óm heb, als je dat bedoelt.'

Dat bedoelde ik niet, maar ik wilde er verder geen punt van maken, omdat ik bang was dat ze zou denken dat het monster genaamd jaloezie bezit van me had genomen. Ze had me echter meteen door.

'Hoor ik daar een zweempje jaloezie?'

'Niet echt.'

'Je snapt toch dat ik een beetje bij hem moet slijmen, hè?'

'Natuurlijk, natuurlijk.'

'En dat ik de vijand weg moet zien te houden?'

'Ik begrijp het.'

'Je weet toch ook dat ik zielsveel van je hou en er niet over peins ook maar iets…'

'Oké, oké. Excuus.'

'Aanvaard,' zei ze opgewekt. 'Ik moet weer in vergadering, dus ik spreek je nog.'

Ze hing op.

Zak, zak, zak die je bent. *Jij en die Stu kunnen het echt goed met elkaar vinden.* Wat een slimme opmerking. Nou moet je haar weer stroop om de mond smeren.

Ik pakte de telefoon, belde Meg en vroeg haar een bos bloemen in LA te laten bezorgen. Geen probleem, zei ze. Nee, ze hoefde mijn creditcardnummer niet te hebben. 'We zijn blij dat we dat voor u kunnen regelen,' zei ze. Had ik voorkeur voor een bepaalde bloem? Nee, als het maar een mooie bos werd. Moest er een kaartje met een paar woorden bij?

Ik moest met iets verzoenends op de proppen komen, met een zweem van onderdanigheid, maar ook weer niet té, dus ik besloot tot:

Je bent het beste wat me is overkomen. Ik hou van je.

Meg verzekerde me dat de bloemen binnen het uur op Sally's werk werden bezorgd, en ja hoor, anderhalf uur later ontving ik een e-mail van Sally Birmingham:

Dat noem ik nog eens een prachtige verontschuldiging. Ik hou ook van jou, maar kop op, hè?

Sally

Ik probeerde haar raad op te volgen, dus belde ik Gary en vroeg hem of we misschien naar een klein eilandengroepje in de buurt konden varen. De bemanning werd opgetrommeld en Flecks cabin cruiser voer weer uit. Er was een duikuitrusting aanwezig voor het geval dat ik wilde duiken. De assistent van de chef-kok was aan boord om mijn lunch te bereiden. Ze hingen een hangmat tussen de twee masten, waar ik een uurtje in sliep. Toen ik mijn ogen opendeed, werd me een cappuccino aangeboden plus een geprinte e-mail van Chuck de filmgek.

Dag meneer Armitage,

Ik hoop dat u nog geen plannen hebt voor vanavond, want ik heb zojuist een berichtje van meneer Fleck ontvangen waarin hij me vraagt vanavond speciaal voor u een filmvoorstelling te organiseren. Als u me kunt laten weten welke tijd u het beste uitkomt, dan zorg ik voor de popcorn.

Ik zei tegen de steward dat ik Chuck even wilde spreken, waarop hij me de boordtelefoon gaf.

'Over welke film hebben we het?' vroeg ik Chuck.

'Het spijt me, meneer Armitage, maar dat moet een verrassing blijven. Orders van meneer Fleck.'

Om negen uur die avond vervoegde ik me bij de huisbioscoop. Ik zakte in een uiterst comfortabele leren fauteuil en liet een kristallen Waterfordschaal vol met popcorn op mijn schoot balanceren. De lichten doofden en de projector draaide. De filmmuziek was een enigszins overdadige jarenveertigversie van *These Foolish Things*. De Italiaanse titelkaart kwam in beeld en ik las: *Salò o le 120 giornate di Sodoma*, oftewel *Salò of de 120 dagen van Sodom*.

Ik had uiteraard gehoord van die beruchte laatste film van Pasolini, de naoorlogse bewerking van de immorele roman van de Markies de Sade, maar ik had hem nooit gezien. Na de eerste paar vertoningen midden jaren zeventig was de film overal in Amerika verboden, zelfs in New York. Als je film in New York verboden wordt, dan weet je dat je iets hebt gefabriceerd wat net even te ver gaat.

Al na twintig minuten snapte ik waarom de autoriteiten in New York zo hun bezwaren hadden tegen de film. Het verhaal speelt zich af in de fascistische republiek Salò (door Mussolini in zijn laatste dagen van de oorlog gesticht), waar een viertal Italiaanse aristocraten (die er een nogal vunzige levensstijl op na houden) overeenkomen dat ze met elkaars dochters trouwen. Dat is nog de mildste van de zonden van de vier, want algauw schuimen ze het Noord-Italiaanse platteland af, op zoek naar huwbare jongens en meisjes in de tienerleeftijd, die hun fascistische garde dan voor hen vangt. De slachtoffers worden naar een landhuis vervoerd, waar hun overweldigers hun vertellen dat ze zich in een vorstendom bevinden dat boven de wet staat, waar de jongelui elke avond aan een orgie moeten meedoen en waar eenieder die zich bezighoudt met religieuze activiteiten, wordt gedood.

De aristocraten doen precies wat ze willen met hun slachtoffers. Ze onderwerpen de jongens aan sodomie en zetten een huwelijk in scène tussen een maagdelijk meisje en een van de knapen, waarna de jongelui het huwelijk voor hun ogen moeten 'consumeren'. Op het moment dat de jongen bij het meisje naar binnen wil gaan, stormt het viertal naar voren om de kinderen zelf te ontmaagden.

Het werd nog veel erger. Tijdens zo'n orgie doet de leider van het viertal zijn behoefte op de vloer en dwingt het eerdergenoemde bruidje zijn ontlasting op te eten. Omdat ze vinden dat iedereen aan het feest moet deelnemen, dwingen ze alle gevangenen zich in een beddenpan te ontlasten, waarna er een banket wordt gegeven waarbij de drollen op het prachtigste porselein worden geserveerd.

Net toen ik dacht dat het niet vunziger kon, voerden ze de jongelui naar de binnenplaats van het huis. Ze beginnen hen te martelen en te vermoorden: ogen worden uitgestoken, een meisje wordt gewurgd, van een ander worden de borsten verbrand door er brandende kaarsen onder te houden en er werden tongen afgesneden. Onder de langzaam aanzwellende tonen van *These Foolish Things* beginnen twee mannen van de fascistische garde een innige dans.

Beeld op zwart. Aftiteling.

Het licht ging aan en ik was in shock. *Salò* was niet gewoon gewaagd, maar ongelóóflijk gewaagd. Wat me nog het meest verontrustte, was dat dit niet zomaar een goedkoop pornofilmpje was dat een armoedig stelletje armoedzaaiers voor vijfduizend dollar ergens in een pakhuis in de San Fernando Valley in elkaar had gezet. Pasolini was een heel verfijnde, bloedserieuze regisseur en *Salò* was een serieuze studie van het totalitarisme, waarbij de grenzen van de goede smaak waren overschreden. Terwijl ik in een prachtige huisbioscoop op een Caribisch eiland zat, was ik getuige geweest van volslagen ondenkbare uitwassen van het menselijk gedrag, en ik moest me wel afvragen: wat bedoelt Fleck hier verdomme mee?

Nog voor ik de vraag had kunnen beantwoorden, hoorde ik een stem achter me.

'Ik neem aan dat je wel een glaasje kunt gebruiken.'

Ik draaide me om en staarde in het gezicht van een vrouw van begin dertig. Ze was aantrekkelijk – zij het dat ze dat typische, ietwat strenge voorkomen had van iemand uit de betere kringen – had een hoornen bril op en lang, donkerbruin opgestoken haar.

'Ik ben bang dat het een hartversterkertje moet worden,' zei ik. 'Dat was...'

'Afgrijselijk? Afstotend? Misselijkmakend? Abominabel? Of misschien gewoon ouderwets smerig?'

'Allemaal juist getypeerd,' antwoordde ik.

'Het spijt me, maar ik vrees dat dit een staaltje is van het gevoel voor humor van mijn man.'

Ik sprong op en stak mijn hand uit.

'Neem me niet kwalijk. Ik herkende u niet. Ik ben...'

'Ik weet wie je bent, David,' zei ze, en ze schonk me een flauwe glimlach, 'en ik ben Martha Fleck.'

6

'Vertel me eens, hoe is het om zo getalenteerd te zijn?'
'Pardon?' reageerde ik verbaasd.
Martha Fleck glimlachte en zei: 'Het is maar een vraag.'
'Een tamelijk directe.'
'Meen je dat nou? Ik vind het een aardige vraag.'
'Ik ben niet zo getalenteerd.'
'Als jij het zegt.' Wederom een glimlach.
'Het is gewoon zo.'
'Bescheidenheid is een goede eigenschap, maar als ik íéts weet over scenarioschrijvers, dan is het dat ze vaak wat arrogants en onzekers hebben.'
'Wilt u zeggen dat ik iets arrogants heb?'
'Niet echt.' Nog een glimlachje. 'Maar toch, iemand die 's ochtends opstaat en een blanco scherm voor zich ziet, moet tòch wel het gevoel hebben dat hij iets belangwekkends gaat doen. Wil je wat drinken? Ik neem aan dat je na het zien van *Salò* een borrel kunt gebruiken. Mijn man vindt het een absoluut meesterwerk, maar ja, die heeft dan ook *The Last Chance* gemaakt. Ik neem aan dat je die gezien hebt?'
'Eh… ja. Erg interessant.'
'Dat noem ik nog eens diplomatiek.'
'Een mens kan maar beter diplomatiek zijn.'
'Maar het maakt de conversatie wel wat saai.'
Ik zweeg.
'Kom op. Het is tijd voor "de waarheid en niets dan de waarheid". Wat vond je nou écht van Philips film?'
'Niet eh… Niet de beste die ik ooit heb gezien.'
'Dat kan beter. Doe je best maar.'
Ik keek haar aan om erachter te komen wat ze nou eigenlijk van me wilde horen, maar ik zag alleen dat geamuseerde glimlachje.
'Goed. Om u de waarheid te zeggen: ik vond het pretentieuze rotzooi.'
'Goed zo. Nu kun je een glaasje krijgen.' Ze bracht haar hand naar een knop aan de zijkant van haar stoel.
We waren op haar initiatief naar de salon gegaan. Ze zat op de bank on-

der een latere Rothko: twee grote zwarte vierkanten met daartussenin een dunne, oranje vouw; een sprankje hoop dat er na het donker een dageraad zal zijn.

'Hou je van Rothko?' vroeg ze.

'Ja.'

'Philip ook, vandaar dat we er acht hebben.'

'Dat is veel.'

'En veel geld. Er is tegen de vierenzeventig miljoen voor betaald.'

'Een indrukwekkend bedrag.'

'Ach, kleingeld.'

Weer een van die stiltes. Ik zag dat ze wel doorhad dat ik haar bekeek, maar haar toon bleef luchtig, een tikkeltje koket zelfs. Tot mijn verbazing merkte ik dat ik haar erg aantrekkelijk vond.

Gary stond al in de kamer.

'Fijn dat u er weer bent, mevrouw Fleck,' zei hij. 'Hoe was New York?'

'Leuk.' Ze keek me aan en vroeg: 'Je hebt wel zin in een glaasje sterkedrank, hè?'

'Nou eh...'

'Dat vat ik maar op als een ja. Wat hebben we aan wodka, Gary?'

'Zesendertig merken, mevrouw.'

'Zesendertig verschillende merken. Is dat niet grappig, David?'

'Tja, het is nogal wat.'

Ze wendde zich tot haar bediende en zei: 'Vertel eens, Gary. Welke van die prachtige wodka's is de allerbeste?'

'We hebben een driemaal gefiltreerde Stoli Gold uit 1953.'

'Laat me eens raden. Uit Stalins voorraad?'

'Daar sta ik niet voor in, mevrouw, maar ze zeggen dat het een heel bijzondere is.'

'Schenk die dan maar en doe er wat Beluga bij.'

Gary knikte licht en liep weg.

'U was niet met uw man mee op de boot, mevrouw?' vroeg ik.

'Ik heet Martha. Laten we elkaar nou maar bij de voornaam noemen, oké? Ik heb nu eenmaal niets met Hemingway, dus ik voelde er weinig voor om een paar dagen op zee te zitten om weet ik wat voor grote vissen binnen te halen.'

'New York was een zakenreis?'

'Ik ben onder de indruk van je gevoel voor diplomatie. Als je zoals ik een echtgenoot hebt die goed is voor twintig miljard, dan zijn de meeste mensen niet geneigd te denken dat je ook maar íéts uitvoert. Inderdaad, ik was in New York om te vergaderen met het bestuur van een stichting die zich het lot van nooddruftige toneelschrijvers aantrekt.'

'Ik wist niet eens dat die er waren.'

'Is het dan niet zo dat het merendeel van de schrijvers voor toneel, film of televisie weinig succes heeft? Tenzij het geluk hen toelacht, natuurlijk, zoals in jouw geval.'

'Klopt, maar het blijft een kwestie van geluk hebben.'

'Ik ga me nu toch flink zorgen maken over die bescheidenheid van je, David,' zei ze terwijl ze mijn hand licht aanraakte.

Ik trok mijn hand terug en zei: 'Jij was toch zelf scripteditor?'

'Je bent goedgeïnformeerd. Ja, dat klopt. Ik was wat ze in kleinere theaters een dramaturg noemen, wat weer een mooie term is voor het oppoetsen van dialoog en overleggen met scriptschrijvers. Heel soms kwam het voor dat ik wat uit de stapel ingezonden toneelstukken pikte waarvan ik dacht dat we er wel iets mee konden doen.'

'Zo heb je meneer...'

'Meneer Fleck? Ja, zo heb ik mijn echtelijk lot gevonden, in de stad van twinkelende lichtjes en romantische allure genaamd Milwaukee. Ben je ooit in Milwaukee geweest?'

'Ik vrees van niet.'

'Een heel bekoorlijke stad. Het Venetië van het Midden-Westen.'

Ik lachte. 'Waarom was jíj daar dan?'

'Omdat er een vrij redelijk toneelgezelschap zat. Ze hadden een dramaturg nodig, ik was op zoek naar werk en zij boden me een baan aan. Het verdiende niet slecht, zo'n zevenentwintigduizend per jaar, en dat was meer dan ik elders kon krijgen. Het toneelgezelschap had dan ook flink wat geld in kas, wat ze te danken hadden aan hun plaatselijke succesverhaal meneer Fleck, die het voornemen had zijn woonplaats om te vormen tot zijn eigen Venetië. Een nieuwe galerie, de nieuwe mediafaculteit voor de plaatselijke universiteit met – *naturellement* – een eigen filmarchief. Precies waar Milwaukee behoefte aan had. Plus een hypermodern theater voor het plaatselijke toneelgezelschap. Ik schat dat Philip aan die drie zaken samen wel tweehonderdvijftig miljoen heeft gespendeerd.'

'Dat is wat je noemt "goeddoen".'

'En het is heel slim, want het waren allemaal aftrekposten voor de belasting.'

Gary kwam terug met een serveerwagentje waarop een schaaltje kaviaar stond met daaromheen op kunstige wijze gedrapeerde ijsschilfertjes, een schaal met sneetjes licht roggebrood, de fles wodka en twee glaasjes. Hij haalde de wodka uit de ijsemmer en presenteerde Martha de fles geheel in stijl. Ze keek even naar het etiket, dat er met het cyrillische schrift heel indrukwekkend uitzag. 'Lees je toevallig Russisch?' vroeg ze me. Ik schudde mijn hoofd. 'Ik ook niet, maar ik weet zeker dat 1953 een goed jaar was. Dus, Gary, schenk maar in.'

Hij deed wat hem opgedragen werd en gaf ons allebei een vol glas aan. Martha hief het hare, we klonken en namen een slok. De wodka was koud, maar had een fijne, zachte smaak. Het weldadige vocht gleed door mijn keel en het gelukzalige gevoel dat dat veroorzaakte, steeg direct naar mijn hoofd. Als ik het goed zag, had de drank op Martha hetzelfde effect.

'Niet slecht,' zei ze.

Gary schonk ons weer in en presenteerde een stukje roggebrood met een enorme hoeveelheid kaviaar. Ik nam een hap.

'Kan het je goedkeuring wegdragen?' vroeg Martha.

'Nou eh… ja. Het smaakt naar kaviaar.'

Ze zei tegen Gary dat ze de wodka verder zelf wel zou inschenken en zodra hij de salon uit was, schonk ze mijn glas weer vol. 'Je moet weten dat ik vóór ik Philip leerde kennen, geen weet had van dure merknamen. Ik wist het verschil nog niet tussen een… zeg maar een Samsonite-koffer en eentje van Louis Vuitton. Dat soort zaken interesseerden me niet.'

'Nu wel?'

'Nu kan ik bogen op een haast mysterieuze kennis van wereldmerken. Ik weet dat Iraanse kaviaar honderdzestig dollar per ons kost en dat het glaasje dat je in je hand hebt, is gemaakt door Baccarat, dat de stoel waarop je zit een origineel ontwerp van Eames is en dat Philip er tweeënveertighonderd dollar voor heeft betaald.'

'En vóór je al dit soort dingen wist?'

'Toen had ik een netto-inkomen van achttienhonderd dollar per maand, een piepklein eenkamerapartementje met een twaalf jaar oude Golf voor de deur. Destijds vond ik The Gap al een duur merk.'

'Was het een probleem dat je maar weinig geld had?'

'Ik heb er nooit over nagedacht. Ik werkte in de non-profitsector, dus je zult begrijpen dat ik er even saai uitzag als mijn collega's. Ik wás ook saai, maar daar zat ik verder niet mee. Heb ik het bij het rechte eind als ik zeg dat jij het verschrikkelijk vond om geen geld te hebben?'

'Het is allemaal wel gemakkelijker als je wat geld hebt.'

'Dat is waar. Toen je bij Book Soup werkte, was het waarschijnlijk helemaal niet eenvoudig om al die succesvolle scenarioschrijvers met hun riante inkomen, een Porsche op het parkeerterrein en een Cartier aan hun pols in de boekhandel te zien rondstruinen. Ik...'

'Hoe weet je dat ik bij Book Soup heb gewerkt?' onderbrak ik haar.

'Ik heb je dossier doorgenomen.'

'Mijn dossier? Is er een dossier over me aangelegd?'

'Nou ja, een dossier is misschien een groot woord, maar toen je de uitnodiging om hierheen te komen had aangenomen, hebben Philips mensen even een paar dingen nagetrokken.'

'Wat zit er allemaal in?'

'Een aantal krantenknipsels, een bijgewerkte staat van dienst, waar je zoal aan hebt meegewerkt en een beetje achtergrondinformatie die ze her en der hebben vergaard...'

'Noem eens wat?'

'Ach, je weet wel. Een paar zaken die handig zijn om te weten. Wat je graag drinkt, van wat voor soort films je houdt, wat je op je bankrekening hebt staan, hoe je aandelenpakket eruitziet, wie je therapeut is...'

'Ik heb helemaal geen therapeut.'

'Je had er wel een. Nadat je bij Lucy bent weggegaan en bij Sally introk, ben je een halfjaar in therapie geweest bij een zekere... hoe heet die man ook alweer? Tarbuck of zo? Ja, Donald A. Tarbuck. Zijn praktijk is aan Victory Avenue in West LA. Gaat dit je een beetje te ver? Neem me niet kwalijk.'

Ik voelde me ineens bijzonder ongemakkelijk. 'Van wie heb je dat allemaal?'

'Van niemand. Ik heb het zelf gelezen.'

'Iemand moet jullie mensen toch hebben ingelicht. Wie was dat?'

'Om je de waarheid te zeggen: ik heb geen idee.'

'Ik wed dat het allemaal van die schoft van een Barra komt.'

'Ik zie dat ik je op de kast heb gekregen, maar dat was echt niet mijn bedoeling. Ik kan je verzekeren dat Bobby geen verklikker is. Denk nou niet dat je hier in het voormalige Oost-Duitsland terecht bent gekomen. Als mijn man overweegt iemand aan te nemen, gaat hij altijd heel grondig te werk.'

'Heb ik dan ergens op gesolliciteerd?'

'Goede opmerking. Wat ik bedoel, is dat Philip graag wat met je wil doen en het wenselijk achtte eerst wat inlichtingen over je in te winnen. Zo gaat het tegenwoordig overal. Einde verhaal, oké?'

'Tja, ik hoop niet dat ik al te achterdochtig overkom...'

'Helemaal niet,' zei ze, en ze schonk nog eens in. 'Drink op.'

We klonken weer en dronken ons glaasje leeg. De wodka gleed nu haast ongemerkt door mijn keel, wat erop duidde dat zowel mijn keel als mijn brein langzaam gevoelloos werd.

'Maakt dat je een beetje gelukkiger?'

'Het is goede wodka.'

'Beschouw je jezelf als een gelukkig iemand?'

'Pardon?'

'Ik vraag me af of je misschien onzeker bent over je succes en eraan twijfelt of je het wel hebt verdiend.'

Ik moest lachen. 'Speel je altijd de rol van agent-provocateur?'

'Alleen als ik iemand mag. Ik heb gelijk, hè? Ik heb de indruk dat je niet echt gelooft in wat je hebt bereikt en dat je in stilte lijdt omdat je je vrouw en kind hebt verlaten.'

Het was even stil. Ik pakte de wodka en schonk ons allebei nog een glaasje in.

'Misschien stel ik ook te veel vragen,' zei ze.

Ik pakte mijn glaasje en sloeg de inhoud achterover.

'Mag ik je nog één vraag stellen?' vroeg ze.

'Ga je gang.'

'Vertel me nou eens wat je écht van Philips film vindt.'

'Dat heb ik je al verteld.'

'Nee, je zei dat je het pretentieuze rotzooi vond, maar je hebt me niet uitgelegd waaróm je het pretentieuze rotzooi vond.'

'Wil je dat echt weten?' vroeg ik. Ze dronk haar glaasje leeg en knikte, dus legde ik haar uit waarom ik het de slechtste film vond die ik ooit had gezien. Ik liet er niets van heel, vermorzelde de film scène voor scène, en legde uit waarom ik de personages zo idioot vond en waarom ik vond dat de dialoog een nieuwe betekenis gaf aan het woord 'gekunsteld', kortom, waarom de hele onderneming lachwekkend was. Blijkbaar had de wodka de kraan van mijn spraakwater opengezet, want ik was tien minuten ononderbroken aan het woord, met uitzondering van de twee keer dat ze me bijschonk. Toen ik eindelijk klaar was, viel er een lange stilte.

Ik sprak als eerste. 'Nou ja,' zei ik. 'Je hebt me om mijn mening gevraagd.' Ik hoorde zelf dat ik een beetje met een dubbele tong sprak.

'Die heb je ook zeker geventileerd,' zei ze.

'Mijn excuses.'

'Waarom zou je je verontschuldigen? Er is geen woord van gelogen. Om precies te zijn, ik heb Philip nog vóór de film in productie ging, exact hetzelfde gezegd.'

'Ik dacht dat jij je met het scenario had bemoeid?'

'Dat heb ik ook, en geloof me als ik zeg dat het uiteindelijke scenario veel beter was dan de oorspronkelijke versie, hoewel dat niet zoveel zegt, gezien het rampzalige resultaat.'

'Had je dan verder niets in de melk te brokkelen?'

'Sinds wanneer heeft een scripteditor wat te vertellen? Als je weet dat negenennegentig procent van de scenarioschrijvers in Hollywood als horigen wordt behandeld, dan begrijp je dat ze een scripteditor niet eens als een menselijk wezen zien.'

'Gold dat ook voor de man die voor je gevallen is?'

'O, dat was pas een hele tijd na de film.'

Ze vertelde dat Fleck een keer in het door hem betaalde theater was om met het, nee zíjn, personeel kennis te maken. Uiteindelijk betaalde Fleck hun salaris. Hoe dan ook, tijdens dit koninklijk bezoek had de artistiek leider Fleck even voor een snelle kennismaking meegetroond naar de minuscule ruimte die dienstdeed als Martha's werkkamer. Nadat ze aan elkaar waren voorgesteld en Fleck begreep dat Martha toneelstukken bewerkte, zei hij dat hij net een filmscenario had geschreven en graag met een deskundige van gedachten zou wisselen over de sterke en de zwakke punten van zijn werk.

'Ik zei natuurlijk meteen dat ik het een eer vond om het te lezen. Wat moest ik anders? Kijk, hij was wel onze beschermheilige, onze god. Ik dacht bij mezelf: het zal wel weer zo'n in eigen beheer uitgegeven dichtbundeltje zijn van een rijke kerel. En ik betwijfelde of hij het ooit zou opsturen. Hij had natuurlijk geld genoeg om het advies van bekende mensen als Robert Towne of William Goldman te kunnen betalen, maar de volgende ochtend, pats-boem, viel het scenario al op mijn bureau. Er zat een briefje bij waarop stond: "Ik zou het erg waarderen als u me morgenochtend uw eerlijke mening geeft." Het was ondertekend met "P.F."'

Martha had geen andere keus dan zich de hele dag over het vod te buigen en naarmate de avond vorderde, werd ze almaar zenuwachtiger, omdat ze er steeds meer van overtuigd raakte dat het scenario complete bagger was. Ze wist dat als ze dát opschreef, ze haar baan verder wel kon vergeten.

'Tot vijf uur 's ochtends heb ik mijn best gedaan een leesrapport op te
stellen waarin ik niet verhulde dat het scenario hopeloos was, maar dat wel
op zo neutraal mogelijke toon verwoordde. Feit was dat ik er werkelijk
niets positiefs over kon zeggen. Uiteindelijk, toen het al licht werd, heb ik
een prop gemaakt van mijn vierde poging tot een neutraal leesrapport en
dacht ik: waarom zou ik die vent anders behandelen dan welke andere
slechte toneelschrijver met aspiraties? Hij krijgt gewoon van me te horen
wat eraan schort.'

Ze stelde een perfect geschreven rapport op, liet het per koerier bij het
theater bezorgen en ging naar bed, in de veronderstelling dat ze als ze wakker werd naar een andere baan moest gaan omzien.

In plaats daarvan werd ze die middag om een uur of vijf door een van
'Flecks mensen' gebeld en kreeg ze te horen dat meneer Fleck haar graag
wilde spreken. Die avond nog kon ze met de Gulfstream naar San Francisco vliegen. Het theater was er al van op de hoogte gesteld dat ze een paar
dagen niet op het werk zou komen.

'Tot op dat moment had ik alleen maar economy gevlogen, dus je begrijpt dat het ritje in de limousine naar het vliegveld en de vlucht met de
Gulfstream heel bijzonder voor me waren. Dat gold ook voor Philips huis
in de Pacific Heights, waar hij niet alleen vijf man personeel had rondlopen, maar ook in de kelder een complete huisbioscoop had ingericht. Tijdens de vlucht vroeg ik me natuurlijk af wat hij van me moest en of ik alleen maar uit machtsvertoon werd overgevlogen, zoiets als: "Ik heb je hierheen laten komen om je recht in je gezicht te zeggen dat je bent ontslagen."
Toen ik bij hem thuis was, had hij zich niet vriendelijker en charmanter
kunnen gedragen, wat gezien zijn anders zo zwijgzame karakter best op-
vallend was. Hij hield mijn leesrapport op en zei: "Ik zie waarachtig dat je
niet aan slijmen doet." Hij vroeg me of ik een week met hem aan het script
wilde werken om verbeteringen aan te brengen en wat ik daarvoor vroeg.
Ik zei dat het theater in Milwaukee me al betaalde, dus dat ik afgezien van
zijn volledige inzet verder niets van hem verwachtte. "Voor mij bent u een
schrijver als alle andere, met dien verstande dat er aan uw scenario wel heel

wat gesleuteld moet worden. Als u belooft naar me te luisteren, wil ik me er graag, samen met u, aan zetten." We besteedden een hele week aan het uit elkaar halen en weer in elkaar zetten van dat ding. Philip schoof zijn andere bezigheden een week op en ik moet zeggen dat hij echt goed naar me luisterde. Hij waardeerde mijn kritiek en aan het eind van de week hadden we voor elkaar gekregen dat nagenoeg alle lariekoek eruit was gehaald, dat de verhaallijn was verbeterd en dat de personages enigszins geloofwaardig overkwamen. Ik zei wel dat ik het allemaal nog steeds een beetje pompeus vond, maar dat ik er niet aan twijfelde dat het scenario inderdaad beter was geworden. Waar óók geen twijfel over bestond, was dat er tussen ons iets was gegroeid. Philip mag dan nogal gereserveerd overkomen, als hij je eenmaal kent, is hij echt geestig. Ik was best onder de indruk van zijn kennis. Voor een man die miljarden heeft verdiend, wist hij veel over boeken en films, en hij was vastbesloten heel veel geld in cultuur te steken. Hoe het ook zij, de laatste avond zijn we aan het drinken geslagen en…'

'Wodka?' vroeg ik.

'Natuurlijk,' zei ze, en ze hief haar glas, 'dat is mijn favoriete gif.'

We keken elkaar even aan en ik zei: 'Het vervolg van het verhaal is bekend.'

'Ja. Toen ik de volgende ochtend wakker werd, was Philip al weg, maar hij had een heel romantisch briefje op zijn hoofdkussen gelegd: "Ik bel je nog". Gelukkig had hij er geen "P.F." onder gezet. Goed, ik moest weer terug naar Milwaukee en hoorde verdomme helemaal niets meer. Een halfjaar later las ik ergens dat *The Last Chance* in Ierland werd opgenomen en weer een paar maanden later werd de film vertoond in het enige filmhuis dat Milwaukee rijk is. Ik ben er natuurlijk meteen heen gegaan en kon mijn ogen niet geloven. Niet alleen had hij tachtig procent van alle wijzigingen die we hadden aangebracht aan zijn laars gelapt, hij had ook de helft van de beroerde dialoog die we hadden geschrapt er weer in gezet. Ik was niet de enige die het slecht vond, want de kranten stonden bol van de hatelijke recensies. Ik las toen ook dat het uit was met het fotomodel met wie hij sinds een jaar een relatie had, dus toen begreep ik waarom ik niets meer van hem had gehoord, terwijl we toch samen de nacht hadden doorgebracht. Goed, ik was er dermate nijdig over dat hij niets had gedaan met al het werk dat we samen hadden verzet en dat hij nooit meer iets van zich had laten horen, dat ik hem een brief op poten heb geschreven waarin ik hem liet weten niet erg gecharmeerd te zijn van zijn onprofessionele gedrag en de weinig respectvolle manier waarop hij me had behandeld. Ik had er niet op gerekend antwoord te krijgen, maar ongeveer een week daarna stond hij opeens bij me op de stoep. Het eerste wat hij zei was: "Ik ben heel nalatig geweest, in het bijzonder waar het jou persoonlijk betreft."'

'En toen?'

'Binnen een halfjaar waren getrouwd.'

'Wat romantisch,' zei ik.

Weer dat glimlachje. Ze schonk nog twee glaasjes in en de fles was leeg.

'De moraal van het verhaal is… Dat jou niets te verwijten valt over die belabberde film?'

'Weer helemaal goed,' zei ze.

Ik goot het vocht in mijn keel en ervoer niets, niet eens de plezierige tinteling van eerder die avond.

'Ik zal je eens een geheimpje verklappen,' zei ze. 'De reden dat mijn man je zo lang laat wachten, is dat hij er niet tegen kan om met getalenteerde mensen om te gaan.'

'Iemand die zoveel geld heeft verdiend als hij, moet toch over bepaalde talenten beschikken.'

'Dat kan wel zijn, maar het talent waar hij naar hunkert, is dat wat jíj hebt, en ik deel zijn bewondering. Waarom dacht je dat ik anders vanavond nog hierheen ben gevlogen? Ik hoopte kennis met je te maken. Ik vind Selling You echt een goede serie.'

'Ik voel me vereerd.'

'Graag gedaan.'

Ze keek me aan en glimlachte. Ik keek op mijn horloge.

'Ja, het is allang bedtijd,' zei ze. 'Laat je door mij niet ophouden. Ik vraag Gary wel je wat warme melk en koekjes te brengen. Mocht je behoefte aan gezelschap hebben, ik denk dat er wel ergens een teddybeer voor je is.'

Ze trok haar wenkbrauwen licht op, meer omdat ze het een geestige opmerking vond dan uit amoureuze overwegingen, maar wie weet was het wel precies omgekeerd. Of misschien deed ze het zomaar. Verrek, ik was ladderzat, dus ik kon het echt niet meer beoordelen.

'Ik heb alleen maar behoefte aan slaap,' zei ik. 'Bedankt voor de wodka.'

'Het hoort allemaal bij de service,' zei ze. 'Slaap lekker.'

Ik wenste haar goedenacht en stommelde naar mijn suite. Ik herinner me niet dat ik gekleed en wel in slaap ben gevallen, maar wel dat ik de volgende ochtend om vier uur wakker schrok, de wc nog maar net haalde en in een minuut of vijf de boel eruit heb gegooid. Ik heb me snel uitgekleed, een warme douche genomen en ben drijfnat tussen de lakens gekropen. Ik dacht nog even aan mijn gesprek met Martha, maar viel algauw in slaap en werd pas tegen het middaguur wakker. Het leek wel of mijn hersens ontploft waren en ik moest mezelf dwingen me te herinneren wat er de vorige avond was gebeurd, van het verplichte kijken naar *Salò*, in al zijn poepende glorie, tot aan het flirterige, door wodka benevelde gesprek met Martha.

Terwijl ik een poging deed de niet-passende puzzelstukken op hun plaats te leggen, nam ik een besluit: ik zou die dag nog weggaan. Ze hadden me lang genoeg, en om onduidelijke redenen, aan het lijntje gehouden en ik had er geen trek meer in om me te voegen naar de nukken van een rijke vent. Ik pakte de telefoon, belde Gary en vroeg hem of ik die middag naar Antigua kon worden gevlogen, zodat ik kon overstappen op een vlucht naar Los Angeles. Hij zei dat hij me zou terugbellen. Vijf minuten later ging de telefoon. Het was Martha.

'Ben je bekend met een middel dat Berocca heet?' vroeg ze.

'Dag, Martha.'

'Hallo, David. Je klinkt een beetje wazig.'

'Hoe zou dat nou komen? Trouwens, jij klinkt heel helder.'

'Met dank aan de uitstekende werking van Berocca. Het is een oplosbare vitaminepil met een megadosis vitamine B en C. Het is voor zover ik weet de enige remedie tegen een kater. Het wordt in Australië gemaakt en daar weten ze maar al te goed wat een kater is.'

'Laat ze me er dan maar gauw twee brengen.'

'Ze komen er al aan. Het is niet de bedoeling dat je ze met je creditcard verpulvert en door een opgerold briefje van vijftig opsnuift.'

'Met dat soort dingen hou ik me niet bezig,' zei ik enigszins gepikeerd.

'Het was maar een grapje, David. Kom op, een beetje vrolijker mag wel.'

'Ja, sorry. Trouwens, ik vond het gisteravond heel gezellig.'

'Waarom wil je ons dan vanmiddag verlaten?'

'Kijk aan, nieuws gaat hier als een lopend vuurtje...'

'Ik hoop niet dat je het besluit hebt genomen om iets wat ik heb gezegd.'

'Nee. Het heeft er meer mee te maken dat je man me hier nou al een kleine week laat wachten. Ik heb thuis van alles te doen en vrijdag moet ik mijn dochtertje in Sausolito ophalen.'

'Dat is geen enkel punt. Ik reserveer de Gulfstream en je vliegt vrijdag rechtstreeks naar San Francisco. Rekening houdend met het tijdverschil ben je er dan halverwege de middag.'

'Dat betekent dat ik hier nog twee dagen zit te niksen.'

'Kijk, David, ik snap best dat je je doodergert aan mijn man. Inderdaad, hij speelt een spelletje met je, maar dat doet hij nu eenmaal met iedereen. En ik vind dat heel vervelend, omdat ík hem heb aangeraden met je in zee te gaan. Ik ben een grote fan van je. Niet alleen vanwege *Selling You*, ook vanwege al je eerdere werk.'

'Meen je dat nou?' Hoewel ik me gestreeld voelde, wilde ik dat niet te zeer laten merken, maar ik geloof niet dat dat erg goed lukte.

'Jazeker. Ik heb iemand bij die stichting van me in New York gevraagd je toneelstukken voor me op te diepen.'

Dat was vast een hele klus geweest, dacht ik, als je ervan uitging dat geen enkel stuk het ooit tot een voorstelling had gebracht. Toch, als ik één ding over de Flecks wist, dan was het dat als ze iets wilden, ze dat ook kregen.

'Ik wil het ook nog graag met je hebben over je bewerking van Philips scenario.'

Dus die had Joan haar blijkbaar gegeven.

'Heb je het al gelezen?'

'Vanochtend vroeg.'

'En je man?'

'Geen idee,' zei ze. 'Ik heb hem al een paar dagen niet gesproken.'

Het lag op het puntje van mijn tong haar te vragen waarom, maar ik slikte het in. In plaats daarvan vroeg ik: 'Ben je echt speciaal uit New York hierheen gekomen om mij te spreken?'

'Het gebeurt niet vaak dat een schrijver die ik enorm waardeer op het eiland logeert.'

'Dus je bent goed te spreken over mijn bewerking?'

Ze lachte een beetje schamper en zei: 'Jij hebt echt behoefte aan schouderklopjes, hè?'

'Zonder meer,' antwoordde ik.

'Nou, ik vind dat je het voortreffelijk hebt gedaan.'

'Dank je.'

'En als ik dat níét vond, had ik je dat echt wel gezegd.'

'Daar twijfel ik niet aan.'

'Als je besluit nog even te blijven, beloof ik dat ik je geen wodka meer zal opdringen. Tenzij je dat wilt, natuurlijk.'

'Nee, dat lijkt me geen goed idee.'

'Oké. Vandaag zijn we geheelonthouders, keurige mormonen. Als je het goedvindt, spreek ik je vandaag aan met "ouderling David".'

Nu was het mijn beurt om te lachen. 'Oké, oké. Ik blijf nog één dag, maar als hij morgen niet komt opdagen, ben ik echt weg.'

'Afgesproken.'

De Berocca-pillen werden een paar minuten later gebracht en tot mijn grote verbazing merkte ik dat de vervelende symptomen van de kater al snel afnamen, hoewel ik moet zeggen dat de middag die ik met Martha doorbracht, daar ook toe bijdroeg. Indachtig de hoeveelheid wodka die ze de avond ervoor achterover had geslagen, zat ze er verdraaid fris bij, stralend haast. Ze liet de lunch serveren op het grote balkon van het huis. De zon stond hoog, maar de hitte werd getemperd door een licht briesje. We aten koude kreeft, dronken heerlijk gekruid tomatensap en kletsten dat het een lust was. Martha had het kokette, flirterige toontje van de avond ervoor laten varen en ontpopte zich als geestig en erudiet, als iemand die geestdriftig en met brille over een groot aantal onderwerpen wist mee te praten. Vooral toen het gesprek op het schrijven voor film en toneel kwam, wist ze heel goed waar ze het over had en ze had een aantal heel slimme opmerkingen over mijn bewerking van *We Three Grunts*. Tot mijn grote verbazing bleek dat ze het complete oeuvre van David Armitage inderdaad had gelezen, met inbegrip van de twee vergeten stukken die het slechts bij obscure avant-gardistische gezelschappen tot een try-out hadden gebracht en sindsdien ergens onder in een la hadden gelegen.

'Hemel, ik heb ze zélf in geen jaren gelezen,' zei ik.

'Toen Philip me vertelde dat hij graag met jou wilde werken, leek het me handig even te kijken wat je zoal had gedaan vóór je beroemd werd.'

'En zo zijn jullie aan *We Three Grunts* gekomen?'

'Dat klopt. Dat Philip het in handen heeft gekregen, is helemaal mijn schuld.'

'Was het dan ook jouw idee om zijn naam erop te zetten?'

Ze keek me aan alsof ik gek geworden was. 'Waar heb je het over?'

Ik vertelde haar over de stunt die haar man had uitgehaald door me via Bobby het scenario te bezorgen met zijn eigen naam op de titelpagina.

Ze zuchtte diep.

'Het spijt me vreselijk, David.'

'Trek het je maar niet aan. Het is toch niet jouw fout? Het stomme is dat ik ondanks alles toch zijn uitnodiging om hierheen te komen heb aangenomen.'

'Iedereen laat zich nu eenmaal paaien door zijn geld, en dat stelt hem weer in staat spelletjes te spelen. Ik vind het allemaal heel vervelend voor je. Zodra Philip me belde en vroeg uit te zoeken wie en wat je was, had ik nattigheid moeten voelen. Ik had meteen door moeten hebben dat hij je wilde gebruiken.'

'Hij heeft je gebeld om te zeggen dat je navraag naar me moest doen? Jullie zijn toch getrouwd?'

'We zijn wat je noemt uit elkaar.'

'O...'

'Het is niet officieel of zo en we willen al helemaal niet dat het bekend wordt. Het komt erop neer dat we al ongeveer een jaar niet meer onder één dak leven.'

'Het spijt me dat te horen.'

'Dat is helemaal niet nodig. Het was míjn beslissing. Niet dat Philip me heeft gesmeekt er nog eens over na te denken of dat hij me naar alle uithoeken van de wereld achtervolgd heeft. Dat is zijn stijl niet, en dan ga ik er voor het gemak maar even van uit dat hij weet wat stijl is.'

'Dus jullie zijn min of meer uit elkaar. Denk je dat dat zo blijft?'

'Dat weet ik niet. We praten wel, een keer per week misschien, en als hij me nodig heeft – voor een liefdadigheidsactie, een zakendiner met zwaargewichten of het jaarlijkse etentje in het Witte Huis – dan doe ik de bijbehorende jurk aan, plak mijn glimlach op en laat hem me bij de arm nemen, net alsof we een gelukkig stel zijn. Ik zit natuurlijk altijd in een van zijn huizen en gebruik zijn vliegtuigen, maar nooit samen met hem. Met zoveel huizen en vliegtuigen is het natuurlijk vrij eenvoudig om elkaar te ontlopen.'

'Dat klinkt nogal heftig.'

Ze zweeg even en staarde naar het spel van het zonlicht en het glinsterende water van de Caribische Zee.

'Van het begin af aan wist ik dat Philip een beetje anders was dan anderen, maar dat trok me juist in hem aan. Daarom ben ik van hem gaan houden. Voeg daarbij zijn intellect en dat kwetsbare, dat hij zo goed weet te verbergen achter de façade van de zwijgzame, puissant rijke man. De eerste twee jaar ging het uitstekend tussen ons, maar heel langzaamaan merkte ik dat hij zich voor me afsloot. Ik had geen idee waarom en hij wilde er niet over praten. Ons huwelijk was een glimmende, nieuwe auto die op een ochtend opeens niet meer wilde starten. Je doet er alles aan om het ding in beweging te krijgen en je vraagt je af: heb ik nou een kat in de zak gekocht? Wat het allemaal nog ingewikkelder maakt, is dat ik ondanks alles nog steeds hou van de dwaas met wie ik ben getrouwd.'

Ze zweeg en keek weer uit over zee.

'Natuurlijk,' zei ze, 'met een uitzicht als dit zal menigeen denken: ik wou dat ík haar problemen had.'

'Een slecht huwelijk is een slecht huwelijk.'

'Was het jouwe slecht?'

Nu was het mijn beurt om oogcontact te vermijden.

'Wil je een gemakkelijk of een eerlijk antwoord?' vroeg ik.

'Dat is geheel aan jou.'

Ik aarzelde even en zei: 'Nee, als ik erop terugkijk, was het helemaal zo slecht nog niet. We zijn gewoon een beetje uit elkaar gegroeid. Er waren over en weer wat verwijten, bijvoorbeeld dat Lucy het gezin zo lang in haar eentje heeft moeten onderhouden. Mijn uiteindelijke doorbraak heeft ons huwelijk er ook niet beter op gemaakt. Integendeel, er veranderde zo...'

'En toen kwam je de waanzinnig mooie Sally Birmingham tegen.'

'Je onderzoekers zijn grondig te werk gegaan.'

'Hou je van haar?'

'Natuurlijk.'

'Is dat een gemakkelijk of een eerlijk antwoord?'

'Laat ik het zo stellen: deze relatie is totaal anders dan mijn huwelijk. Sally en ik zijn een "beroemd stel" en je weet zelf wat daar allemaal mee samenhangt.'

'Dat lijkt me een eerlijk antwoord.'

Ik keek op mijn horloge. Het was bijna vier uur. De middag was voorbijgevlogen. Ik keek naar Martha en zag dat de zon haar gezicht nu in een zachte gloed baadde. Hoe langer ik keek, hoe meer ik tot het besef kwam dat ze een prachtige vrouw was; wat was ze intelligent en geestig, en hoe verfrissend dat ze zich daar niet op liet voorstaan. Wat dat betreft stak Sally heel anders in elkaar.

Belangrijker nog was dat Martha en ik elkaar bijzonder goed aanvoelden, dat we al zo snel een band hadden, een hechte band zelfs, dus waarom...

Zet dat nou maar heel gauw uit je hoofd.

'Een cent voor je gedachten,' onderbrak ze mijn gemijmer.

'Pardon?'

'Waar zit je aan te denken, David? Je bent zo afwezig.'

'Nee, ik was wel degelijk hier.'

Ze glimlachte en zei: 'Dan is het goed.'

Op dat moment besefte ik... wat precies? Dat ze had gezien dat ik naar haar zat te kijken en dat ze getuige was van de aanzet tot een coup de foudre, een verliefdheid die alleen maar narigheid kon brengen? Wees nou verstandig, idioot, fluisterde het stemmetje in mijn binnenste me in. Stel dat jullie je tot elkaar aangetrokken voelen. Als je je daardoor laat leiden, weet je wat er gebeurt. Een kernexplosie, gevolgd door een heel lange, barre nucleaire winter.

Nu was het haar beurt om op haar horloge te kijken.

'Mijn hemel. Kijk eens hoe laat het is.'

'Ik hoop niet dat ik je te lang heb opgehouden,' zei ik.

'Nee hoor. Als de conversatie goed is, vliegt de tijd.'

'Daar drink ik op.'

'Wil je zeggen dat je je voornemen vandaag nuchter te blijven aan de wilgen hangt en een Frans bubbelwijntje wilt laten aanrukken?'

'Nee, nog niet.'

'Misschien later op de dag?'

'Als je verder niets te doen hebt...' hoorde ik mezelf zeggen.

'Wanneer ik op het eiland ben, staat mijn agenda niet bepaald vol afspraken.'

'De mijne ook niet.'

'Dus als ik iets voorstel, een of ander uitje misschien, ben je van de partij?'

Niet doen, fluisterde het stemmetje van zo-even me in, maar natuurlijk zei ik: 'Ja, waarom niet?'

Een uur later, de zon had zijn steile afdaling naar de nacht al ingezet, zat ik met haar op het dek van de cabin cruiser te nippen aan een glas Cristal en tuften we richting horizon. Voor we aan boord gingen, had ze me gezegd dat ik wat extra kleren en een warme trui moest meenemen.

'Waar gaan we heen?' vroeg ik.

'Dat zie je vanzelf,' zei ze.

Een halfuur later zag ik in de verte een klein eilandje: heuvelachtig, groen en begroeid met palmbomen. Vanuit de verte zag ik een aanlegsteiger, een reepje strand en drie eenvoudige gebouwtjes met puntdaken. Het leek Paaseiland wel.

'Bijzonder aardige wijkplaats,' zei ik. 'Van wie is het?'

'Van mij.'

'Echt?'

'Helemaal. Het was Philips cadeau bij ons trouwen. Hij wilde me zo'n idioot grote glimmer geven, je weet wel, zoals Elizabeth Taylor heeft. Ik zei dat het niets voor mij was om er als een kerstboom bij te lopen, dus vroeg hij: "Wat vind je van een eilandje?" En ik dacht: ja, dat is tenminste origineel.'

We legden aan en Martha ging me voor op de steiger. Het strandje was niet groot, maar het zand was fijn en wit. We liepen in de richting van de huisjes. Het grootste van de drie, het middelste, was rond. Het had een gezellige zitkamer (veel blank hout en gebleekt katoen) en een grote veranda met ligstoelen en een eettafel. Achterin was een keuken. Aan weerszijden van het ronde gebouw stonden twee hutten van het type dat je in Polynesië wel ziet. Allebei hadden ze een groot tweepersoonsbed, mooie rotanstoelen, meer gebleekt katoen en blankhouten badkamers. Kortom, helemaal *House & Garden* voor de tropen.

'Aardig huwelijkscadeautje,' zei ik. 'Ik neem aan dat jij hebt geholpen met de inrichting?'

'Inderdaad. Philip heeft de architect en de aannemer geregeld, maar verder had ik de vrije hand. Je ziet dat ik heb gezegd dat het een vijfsterrenversie van Jonestown moest worden...'

'Wat zeg je nou? Wilde je hier zo'n godsdienstige sekte beginnen?'

'Ik geloof dat in mijn huwelijkse voorwaarden is opgenomen dat ik geen religieuze groepering mag beginnen.'

'Zijn jullie onder huwelijkse voorwaarden getrouwd?'

'Als je met iemand trouwt die twintig miljard op zijn bankrekening heeft staan, reken er dan maar op dat zijn adviseurs erop staan dat er wat wordt getekend, en in ons geval was dat een pil van bijbelformaat. Ik heb natuurlijk zelf ook een advocaat in de arm genomen en als het definitief fout gaat tussen Philip en mij, kom ik er niet slecht vanaf. Goed, ben je klaar voor een rondleiding over het eiland?'

'Wordt het daar niet een beetje donker voor?'

'Daar gaat het juist om,' zei ze, en ze nam me bij de hand. Toen we het huisje uit gingen, pakte ze een zaklantaarn die bij de voordeur stond. Vervolgens leidde ze me over een smal, nogal steil oplopend pad dat achter het middelste gebouw begon. Het werd omzoomd door dicht op elkaar staande palmbomen en slingerende klimplanten. De zon mocht dan zijn laatste stralen werpen, het tropische concert dat werd gegeven door de insecten en vogels was ronduit levendig te noemen. Het leek wel een echoput met getsjirp, gesis en vreemdsoortig gekras. Het stadsjochie in me voelde zich niet helemaal op zijn gemak.

'Weet je zeker dat dit een goed idee is?' vroeg ik.

'Op dit uur zijn de pythons nog niet op pad, dus...'

'Grappig, hoor.'

'Met mij erbij hoef je niet bang te zijn.'

We klommen en klommen. Het gebladerte was nu zó dik geworden, dat het leek alsof we door een steeds donkerder wordende tunnel liepen, tot ik opeens de top van de heuvel zag opdoemen, waar het groen een open plek had vrijgelaten. Martha had het uitstekend getimed, want vóór ons zagen we de nog immer gloeiende schijf die de zon was, prachtig afgetekend tegen een donker wordende hemel.

'Mijn god,' zei ik.

'Het kan je goedkeuring wegdragen?'

'Net een mooie floorshow.'

We stonden er zwijgend naar te kijken. Ze pakte mijn hand, kneep er even in en het volgende moment was het pikkedonker.

'Dat is het sein om terug te gaan,' zei ze. Ze knipte de zaklantaarn aan en we daalden langzaam af. Ze hield mijn hand vast totdat we bij de hutten terug waren. Vlak voor we naar binnen gingen, liet ze mijn hand los en liep naar de kok om te bespreken wat er zou worden gegeten. Ik parkeerde mezelf op de veranda en staarde naar het in het duister gehulde strandje. Martha voegde zich een paar minuten later bij me, op de voet gevolgd door Gary. Hij droeg een blad met een zilverkeurige cocktailshaker en twee ijskoude glazen.

'Ik dacht dat we vandaag niet zouden drinken,' zei ik.

'Je hebt die twee glazen champagne op de boot toch ook zonder morren opgedronken?'

'Ja, maar een martini is wel even wat anders. Die verhoudt zich tot een glas champagne als een scudraket tot een windbuks.'

'Niemand die je dwingt, maar ik vermoedde dat je er geen bezwaar tegen zou hebben om jouw martini te shaken met wat gin en er een paar olijven bij te doen.'

'Mijn favoriete cocktail... Zijn je mensen daar nou ook al achter gekomen?'

'Nee, dat was gewoon een kwestie van gokken.'

'Dan heb je goed gegokt, maar ik garandeer je dat ik het bij eentje hou.' Natuurlijk hoefde ze me niet te overreden een tweede te drinken, noch hoefde ze me om te kopen om een wederom fantastisch lekkere fles wijn en een portie gegrilleerde vis met haar te delen. Tegen de tijd dat we de helft van de sublieme Australische muskaatwijn hadden opgedronken, waren we al in topvorm en wisselden anekdotes uit over onze avonturen in de film- en toneelwereld. We hadden het over onze jeugd in respectievelijk Chicago en de voorsteden van Philadelphia, haar afstuderen aan Carnegie Mellon University, haar pogingen om ergens in de directie van een theater te komen, mijn door teleurstellingen geteisterde jaren als scriptschrijver en de diverse romantische avonturen en mislukkingen van onze jonge jaren. Tegen de tijd dat we verhalen begonnen uit te wisselen over afspraakjes die helemaal de mist in waren gegaan, was de tweede fles muskaatwijn al half leeg.

Het werd laat. Martha liet Gary weten dat het personeel wat haar betrof naar bed kon en ze trokken zich terug in hun verblijven achter de keuken.

Martha stelde voor om nog een kort wandelingetje te maken.

'Ik vrees dat het eerder zwalken dan wandelen wordt,' zei ik.

'Dan zwalk je maar.'

Ze nam de fles wijn en twee glazen mee en we liepen naar het strandje. Ze ging in het zand zitten en zei: 'Ik zei toch dat het een kort wandelingetje zou worden?'

Ik ging naast haar zitten en keek op naar de nachtelijke hemel. Het uitspansel leek immenser dan ooit. Martha schonk ons nog wat zoete muskaatwijn in en zei: 'Laat me eens raden waar je aan dacht toen je naar de hemel keek: het leven is triviaal, nietig en over een jaar of vijftig ben ik dood.'

'Als ik geluk heb.'

'Oké, veertig jaar, dat is tien jaar van onbeduidende activiteiten minder. Wat denk je, zijn de dingen waar wij ons nu mee bezighouden in pakweg 2041 nog van enige importantie? Ja, misschien als we een oorlog beginnen of de beste comedyserie van het millennium bedenken.'

'Hoe weet je dat dat mijn ambitie is?'

'Dat had ik al in één oogopslag gezien en...'

Ze zweeg en streek met haar hand over mijn gezicht. Ze glimlachte even en blijkbaar besloot ze dat het verstandiger was er maar niet op door te gaan.

'Nou?' zei ik. 'Ga door.'

'... het moment dat ik je zag,' ging ze verder, maar op een beetje luchtige toon, 'wist ik dat je maar één ding voor ogen had: de Tolstoj van de comedy te worden.'

'Kraam je wel vaker onzin uit?'

'Reken maar. Alleen met onzinnige dingen hou je het besef van je eigen onbeduidendheid op afstand. Goed, ik wilde je iets vragen over je ex, mag dat?'

'Zoals?'

'Lucy en jij, was dat liefde op het eerste gezicht?'

'Zeker weten.'

'Was ze je eerste grote liefde?'

'Ja, zonder twijfel.'

'Wie is nu je grote liefde?'

'Mijn dochter Caitlin. En Sally, natuurlijk.'

'Ja, dat spreekt voor zich.'

'En Philip?' vroeg ik.

'Philip is nooit mijn grote liefde geweest.'

'Oké, maar vóór je hem leerde kennen, heb je er toen een gehad?'

'Voor hem had ik ene Michael Webster.'

'Was hij de ware?'

'Helemaal. We hebben elkaar tijdens onze studie op Carnegie Mellon leren kennen. Hij was acteur en toen ik hem zag, wist ik het meteen: híj is het. Gelukkig was het wederzijds, ik mag wel zeggen zó wederzijds dat we sinds het tweede jaar van onze studie onafscheidelijk waren. Na onze studie hebben we ons geluk in New York beproefd, maar uiteindelijk hebben we daar een jaar of zeven niet anders gedaan dan puur overleven. Uiteindelijk kreeg hij een rol bij een theatergezelschap in Minneapolis, bij het Guthrietheater. Dat was echt boffen, en toen ik er dramaturg kon worden, waren we helemaal in de zevende hemel. Minneapolis beviel ons opperbest, de artistiek leider van het Guthrie zag Michael helemaal zitten en verlengde zijn contract met nog een jaar. Een of andere castingfiguur in LA had Michael op het oog voor de hoofdrol in een televisiefilm, we hadden het over het stichten van een gezin... met andere woorden: eindelijk ging het precies zoals we gehoopt hadden. Op een avond, het had die dag hard gesneeuwd, is Michael in de auto gestapt om even wat bier bij de avondwinkel te kopen. Hij was al op de terugweg toen hij bij een stuk opgevroren weg kwam en met vijfenzestig kilometer per uur tegen een boom aan reed. De domoor had zijn gordel niet om… hij is door de voorruit gegaan en tegen de boom geslagen.'

Ze pakte de fles muskaatwijn en vroeg: 'Zal ik je nog wat bijschenken?'

Ik knikte en ze schonk ons allebei een glas in.

'Wat een verhaal.'

'Dat is het zeker. Wat nog erger was, is dat hij een maand aan de beademing heeft gelegen, ook al was hij hersendood. Zijn ouders waren al overleden en zijn broer zat voor het leger in Duitsland, dus ik moest in mijn eentje besluiten wat er moest gebeuren. Het idee dat ík zou uitmaken of hij leefde of niet, was onverdraaglijk. Ik was zo intens verdrietig dat ik waanvoorstellingen had van een wonderbaarlijke wederopstanding, dat ze mijn grote liefde konden oplappen en dat er niets aan de hand was. Op een gegeven moment heeft een doortastende verpleegkundige – zo'n stoere, wat oudere vrouw die haar hele leven op de intensive care had gewerkt en alles al had gezien – me na haar dienst meegetroond naar het plaatselijke café. Ik zat vierentwintig uur per dag aan Michaels bed en had al in geen week geslapen. Goed, die verpleegster nam me mee naar een kroeg in de buurt, stond erop dat ik een paar whisky's achteroversloeg en vertelde me waar het op stond: "Je vriend wordt nooit meer wakker en er is geen medisch wonder dat daar verandering in kan brengen. Hij is al dood, Martha. Dat moet je accepteren. Het is voor je eigen bestwil, je moet de stekker eruit laten trekken." Ze bestelde nog een whisky en heeft me later die avond naar huis gebracht. Ik was helemaal kapot en heb twaalf uur achter elkaar geslapen. Toen ik wakker werd, heb ik de zaalarts gebeld en gezegd dat ik bereid was de noodzakelijke papieren te tekenen om Michael van de beademing te halen. Een week na zijn begrafenis, ik denk dat ik van verdriet volkomen in de war moet zijn geweest, heb ik gesolliciteerd naar die baan bij dat toneelgezelschap in Milwaukee. Voor ik het wist, was ik aangenomen en op weg naar Wisconsin.'

Ze leegde haar glas en ging verder: 'Normaal gesproken ga je naar Venetië, Parijs of Tanger als je doodgaat van verdriet, maar wat doe ik? Ik verhuis naar Milwaukee.'

Ze zweeg en staarde uit over zee.

'Heb je Philip meteen daarna leren kennen?'

'Nee, pas na een jaartje. Toen we samen aan dat scenario van hem werkten, heb ik hem wel over Michael verteld. Philip was de eerste man met wie ik sinds Michael het bed heb gedeeld en daarom kwam het nogal hard aan dat hij me liet zitten. Ik had hem al afgeschreven als een waanzinnig arrogante vent en toen ik zag dat hij niets had gedaan met de wijzigingen die we hadden aangebracht, wist ik het zeker. Nou ja, een week nadat ik hem die brief op poten had gestuurd, stond hij dus op de stoep, een en al spijtbetuiging.'

'Heb je het hem snel vergeven?'

'Niet echt. Hij heeft me weer helemaal opnieuw moeten versieren en ik moet zeggen dat hij dat ook met verve en op stijlvolle wijze heeft aangepakt. Ik merkte dat ik weer voor hem viel. Misschien was het omdat hij zo'n gereserveerde man was en dat het me daarom zo verbaasde dat hij oprecht in me geïnteresseerd was, in mijn wereldbeeld, hoe ik over de dingen dacht. Hij had me nodig. Dat was eigenlijk nog het opmerkelijkst, dat een man met zoveel geld, die kan kopen wat hij wil, me vertelde dat ik het beste was wat hem ooit was overkomen.'

'Hij heeft je vertrouwen weer gewonnen?'

'Ja, uiteindelijk wel. Uiteindelijk krijgt hij natuurlijk alles voor elkaar. Hij is echt iemand die zich in iets vastbijt.'

Ze sloot haar ogen en zei: 'Phils probleem is dat het plezier eindigt bij het bezit.'

'Wat een domme man...'

'Ha!'

'Ik meen het echt,' zei ik. 'Hoe kan iemand zijn interesse in jou nou verliezen?'

Ze keek me aan, bracht haar hand naar mijn gezicht en streek over mijn haar.

'*Een domein verliest zijn glans, zodra het is verkregen*
Bezit leeft net zo lang
Deez' o, zo wervelende mond
straalt voor u eeuwenlang.

Een zoen als je weet wie dat geschreven heeft,' zei ze.

'Emily Dickinson.'

'Bravo,' zei ze, en sloeg haar armen om mijn nek. Ze trok me naar zich toe en gaf me een tedere zoen op mijn lippen.

'Goed,' zei ik. 'Nu is het mijn beurt.

Ieder die een mening heeft
Eerlijk en oprecht
Weet dat welsprekendheid ontstaat
Wanneer het hart niets zegt.'

'Da's een moeilijke,' zei ze terwijl ze me weer naar zich toe trok. 'Emily Dickinson?'
    'Heel knap.'
    We zoenden elkaar, dit keer wat langer.
    'Nou ik weer,' zei ze, haar armen nog steeds om me heen. 'Ben je er klaar voor?'
    'Helemaal.'
    'Goed opletten. Dit is een moeilijke.

Hoe zacht is deez' gevangenis
Hoe zoet zijn haar tralies
Niet een despoot, maar vorst der vederens
Schiep deez' plaats van rust.

Maar had een mens geen eigen rijk
Dan was zijn lot beslecht
Een bloedverwant een kerker is
Hij zit gevangen – thuis.'

'Dat is een lastige,' zei ik.
    'Kom op, doe er maar een gooi naar.'
    'En als ik fout gok?'
    Ze trok me dichter tegen zich aan en zei: 'Ik reken erop dat je het goed hebt.'
    'Het zal toch niet eh… Emily Dickinson zijn?'
    'Bingo!' Ze trok me naar beneden, duwde me voorzichtig op het zand en begon me hartstochtelijk te zoenen. Na een paar ongebreidelde momenten won mijn verstand het en luisterde ik naar het luchtalarm dat tussen mijn oren loeide. Ik probeerde mezelf uit haar omhelzing te bevrijden, maar ze duwde me met mijn rug terug in het zand en zei: 'Laat je gaan. Niet nadenken…'
    'Dat kan ik niet.'

'Heus wel.'

'Nee.'

'Er is alleen vannacht...'

'Nee, dat is niet zo en dat weet jij ook wel. Dit soort dingen heeft altijd consequenties, omdat...'

'Ja?'

'Omdat... we allebei weten dat het niet bij één nacht blijft.'

'Jij voelt het dus ook?'

'Wat?'

'Je weet wel...'

Ik maakte me los uit haar omhelzing en ging rechtop zitten.

'Hoe ik me voel? Dronken.'

'Je snapt het niet, hè?' fluisterde ze. 'Kijk nou eens even om je heen: jij, ik, dit eilandje, de zee, de lucht, de nacht. Het is niet zomaar een nacht, David, maar de ideale nacht, een eenmalige gelegenheid.'

'Ik weet het, ik weet het, maar...'

Ik legde mijn hand op haar schouder. Ze pakte mijn hand en hield hem stevig in de hare.

'Ik moet zeggen dat je erg gevoelig bent,' schamperde ze.

'Ik wou dat...'

'Laat maar zitten,' zei ze terwijl ze opstond. 'Ik ga een stukje wandelen.'

'Mag ik mee?'

'Ik denk dat ik even alleen ga, als je het niet erg vindt.'

'Zeker weten?'

Ze knikte.

'Ben je niet bang, zo alleen in het donker?' vroeg ik.

'Het is míjn eilandje,' zei ze. 'Maak je maar geen zorgen.'

'Dank je voor vanavond,' zei ik.

Ze schonk me een bedroefde blik en zei: 'Nee, jij bedankt.'

Ze stond op, draaide zich om en liep weg. Even overwoog ik haar achterna te gaan, haar in mijn armen te nemen en te zoenen. Ik wist zeker dat ik er dan van alles uit zou gooien over de liefde, over de timing in het leven, dat ik mijn bestaan niet ingewikkelder wilde maken dan het al was, dat ik haar zo graag wilde zoenen...

In plaats van dat alles deed ik wat het verstandigst was en dwong mezelf het duin op te klimmen. In mijn hut aangekomen, ging ik op de rand van het bed zitten, steunde mijn hoofd in mijn handen en dacht: wat is het een vreemde week geweest. Meer dacht ik eigenlijk niet, want mijn cognitieve vaardigheden waren flink vertroebeld door de hoeveelheid alcohol die ik had genuttigd. Als ik me op dat moment had gerealiseerd wat er even daarvoor was gebeurd, nog afgezien van het enerverende idee dat ik misschien, heel misschien een beetje verliefd was, dan was ik er absoluut flink van in de war geraakt.

Ik kreeg niet lang de gelegenheid me te wentelen in het schuldgevoel, want net als de avond ervoor viel ik aangekleed en wel in slaap. Ik moet doodop zijn geweest, want ik werd om halfzeven wakker van het geklop op mijn deur. Ik mompelde iets wat vaag op Engels leek, deed mijn ogen open en zag Gary binnenkomen met een blad met een kan koffie en een groot glas water. Ik had mijn kleren van de vorige dag nog aan en zag dat iemand een deken over me heen had gelegd. Ik vroeg me af wie er die nacht voor barmhartige samaritaan had gespeeld.

'Goedemorgen, meneer Armitage,' zei Gary. 'Hoe gaat het vanochtend?'

'Niet zo best.'

'Dan moet u er hier twee van nemen,' zei hij terwijl hij twee Berocca-tabletten in het glas liet vallen. Toen ze opgelost waren, gaf hij me het glas aan en ik sloeg de inhoud in één keer achterover. Terwijl het vocht door mijn slokdarm vloeide, verschenen de beelden van de vorige avond voor mijn door de drank vertroebelde geestesoog. Ik zag de omhelzing op het strand voor me en moest me bedwingen niet te beven. Dat lukte niet zo goed, maar Gary deed net of hij niets merkte.

'Misschien hebt u behoefte aan een kop sterke, zwarte koffie, meneer?'

Ik knikte. Hij schonk in en ik nam een grote slok, maar moest er bijna van kokhalzen. De tweede slok viel beter en tegen de tijd dat ik de derde had doorgeslikt, deed de Berocca zijn werk en was de mist in mijn hoofd opgetrokken.

'Hebt u een goede nacht gehad, meneer?' vroeg Gary. Ik keek hem onderzoekend aan en vroeg me af of het kruiperige ventje daar iets mee bedoelde. Misschien had hij met een verrekijker op de veranda staan kijken toen Martha en ik op het strand bezig waren met het imiteren van een stelletje verliefde pubers.

'Ja,' zei ik. 'Fantastisch.'

'Het spijt me dat ik u al zo vroeg moest wekken, maar op uw verzoek is de Gulfstream in gereedheid gebracht om u vanochtend nog naar San Francisco te vliegen. Zal ik u even snel vertellen hoe het reisplan eruitziet?'

'Ga je gang, maar misschien moet je het nog wel een keer herhalen.'

Hij glimlachte zuinig en zei: 'Mevrouw Fleck heeft me laten weten dat u vanmiddag tegen vieren in San Francisco moet zijn om uw dochtertje van school te halen, klopt dat?'

'Ja, dat is zo. Zeg, hoe maakt mevrouw Fleck het vanochtend?'

'Ze is al onderweg naar New York.'

Ik dacht dat ik het niet helemaal goed had verstaan. 'Ze is wát?'

'Op weg naar New York, meneer.'

'Maar hoe…'

'Zoals ze altijd naar New York reist, meneer, met een toestel van onze vloot. Ze is gisteravond laat nog naar Saffron Island vertrokken, eigenlijk vlak nadat u naar bed bent gegaan.'

'Echt?'

'Ja, meneer. Echt waar.'

'O.'

'Ze heeft een briefje voor u achtergelaten.' Hij haalde een witte envelop waar mijn naam op stond uit zijn zak en gaf me die aan. Ik wist me te bedwingen, maakte hem niet open en legde hem op mijn nachtkastje.

'Ze heeft me verzocht uw reis naar San Francisco te regelen, dus we hebben het volgende uitgedacht: we zorgen ervoor dat u tegen negen uur op Saffron Island aankomt, de helikopter brengt u om halfelf naar Antigua en drie kwartier later vertrekt de Gulfstream richting San Francisco. De piloot heeft me laten weten dat de vlucht zeven uur en veertig minuten duurt, dus met inachtneming van het tijdverschil van vier uur zou u om een uur of drie moeten landen. Op het vliegveld wordt u opgewacht door een limousine met chauffeur, waar u het hele weekend over kunt beschikken. Verder is er voor u en uw dochter een kamer gereserveerd in het Mandarin Oriental.'

'Dat is allemaal veel te veel…'

'Daar kunt u mevrouw Fleck voor bedanken. Zíj heeft het allemaal bedacht.'

'Dat zal ik zeker doen.'

'Nog één ding. Gedurende het anderhalve uur dat u op Saffron Island bent, zou meneer Fleck u graag willen spreken.'

'Is hij op het eiland?'

'Ja, meneer. Hij is gisteravond laat aangekomen.'

Mijn god, dacht ik, wat fantastisch geregeld allemaal…

7

TERWIJL DE BOOT IN HOGE SNELHEID RICHTING SAFFRON ISLAND VOER, begonnen mijn zenuwen de overhand te krijgen. Dat kwam natuurlijk omdat ik eindelijk de man te spreken zou krijgen die me al een week had laten wachten. Maar ook omdat mijn gastheer wel gemerkt moest hebben dat zijn vrouw met de logé naar haar privé-eilandje was vertrokken. En dan was er nog het onbelangrijke detail van een dronken omhelzing op het strand. Gelukkig was Martha gisternacht nog naar Saffron Island teruggegaan, zodat we er niet van verdacht konden worden samen de nacht te hebben doorgebracht, maar ik vroeg me af of iemand van het personeel ons op het strand had zien zoenen. Misschien had die persoon Fleck laten weten dat we de beroemde scène van *From Here to Eternity* hadden nagespeeld, waarin Burt Lancaster en Deborah Kerr zich in de branding aan elkaar laafden. Het leed geen enkele twijfel dat een filmgek als Fleck bekend was met die scène.

Einde opname!

Ik omklemde de reling van de cabin cruiser en hield mezelf voor dat ik kalm moest blijven. Als ik een kater had, voelde ik me altijd een beetje kwetsbaar, en overdadig drankgebruik was een voedingsbodem voor paranoïde gedachten. In het grote geheel van seksuele stommiteiten waren een paar dronken zoenen niet meer dan een lichte overtreding. Zeker, ik was in de verleiding gekomen, maar ik had er niet aan toegegeven. Geef jezelf maar een klopje op je schouder en hou op met die zelfkastijding. Als je toch bezig bent, moet je het onvermijdelijke maar niet verder voor je uit schuiven en de envelop van Martha openen.

Aldus geschiedde. Er zat een briefkaart in waarop in een net, zij het een beetje priegelig handschrift, stond:

Ik kan mijn verdriet verdrinken
In onmetelijke poelen
Ik weet hoe dat is
Maar ik struikel al
Over één enkele vreugd

En ik val — dronken
Geen schelp mag zeggen
Dat het
De drank was.
Dat was het!

Ik draaide het kaartje om en las:

David,

Ik denk dat je wel weet wie de dichteres is.
En inderdaad, je hebt gelijk als je zegt dat timing alles is.
Pas goed op jezelf.

Martha

Dat had heel anders kunnen uitpakken, dacht ik opgelucht, en meteen daarna: wat een fantastisch mens is het toch. Gevolgd door: zet haar nou maar uit je hoofd...

De boot meerde aan bij Saffron Island en Meg stond me al op te wachten. Ze vertelde me dat ze mijn koffer voor me had ingepakt en dat alles klaarstond om in de helikopter gezet te worden. Mocht ik mijn suite nog even willen nakijken...

'Ik vertrouw er helemaal op dat je alles hebt ingepakt,' zei ik.

'In dat geval kunt u naar de salon. Meneer Fleck verwacht u.'

Ze ging me voor over de aanlegsteiger, het huis in en de gang door naar de grote ruimte met het hoge plafond. Voor ik naar binnen ging, haalde ik een keer diep adem, maar toen ik de salon in liep, was er niemand.

'Meneer Fleck is zeker even de kamer uit gegaan,' zei ze. 'Kan ik iets te drinken voor u halen?'

'Een Perrier, graag.'

Meg liep weg en ik ging in de Eames-stoel zitten waarvan Martha me had verteld dat hij tweeënveertighonderd dollar had gekost. Na een minuut of wat stond ik op, begon te ijsberen en keek constant op mijn horloge. Ik hield mezelf voor dat er geen reden was om zo nerveus te zijn. Uiteindelijk was hij ook maar een gewone vent. Misschien een vent met veel geld, maar wat hij ook zei of deed, mijn carrière kon hij niet schaden. Bovendien was ik hier op zíjn verzoek. Ik was hier degene met het talent en hij was koper. Als hij mijn waar wilde aanschaffen, dan was dat mooi. Zo niet, ook goed.

De minuten kropen voorbij: twee, drie, vijf. Meg kwam terug met een dienblad, maar in plaats van een fles Perrier zag ik een glas tomatensap met een selderijstengel.

'Wat is dat?' vroeg ik.

'Een bloody mary, meneer.'

'Ik heb toch om Perrier gevraagd?'

'Klopt, maar meneer Fleck vindt dat u eerst maar een bloody mary moet drinken.'

'Hij... wat?'

Opeens hoorde ik boven me, om precies te zijn van de vide, een stem.

'Ik dacht dat je wel een bloody mary kon gebruiken,' klonk het zacht, misschien zelfs een beetje aarzelend. Meteen daarna hoorde ik voetstappen de stalen wenteltrap af komen. Philip Fleck kwam langzaam, met een flauwe glimlach rond zijn lippen, de trap af. Door de talloze foto's die er van hem in de pers waren verschenen, wist ik natuurlijk hoe hij eruitzag, maar wat me vooral opviel was zijn korte, gedrongen gestalte. Hij was op zijn hoogst een meter vijfenzestig, had lichtbruin haar met hier en daar wat grijs, en een jongensachtig gezicht waarvan af te lezen viel dat hij iets te veel koolhydraten tot zich nam. Hij was niet echt dik, maar vlezig was hij zeker. Hij was modern, misschien zelfs een beetje studentikoos, gekleed in een vaalblauw buttondown overhemd en een ietwat verwassen kaki broek met daaronder lage, witte Converse-sneakers. Hoewel hij naar verluidt een week in de gloeiendhete Caribische zon op een boot had zitten vissen, was hij opmerkelijk bleek. Ik vroeg me af of hij iemand was die dacht dat iedere pigmentvlek het begin van huidkanker was.

Hij stak zijn hand uit en gaf me het slappe handje van iemand die zich geen zorgen maakt over hoe hij op een ander overkomt.

'Jij moet David zijn,' zei hij.

'Ja, dat ben ik.'

'Als ik het goed heb begrepen, kun je wel een bloody mary gebruiken.'

'Hoezo? Wat hebt u dan gehoord?'

'Mijn vrouw vertelde me dat u beiden gisteren aardig wat drank hebt verstouwd.' Hij keek mijn richting uit, maar hij keek me niet recht aan. Het leek wel of hij moeite had om dingen van een afstand scherp te zien. 'Heb ik dat goed begrepen?'

Ik koos mijn woorden zorgvuldig en zei: 'Ja, het was een redelijk vochtige avond.'

'Redelijk vochtig…' zei hij zacht terwijl hij mijn woorden overdacht. 'Wat een aardige uitdrukking. Nou, gezien dat "redelijk vochtige" avondje…'

Hij gebaarde naar het dienblad dat Meg nog steeds vasthield. Ik had het drankje liever willen afslaan, maar misschien was het beter het spel mee te spelen. Daarbij was het een goed middeltje om mijn kater te verdrijven.

Ik pakte een bloody mary van het blad, hief het richting Fleck en sloeg het in één keer achterover. Ik zette het lege glas terug en keek hem glimlachend aan.

'Had jij even dorst,' zei hij. 'Nog een?'

'Nee, dank u. Eén glas was precies wat ik nodig had.'

Hij knikte in Megs richting, waarop ze de kamer uit ging. Hij bood me de Eames-stoel aan en ging tegenover me op de bank zitten, maar op zo'n manier dat hij me niet recht in de ogen hoefde te kijken en in feite tegen de muur tegenover hem kon praten.

'Goed,' zei hij rustig. 'Ik heb een vraag…'

'Ga uw gang.'

'Denk je dat mijn vrouw alcoholist is?'

O jee…

'Geen idee,' antwoordde ik.

'U hebt wél twee avonden met haar zitten drinken.'

'Dat is waar, ja.'

'En beide avonden heeft ze veel gedronken.'

'Ja, maar ik ook.'

'Bent u dan ook alcoholist?'

'Meneer Fleck…'

'Alsjeblieft, ik heet Philip. Je moet weten dat Martha hoog van je opgeeft, David, zozeer zelfs dat ze in hoger sferen leek te vertoeven toen ze het over je had. Misschien maakt dat haar wel extra aantrekkelijk, vind je niet?'

Ik zweeg, want ik wist niet precies wat ik daar nou op moest antwoorden. Fleck was blijkbaar tevreden met de wat ongemakkelijke stilte, want een minuut lang zei hij niets. Uiteindelijk vroeg ik maar: 'Hoe was het vissen?'

'Het vissen? Ik was niet aan het vissen.'

'Pardon?'

'Nee.'

'Ze zeiden dat…'

'Dan hebben ze maar wat gezegd.'

'Je was níét aan het vissen?'

'Ik was op reis. Om precies te zijn, in Sao Paulo.'

'Voor zaken?'

'Niemand gaat voor zijn plezier naar Sao Paulo.'

'Dat wil ik wel geloven.'

De conversatie stokte weer en Fleck staarde naar de muur schuin tegenover hem.

Na nog zo'n lange minuut van stilte zei hij: 'Dus eh… je wilde me graag spreken?'

'Is dat zo?'

'Dat heb ik begrepen.'

'Maar… jij hebt míj toch uitgenodigd?'

'O ja?'

'Jazeker.'

'Nou, dan zal dat wel zo zijn.'

'Je wilde me spreken over dat scenario.'

'Welk scenario?'

'Míjn scenario.'

'Ben je scenarioschrijver?'

'Is dit een grap of hoe zit dat?'

'Zie ik eruit als een grappenmaker?'

'Nee, maar ik heb toch echt het idee dat je een spelletje met me speelt.'

'Wat voor spelletje mag dat dan wel zijn?'

'Je weet best waarom ik hier ben.'

'Vertel het me maar.'

'Laat maar zitten,' zei ik en ik stond op.

'Pardon?'

'Ik zei: "Laat maar zitten."'

'Hoezo?'

'Omdat je een loopje met me neemt.'

'Je bent kwaad…'

'Nee. Ik ga weg, dat is alles.'

'Heb ik iets fout gedaan?'

'Laten we daar maar niet over beginnen.'

'Als ik iets fout heb gedaan…'

'Einde gesprek. Tot ziens.'

Ik liep richting deur, maar Flecks stem deed me stilstaan.

'David?'

'Wat?' zei ik, en ik draaide me om. Fleck keek me recht in de ogen. Hij glimlachte breed en hield het scenario naar me op.

'Beet!' zei hij, en toen ik niet à la minute mijn wat-een-goede-mopgezicht opzette, zei hij: 'Ik hoop niet dat je het me kwalijk neemt.'

'Nou, Philip, na een week aan het lijntje te zijn gehouden...'

Hij onderbrak me.

'Je hebt helemaal gelijk. Mijn excuses, maar is het voor collega's onder elkaar niet aardig om zo nu en dan een Pinter-achtige dialoog te voeren?'

'Zijn wij collega's?'

'Ik hoop van wel. Ik kan je zeggen dat ik dit scenario graag wil verfilmen.'

'O ja?' Ik deed mijn best zo neutraal mogelijk over te komen.

'Ik vind dat je het heel goed hebt bewerkt. Het is een uitgeklede film over een overval geworden met een duidelijk politieke boodschap, een geslaagde aanval op het laisser-faireconsumentisme dat heeft geleid tot een lusteloosheid die zich in het hedendaagse Amerika heeft vastgezet.'

Dat was allemaal nieuw voor me, maar als ik tijdens mijn carrière als scenarist één ding had geleerd, dan was het wel dat als een regisseur je gaat vertellen wat je met je werk bedoelt, je maar beter kunt knikken, ook al vind je het complete onzin.

'Natuurlijk,' zei ik, 'maar het is wel een genrefilm.'

'Precies,' zei hij, en gebaarde me weer in de Eames-stoel plaats te nemen. 'Maar hij gaat verder dan in het genre gebruikelijk is en dan denk ik even aan Jean-Pierre Melville, die in *Le Samouraï* een nieuwe betekenis heeft gegeven aan de legende van de existentiële huurmoordenaar.'

De legende van de existentiële huurmoordenaar? Het zal allemaal wel.

'In wezen,' zei ik, 'gaat het over een aantal figuren in Chicago die een bankoverval willen plegen.'

'Reken maar dat ik weet hoe je een bankoverval moet opnemen.'

Het volgende halfuur gaf hij me beeld voor beeld een beschrijving van de wijze waarop hij de bankoverval zou opnemen (met een Steadicam en korrelige kleurenfilm) om 'die typische guerrillastijl' op het doek te krijgen. Hij had zelfs al bepaalde acteurs op het oog.

'Ik zoek het in onbekende acteurs. Voor de hoofdrollen heb ik twee fantastische acteurs in gedachten die ik verleden jaar bij het Berliner Ensemble heb zien spelen.'

'Hoe is hun Engels?' vroeg ik.

'Daar valt wel wat aan te doen.'

Ik had kunnen beginnen over het probleem van geloofwaardigheid als je acteurs met een vet Duits accent de rol van een stelletje ruige Vietnamveteranen laat vertolken, maar ik hield het voor me. Tijdens zijn monoloog, die haast epische vormen aannam, zei hij dat hij er veertig miljoen in wilde steken. Dat leek me een absurd budget voor een film in 'guerrillastijl', maar als hij zijn geld nou wilde verkwanselen? Ik herinnerde me Alisons woorden, vlak voor mijn vertrek naar het eiland.

'Intussen peur ik er een mooi bedrag uit. Ik zet hem voor het blok: betalen of we doen niet mee. Ik vraag een miljoen en ik garandeer je dat hij het betaalt. Hoewel wij allebei weten dat hij je alleen maar heeft willen paaien door jouw scenario onder zijn naam te registreren, denk ik niet dat hij het leuk vindt als we dat aan de grote klok hangen. Ik weet zeker dat hij er grif voor wil betalen om het stil te houden, en zonder dat we erom hoeven vragen.'

Eerlijk gezegd raakte ik een beetje onder de indruk van zijn inzet en het liet me niet onverschillig dat hij van mening was dat ik niet zomaar een niemendalletje had geschreven, maar een belangrijk tijdsdocument. Martha had gelijk: als Fleck zijn zinnen ergens op had gezet, dan jaagde hij het ook geestdriftig na. Ik herinnerde me ook dat ze had gezegd dat als hij eenmaal had wat hij wilde, hij er al snel geen interesse meer voor had.

Ik was nog een beetje beduusd van het begin van mijn conversatie met Fleck, maar ik moet toegeven dat hij zich halverwege zijn betoog verontschuldigde voor wat hij 'mijn plagerijtje' noemde.

'Ik vrees dat het een slechte eigenschap van me is,' zei hij. 'Als ik iemand voor de eerste keer ontmoet, probeer ik hem of haar altijd even op het verkeerde been te zetten. Gewoon om te zien hoe diegene reageert.'

'En? Ben ik geslaagd?'

'Met vlag en wimpel. Zoals je weet heeft Martha heel wat ervaring met schrijvers en ze vertelde me dat jíj klasse uitstraalt. Bedankt trouwens dat je de laatste dagen met haar bent opgetrokken. Ze bewondert je zeer en ik weet zeker dat ze het fijn vond om met je te bomen.'

En, niet te vergeten, een quiz te houden over Emily Dickinson met een zoen als beloning voor ieder goed antwoord. Zo te zien wist Fleck daar niets van (zo hield ik mezelf voor) en tenslotte waren ze bijna uit elkaar. De man had zelf waarschijnlijk in elk stadje een schatje.

Stel dat hij erachter kwam dat ik met zijn vrouw had gezoend, wat dan nog? Hij was verguld met mijn scenario en als hij zijn idiote denkbeelden erop los wilde laten, dan haalde ik mijn naam er gewoon af... uiteraard pas na het verzilveren van zijn cheque.

Ik veranderde van onderwerp om het maar niet meer over zijn vrouw te hoeven hebben.

'Ik wilde je nog even bedanken dat je me hebt laten kennismaken met Pasolini's *Salò*,' zei ik. 'Misschien niet meteen een film voor een eerste afspraakje, maar wel een waar je even mee blijft rondlopen.'

'Wat mij betreft is het de beste film die na de Tweede Wereldoorlog is gemaakt. Kun je je daarin vinden?'

'Dat is nogal een stelling.'

'... en ik zal je vertellen waarom de film dat predikaat verdient. Hij gaat over het belangrijkste kenmerk van de afgelopen eeuw: de menselijke behoefte om anderen aan zich te onderwerpen.'

'Goed, maar dat geldt niet alleen voor de twintigste eeuw.'

'Dat is waar, maar wat betreft het onderwerpen van mensen is in de vorige eeuw wel een heel grote stap gezet. Denk maar eens aan de technologieën die het mogelijk maken heerschappij over elkaar uit te oefenen. En dan heb ik het met name over de Duitse concentratiekampen, waar men een geheel nieuwe, met technische hulpmiddelen ontworpen manier had gevonden om een deel van de mensheid uit te roeien. De atoombom is ook zo'n werktuig, niet alleen om massamoord mee te plegen, maar ook als politiek pressiemiddel. Laten we wél wezen, we zijn er allemaal ingetrapt toen ons werd verteld dat de Koude Oorlog het noodzakelijk maakte een enorm apparaat uit de grond te stampen om het land tegen de bom te beschermen. Op die manier hielden de regimes aan beide zijden van de ideologische breuklijn het gepeupel in bedwang en het verschafte hun een reden een enorm inlichtingennetwerk op te zetten, waarmee elke vorm van opstand de kop in kon worden gedrukt. Vandaag de dag hebben we een nog veel groter apparaat waarmee het individu onder de duim wordt gehouden. De westerse wereld gebruikt het consumentisme, dat constante aanwakkeren van de kooplust, om het volk bezig te houden en dús rustig. Met andere woorden: geef het volk zijn brood en spelen.'

'Goed, maar wat heeft dit nou allemaal met *Salò* te maken?'

'Dat zal ik je uitleggen. Pasolini heeft ons het fascisme in zijn puurste vorm willen tonen: het denkbeeld dat een mens het recht, het privilege, heeft om een ander volledig aan zich te onderwerpen, tot op het punt dat de ander niet alleen zijn waardigheid verliest, maar ook de door hem verworven rechten. Alle menselijkheid wordt hun ontnomen en ze worden behandeld als dingen die na gebruik weggegooid kunnen worden. Vandaag de dag wordt de plaats van de vier ontaarde aristocraten ingenomen door veel grotere machten: regeringen, grote bedrijven en databestanden. We leven in een wereld waarin het onderwerpen van anderen een van de belangrijkste drijfveren is. We willen ons wereldbeeld toch ook maar wat graag aan een ander opdringen?'

'Dat zal best,' zei ik, 'maar hoe past mijn... eh... onze film over een bankoverval in dit geheel?'

Hij keek me aan en glimlachte parmantig, als iemand die op het punt staat een bijzonder gevatte opmerking te maken en alleen even het juiste moment heeft afgewacht.

'Stel,' begon hij, 'het is maar een ideetje, maar misschien wil je het toch in beraad houden, dat het die twee Vietnamveteranen lukt die eerste bankoverval te plegen, en dat ze dan besluiten het wat ambitieuzer aan te pakken en zich richten op het fortuin van een miljardair die zich nooit laat zien, een soort kluizenaar...'

Kijk naar jezelf, dacht ik, maar ik zag geen greintje zelfspot.

'Goed,' ging hij verder, 'stel dat die miljardair in een soort fort woont ergens op een heuvel in Noord-Californië, en dat hij een van de grootste privécollecties moderne kunst van het land bezit, waar onze mannen het dus op hebben gemunt. Zodra ze zijn burcht zijn binnengedrongen, worden ze ingerekend door zijn legertje van gewapende bewakers. Ons tweetal ziet dat de rijkaard voor hemzelf en een stel maten een soort vrijstaat met seksslaven van beiderlei kunne heeft gesticht. Voor ze het weten, zijn ze zelf seksslaven geworden en ze beginnen meteen met voorbereidingen om zichzelf en alle anderen die door het draconische regime zijn geknecht, te bevrijden.'

Hij zweeg en keek me aan. 'Wat vind je ervan?'

Pas nou op. Vertrek geen spier.

'Nou,' zei ik, 'dat doet me denken aan *Die Hard* met een snufje Markies de Sade. Ik heb één vraag: hoe komen onze vrienden hier levend uit?'

'Doet dat ertoe?'

'Uiteraard. Het moet toch een redelijk commercieel succes worden? Je bent bereid er veertig miljoen in te steken, dus dan moet het grote publiek wél naar de bioscoop worden gelokt, en dat vereist nu eenmaal een held, iemand die ze kunnen aanmoedigen en met wie ze zich kunnen identificeren. Volgens mij moet een van de Vietnamveteranen alle slechteriken neermaaien en het er levend van afbrengen.'

'En zijn vriend dan?' vroeg hij, opeens een beetje kortaf.

'Die moet je een heldendood laten sterven. Het beste zou zijn als de rare miljardair daar de hand in heeft, waardoor de Bruce Willis-figuur natuurlijk een nog grotere hekel krijgt aan degene die hem gevangenhoudt. Aan het eind van de film, als alle bewakers en de vrienden van de man zijn weggevaagd, komen Willis en de miljardair oog in oog te staan. Uiteraard ontvlucht Willis de ruïne die het fort nu is met een of andere mooie vrouw aan zijn zijde, als het even kan een van de seksslaven die hij heeft bevrijd. Aftiteling. Ik garandeer je een eerste weekend met twintig miljoen omzet.'

Het was even stil. Philip Fleck tuitte zijn lippen.

'Ik vind het niks,' zei hij. 'Helemaal niks.'

'Om je de waarheid te zeggen: ik ook niet. Maar daar gaat het nu even niet om.'

'Waarom dan wel?'

'Als je van de bankoverval iets wilt maken als "twee kerels worden gevangengenomen door een wonderlijke rijkaard" en je wilt dat er geld mee wordt verdiend, dan moet je het spelen volgens de regels die in Hollywood gelden.'

'Het heeft weinig meer te maken met je scenario,' zei hij ietwat geïrriteerd.

'Vertel mij wat,' zei ik. 'Het scenario dat ik heb geschreven, en herschreven, zou een tragikomische, redelijk serieuze en zonder meer gedurfde film worden in de stijl van Robert Altman. Acteurs als Donald Sutherland en Elliott Gould zijn perfect voor de rol van die Vietnamveteranen. Wat jij nu voorstelt, is…'

'Wat ik voorstel is ook gedurfd en serieus,' zei hij. 'Voor een alledaagse wegwerpfilm voel ik niets. Wat ik wil, is een herinterpretatie van *Salò*, in de context van het hedendaagse Amerika.'

'Verklaar dat "herinterpretatie" eens nader?'

'Wat ik bedoel, is dat we het publiek laten geloven dat het een conventionele film over een bankoverval is, maar dan, pats-boem, worden ze geconfronteerd met de donkerste diepten van de menselijke ziel.'

Ik keek hem onderzoekend aan. Nee, hij bedoelde het niet spottend, ik bespeurde geen greintje ironie of wrede fantasie. De man was bloedserieus.

'Leg die "donkere diepten van de menselijke ziel" eens uit?' zei ik.

Hij haalde zijn schouders op en zei: 'Je hebt *Salò* gezien en wat ik wil tonen, is eenzelfde, extreme wreedheid. Ik wil de grenzen van de goede smaak verleggen en dús de grenzen van de tolerantie van het filmpubliek.'

'Zoals dat drollendiner, om maar wat te noemen?'

'Nou, we willen Pasolini natuurlijk niet na-apen.'

'Nee, wíj zouden dat nooit doen.'

'Maar ik vind wel dat er iets van een vreselijke vernedering met fecaliën in mag zitten. Niets is zo primair als shit, nietwaar?'

'Helemaal mee eens,' zei ik. Ik verwachtte weer een triomfantelijk 'Beet!' en dat hij me zou plagen dat hij me alweer op het verkeerde been had gezet, maar hij bleef serieus. Ik zei: 'Je weet toch wel dat als je, ik noem maar wat, een vent opvoert die op de grond poept, de film in Amerika niet door de filmkeuring komt, zelfs niet eens wordt uitgebracht?'

'O, ik zorg er wel voor dat-ie wordt uitgebracht,' zei hij. Hij had waarschijnlijk gelijk, want met geld kun je een heleboel gedaan krijgen, waaronder het maken van een buitenissig product van veertig miljoen ter meerdere glorie van jezelf. Hij kon doen wat hij wilde, omdat zijn geld hem vrijwaarde van die alledaagse zorgen als winst maken (om nog maar te zwijgen over het in brede omloop brengen van de film).

'Als je je maar wel realiseert,' zei ik, 'dat de film die jij voor ogen hebt, alleen in Parijs vertoond gaat worden, en misschien ergens in een filmhuis in Helsinki, een stad met het grootste aantal zelfmoorden...'

Ik zag hem verstrakken. 'Je maakt een geintje, hoop ik?'

'Ja, dat was een geintje. Wat ik wil zeggen, is dat...'

'Ik weet wat je wilt zeggen en ik ben me ervan bewust dat mijn ideeën best ver gaan, maar als iemand als ik, iemand die de financiële middelen heeft, op safe speelt, hoe kan kunst zich dan ontwikkelen? Het is nu eenmaal zo dat de avant-garde wordt gesteund door de welgestelde elite. Ik ondersteun mezelf, zo simpel is dat. Als de rest van de wereld geen goed woord overheeft voor wat ik heb gemaakt, het zij zo. Als ze me maar niet negeren.'

'Zoals met je eerste film?' hoorde ik mezelf zeggen. Zijn gezicht verstrakte weer en hij keek me afwisselend gekwetst en boos aan. O jee. Ik had er weer wat uitgeflapt en deze keer was het echt foute boel, dus ik voegde er snel aan toe: 'Je film verdiende die behandeling natuurlijk helemaal niet en ik denk niet dat de film die je nu voor ogen staat zal worden genegeerd. Natuurlijk, religieus rechts zal je beeltenis willen verbranden, maar ik garandeer je dat de media er aandacht aan gaan besteden, en veel ook.'

Hij glimlachte en ik was opgelucht. Hij drukte op een knop onder de salontafel en binnen een paar seconden stond Meg voor ons. Hij vroeg haar of ze een fles champagne wilde brengen.

'Ik denk dat we maar eens een glas moesten heffen op onze samenwerking, David,' zei hij.

'Samenwerking?'

'Daar ga ik wel van uit. Je bent toch geïnteresseerd om ermee door te gaan?'

'Dat ligt eraan.'

'Waaraan?'

'De gebruikelijke dingen: of we onze agenda's op elkaar kunnen afstemmen, mijn overige zakelijke bezigheden, de voorwaarden die jouw en mijn mensen overeenkomen en natuurlijk de geldkwestie.'

'Geld is geen probleem.'

'In de filmindustrie is geld altijd een probleem.'

'In dit geval niet. Zeg maar wat je wilt hebben.'

'Pardon?'

'Zeg maar wat je ervoor wilt hebben. Zeg maar wat je moet hebben voor het herschrijven van het scenario.'

'Op dat terrein begeef ik me niet. Neem maar contact op met mijn agent.'

'Ik vraag het nog één keer, David. Wat wil je ervoor hebben?'

Ik voelde me niet op mijn gemak en haalde maar eens diep adem. 'Heb je het dan over één versie, naar jouw aanwijzingen?'

'Twee versies, plus een flinke poetsbeurt,' zei hij.

'Daar gaat heel wat tijd in zitten.'

'Ik ga ervan uit dat je financiële eisen dienovereenkomstig zullen zijn.'

'Hebben we het dan over *Salò in Napa Valley*?'

Een zuinig glimlachje. 'Zo zou je het kunnen noemen. Goed, zeg me nou alsjeblieft wat het me gaat kosten.'

'Tweeënhalf miljoen,' zei ik zonder blikken of blozen.

Hij keek even naar zijn nagels en zei: 'Deal.'

Ik bloosde wel degelijk. 'Zeker weten?'

'Het is beklonken. Goed, zullen we beginnen?'

'Nou eh… Ik begin pas ergens aan als er een contract is getekend. Ik moet het natuurlijk ook met mijn agent bespreken.'

'Wat valt er te bespreken? Je hebt je prijs genoemd en ik ben akkoord gegaan, dus kunnen we van start.'

'Nu?'

'Ja. Meteen.'

Over een uur word ik verondersteld in een van je privévliegtuigen te zitten, op weg naar mijn dochter voor een weekend dat ik niet mag (en wil) missen.

'Mijn agent is op het ogenblik de stad uit, dus…'

'We kunnen haar vast wel bereiken en zo niet, dan regel ik dat die tweeënhalf miljoen vanmiddag nog op je bankrekening staat.'

'Dat is heel edelmoedig van je, maar dat is niet zozeer het probleem. Het gaat om een belangrijke privékwestie.'

'Is het een kwestie van leven of dood?'

'Nee, maar als ik niet kom opdagen, is mijn dochter absoluut ontroostbaar en zal mijn ex het aangrijpen om me daar juridisch mee om de oren te slaan.'

'Ze kan de pot op,' zei hij.

'Zo simpel ligt het niet.'

'Jawel. Kijk, met tweeënhalf miljoen kun je je heel wat juridische bijstand veroorloven.'

'Er is een kind bij betrokken.'

'Zij overleeft het wel.'

Misschien wel, maar ik weet niet of ik met dat schuldgevoel kan leven.

'Ik stel het volgende voor,' zei ik. 'Ik ga naar San Francisco en ben maandag terug.'

Hij bestudeerde zijn nagels weer en zei: 'Dan ben ik er niet.'

'Nou, dan kom ik wel daar waar je wél bent.'

'Volgende week kan ik echt niet.'

'En de week daarna?' vroeg ik, maar ik had er al direct spijt van. Ik had de belangrijkste regel van de scenarioschrijver overtreden: ik was veel te happig. Dat betekende dat ik óf om werk verlegen zat, óf op het geld aasde. Dat laatste was natuurlijk niet geheel bezijden de waarheid, maar in Hollywood (en zeker als je je inliet met een type als Fleck) moest je net doen of je het wel zonder die miljoenendeal afkon. Het was belangrijk het spel zó te spelen dat het leek alsof je alles op eigen kracht kon, nooit te laten merken dat je ergens aan twijfelde of (erger dan erg) dat je iemand nodig had. Op dat moment had ik het baantje noch het geld echt nodig en ik had mijn twijfels over de merites van het project. Maar hoe kon ik nee zeggen tegen dat idioot hoge bedrag, zeker als ik Alison het contract zo liet opstellen dat ik mijn naam van dat rare scenario kon halen en vervolgens kon ontkennen dat ik ook maar iets te maken had met Flecks perverse, door een obsessie met fecaliën gestuurde bewerking van mijn geesteskind.

Fleck wist natuurlijk dat hij me in de houdgreep had: het weekend hier blijven en werken voor je tweeënhalf miljoen, of weggaan en...

'Ik vrees dat ik alleen dit weekend tijd heb,' zei hij effen, 'en het moet me van het hart, David, dat ik teleurgesteld ben. Je bent tenslotte hierheen gekomen om met me samen te werken.'

Ik diende hem kalm van repliek en volgens mij klonk het alleszins redelijk. 'Laten we het even zeggen zoals het is, Philip. Je hebt me hierheen laten vliegen om het over mijn scenario te hebben en me vervolgens zeven dagen laten wachten, een hele week waarin we veel hadden kunnen doen. In plaats daarvan...'

'Heb je hier zeven dagen op me zitten wachten?'

O, jezus, daar gaan we weer. Hij wist zogenaamd van niets.

'Dat heb ik net al gezegd.'

'Waarom heeft niemand me dat verteld?'

'Geen idee, Philip, maar ik had de stellige indruk dat je heel goed wist dat ik hier al die tijd heb zitten wachten.'

'Het spijt me,' zei hij, weer op die wat vage, afstandelijke toon.

Wat een leugenaar was die man. Ik kon mijn oren niet geloven. Van het ene op het andere moment wist hij nergens van, deed hij alsof hij aan geheugenverlies leed en er met zijn gedachten niet helemaal bij was. Het was dan bijna alsof hij zich er nauwelijks van bewust was dat ik tegenover hem zat, en als ik iets zei of deed wat indruiste tegen zijn plannetjes, of zijn wereldbeeld, dan negeerde hij dat. Dan drukte hij op 'delete' en verdween je in de prullenbak.

'Goed,' zei hij. 'Zijn we klaar?'

'Dat is aan jou.'

Hij stond op en zei: 'We zijn klaar. Moet ik verder nog wat weten?'

Ja, dat je een enorme klootzak bent.

'Jij bent nu aan zet,' zei ik. 'De naam en het telefoonnummer van mijn agent staan op het script. Ik ga onder de overeengekomen voorwaarden graag voor je aan de slag. Ik hoef me pas over een maand of twee over het nieuwe seizoen van Selling You te buigen, dus wat mij betreft komt het goed uit om eraan te beginnen. Nogmaals, jij hebt het voor het zeggen.'

'Mooi zo,' zei hij terwijl hij over mijn schouder keek. Ik draaide me om en zag een van zijn mensen met een mobiele telefoon in de hand gebaren dat hij een gesprek moest aannemen. 'Goed. Bedankt voor je komst. Ik hoop dat het nuttig is geweest.'

'Ongetwijfeld,' zei ik op ietwat spottende toon. 'Erg nuttig.'

Hij keek me vragend aan en vroeg: 'Bespeur ik hier enig sarcasme?'

'Nauwelijks,' klonk het nog spottender dan zo-even.

'Weet je wat jouw probleem is, David?'

'Vertel het eens.'

'Je kunt niet tegen een grapje, hè?'

Opnieuw die 'Beet!'-grijns.

'Je wilt toch met me werken?' vroeg ik.

'Absoluut, en als ik een maand moet wachten, het zij zo.'

'Zoals ik al zei: ik kan eigenlijk op elk moment begin...'

'Goed dan. Mijn mensen nemen contact op met jouw mensen en als het contract in orde is, moeten we zien te regelen dat we een weekend bij elkaar gaan zitten en rammen we er een herziene versie uit. Zullen we het zo afspreken?'

'Ja, mij best.' Het duizelde me een beetje.

'Nou, als jij tevreden bent, ben ik het ook,' zei hij terwijl hij me de hand schudde. 'Het is me een genoegen zaken met je te doen en ik heb er alle vertrouwen in dat we samen iets heel bijzonders kunnen maken, een project dat ze niet een-twee-drie zullen vergeten.'

'Daar twijfel ik niet aan.'

Hij gaf me een klopje op mijn schouder, zei 'Prettige terugvlucht, vriend' en was verdwenen.

Meg, die in een hoek van de kamer stond, deed een paar stappen mijn richting uit en zei: 'De heli staat klaar, meneer. Kunnen we voor uw vertrek nog iets voor u doen?'

'Nee, ik denk van niet.' Ik bedankte haar voor de goede zorgen.

147

'Ik hoop dat dit weekje nuttig voor u is geweest, meneer,' zei ze met een zweem van een glimlach.

De heli vloog me naar Antigua en de Gulfstream bracht me naar San Francisco, waar we precies volgens schema, even over drieën, landden. Zoals beloofd, stond er een limousine op me te wachten, waarin ik me naar Lucy's huis liet vervoeren. Caitlin kwam het tuinpad al afgerend en viel in mijn armen. Haar moeder bleef in de deuropening staan, met een woedende blik op mij en een even woedende blik op de limousine.

'Moeten we nou onder de indruk zijn?' vroeg ze terwijl ze me Caitlins weekendtas aangaf.

'Lucy, heb ik in het verleden ooit indruk op je kunnen maken?'

Caitlin keek ons om beurten aan en ik zag aan haar ogen dat ze ons smeekte geen ruzie te maken. Ik leidde haar snel naar de limousine, zei tegen Lucy dat we zondag om zes uur weer op de stoep zouden staan en stapte in. Ik vroeg de chauffeur ons naar het Mandarin te brengen.

'Waarom ben je in deze grote auto gekomen?' vroeg Caitlin toen we over de brug naar San Francisco reden.

'Ik mag hem lenen van iemand die mijn werk goed vindt.'

'Mag je hem dan houden?'

'Nee, maar we kunnen er dit weekend wel veel in rijden.'

Caitlin was net als ik zeer te spreken over de suite op de bovenste verdieping van het Mandarin. We hadden uitzicht op de Baai van San Francisco, de twee bruggen, de adembenemende skyline en het panorama van de mooi gelegen stad.

We stonden met onze neus tegen het grote raam van het uitzicht te genieten, toen Caitlin vroeg: 'Kunnen we elk weekend dat je hier bent in dit hotel logeren?'

'Ik vrees dat het maar bij één keer blijft.'

'Heb je de suite ook te leen van die rijke meneer?'

'Helemaal goed.'

'Als hij je nou aardig blijft vinden...' klonk het hoopvol.

Ik moest lachen. 'Zo werkt het niet.' Ik had eraan willen toevoegen: en in de filmwereld al helemaal niet.

Caitlin was tevreden met de mooie suite en het uitzicht, dus ze zei dat ze eigenlijk nergens heen hoefde en we besloten ons avondeten via roomservice te bestellen. Terwijl we op het eten wachtten, ging de telefoon. Ik nam op en hoorde de stem die ik al een week niet had gehoord.

'Hoe gaat-ie?' vroeg Bobby Barra.

'Kijk eens aan, wat een verrassing! Zit je nog in New York?'

'Ja, ik lever een soort achterhoedegevecht om die verdomde emissie te redden, maar ik geloof dat het even nuttig is als een pleister op een slagaderlijke bloeding.'

'Leuke beeldspraak, Bobby. Laat me eens raden hoe je te weten bent gekomen dat ik hier zit.'

'Oké, oké. Dat heb ik van Phils mensen. Ik heb de grote man zelf ook even gesproken en ik moet zeggen dat hij eh… je helemaal ziet zitten.'

'Echt?'

'Hé, niet zo ongelovig, hè?'

'Hij heeft me een week laten wachten, Bobby, een hele week; hij laat zich een uur voor mijn vertrek zien, doet net alsof hij er geen idee van heeft wie ik ben, zegt dan dat hij graag met me wil werken en probeert me vervolgens een paar keer op het verkeerde been te zetten. Hij heeft me een beetje zitten treiteren, en dat bevalt me absoluut niet.'

'Wat moet ik daar nou op zeggen? Tussen ons gezegd en gezwegen: hij is een beetje vreemd. Soms denk ik dat hij zó uit *Plan 9 from Outer Space* is gestapt. Toch is hij met al dat rare gedoe wel goed voor twintig miljard. Hij vertelde me dat hij van plan is een film met jou te maken en…'

'Zijn ideeën zijn volslagen shit, weet je,' onderbrak ik hem. 'Om precies te zijn, hij is geobsedeerd door shit.'

'Nou en? Shit heeft bestaansrecht, nietwaar? Zeker als er een prijskaartje aan hangt met een bedrag van zeven cijfers. Zet je nou maar over die lompe manieren van hem heen, geniet van het Mandarin, heb een leuke tijd met je dochter en zeg tegen die agent van je dat ze volgende week een telefoontje van Flecks mensen kan verwachten.'

Toen ik zondagavond laat in LA aankwam en Sally alles uit de doeken deed, zei ze dat de kans groot was dat ik er nooit meer iets van zou horen.

'Hij heeft een spelletje met je gespeeld,' zei ze, 'alsof je een nieuw speeltje was. Nou ja, je hebt er in elk geval een aardig kleurtje aan overgehouden. Heb je daar op dat eiland verder nog mensen ontmoet?'

Ik besloot dat het beter was haar niet te vertellen over mijn twee avondjes met mevrouw Fleck, dus ik zei dat ik verder geen mens had gezien en bracht de conversatie op haar favoriete onderwerp: haar triomf in de strijd tegen Stu Barker en hoe ze binnen een week van haar vroegere vijand een trouwe bondgenoot had weten te maken. Hij had haar de vrije hand gegeven bij de indeling van het schema voor het komende seizoen en had de directie van Fox gezegd dat niemand in televisieland om Sally Birmingham heen kon.

O ja, ergens halverwege het verslag van haar heroïsche daden zei ze dat ze me erg had gemist en gek op me was. Ik zoende haar en zei dat ik er net zo over dacht.

'Iedereen kent zo'n moment dat alles op zijn plaats valt,' zei ze. 'Dit is blijkbaar ons moment.'

Daar zat wat in. Tot mijn grote verbazing werd Alison die week inderdaad gebeld door Fleck om de details van het contract door te nemen. De overeenkomst was in feite heel simpel en zakelijk. Over de tweeënhalf miljoen werd verder niet onderhandeld en de clausule dat ik mijn naam te allen tijde van het scenario af kon halen, kwam er zo door.

'Laten we wel wezen,' zei Alison, 'voor een deal van tweeënhalf miljoen wil iedereen wel opzitten, pootjes geven en lekker kwijlen. Ik in elk geval wel. Stel dat hij die fantasieën over fecaliën er echt door wil drukken, dan is het een uitgemaakte zaak en zal jouw naam niet in verband worden gebracht met die idioterie. Vandaar de clausule dat je er altijd uit kunt stappen.'

'Verklaar je me voor gek dat ik ermee doorga?'

'Als ik op je verhalen mag afgaan, is die vent even gestoord als de leider van die sekte in Waco, Texas, die David Koresh. Als je dat nou maar steeds in gedachten houdt – en dat je wordt beschermd door die contractuele parachute – dan is het een goede prijs. Ik raad je wel aan er niet meer dan twee maanden aan te besteden, want ik weet zeker dat je nu helemaal een veelgevraagde figuur zult worden.'

Alison had het weer helemaal bij het rechte eind. De eerste paar afleveringen van het tweede seizoen van *Selling You* werden uitgezonden en waren meteen een doorslaand succes.

'Als we mogen afgaan op de eerste twee afleveringen,' aldus *The New York Times*, 'dan is nu het bewijs geleverd dat David Armitage geen eendagsvlieg is. Zijn briljante, bijtende dialogen in de eerste twee afleveringen van dit seizoen tonen aan dat hij een van de grootste komische talenten van de laatste tijd is, die ons een absurdistische blik gunt op de complexe interacties op de hedendaagse werkplek in Amerika.'

Zeer bedankt. De recensies en de uitstekende mond-tot-mondreclame (plus de vele, trouwe fans van het vorige seizoen) stonden borg voor fantastische kijkcijfers. Zo fantastisch, dat FRT na de derde aflevering al besloot er een derde seizoen aan vast te plakken. Alison wist er een contract van tweeënhalf miljoen uit te slepen voor het scenario en mijn regieaanwijzingen. Rond die tijd belde Warner Brothers. Ze boden me anderhalf miljoen voor een filmscenario en ik kreeg helemaal de vrije hand. Ik nam het aanbod graag aan.

Ik telefoneerde met Bobby Barra en vertelde hem over de deal met Warner Brothers. Hij feliciteerde me en vroeg of ik interesse had deel uit te maken van het selecte groepje dat kon intekenen voor een emissie van een bedrijf dat een Aziatische zoekmachine ging opzetten en gegarandeerd marktleider in China en de rest van Zuidoost-Azië ging worden.

'Zie het maar als een investering in een Yahoo met spleetogen,' voegde hij eraan toe.

'Wat is dat weer een politiek correcte uitspraak van je, Bobby.'

'Hoor eens, we hebben het wel over de grootste, nog vrijwel braakliggende markt ter wereld. Dit is dé kans om er met weinig geld in te stappen, maar ik moet het wel snel weten. Wat vind je ervan?'

'Je hebt me tot op heden nog geen slecht advies gegeven...' zei ik.

'Heel verstandig.'

Inderdaad, ik voelde me ook een verstandig man. Alles liep naar wens.

Dan was er nog het onbelangrijke detail van de Emmy Awards. Ik nam Sally en Caitlin (die door iedereen schattig werd gevonden) mee naar de feestelijke uitreiking. Toen men toekwam aan de categorie 'scenario voor een comedyserie', de envelop werd opengemaakt en mijn naam werd genoemd, omhelsde ik mijn twee meisjes, rende naar het toneel en nam de onderscheiding in ontvangst met een korte speech waarin ik 'alle mensen die veel getalenteerder zijn dan ik en mijn schrijfsels op zo verbluffende wijze een televisieleven hebben gegeven' bedankte, terwijl ik tegelijkertijd erkende dat zo'n onderscheiding ook te maken had met stom geluk.

'Ik weet zeker dat als ik later terugkijk op de buitengewone ervaring die *Selling You* voor me was, ik een zeldzaam moment in mijn professionele bestaan als schrijver zal zien waarop alle planeten zich in dezelfde baan bevonden, de goden me toelachten en ik begreep dat Providence niet alleen een stad op Rhode Island is, maar ook "voorzienigheid" betekent. Met andere woorden: ik heb gewoon geluk gehad.'

De onderscheiding was de climax van twee ongelooflijke jaren. Later die avond, toen ik met een houten kop naast Sally in bed viel, dacht ik: van dit leven heb je altijd gedroomd en nu heb je het.

Gefeliciteerd: je hebt het helemaal gemaakt.

DEEL II

1

De ellende begon met een telefoontje, een nogal vroeg telefoontje, de woensdag na de Emmy Awards. Sally was al vroeg de deur uit gegaan voor een werkontbijt met Stu Barker en ik bevond me nog in dromenland. Ik schrok wakker en hoe slaperig ik ook was, ik wist dat een telefoontje op dat uur niet veel goeds kon betekenen.

Het was mijn producer, Brad Bruce. Hij klonk zo gespannen als producers meestal zijn, maar toen hij aan zijn verhaal begon, hoorde ik dat hij niet zichzelf was. Er was iets heel erg mis.

'Het spijt me dat ik al zo vroeg bel,' begon hij, 'maar we hebben een probleem.'

Ik zat meteen rechtop. 'Wat voor probleem?'

'Ken je de *Hollywood Legit*?' Hij had het over een gratis, alternatief krantje dat een jaar daarvoor het licht had gezien. Het blaadje liet zich voorstaan op degelijke onderzoeksjournalistiek en een gezonde afkeer van de overbetaalde gewichtigheid in Hollywood en zou moeten concurreren met de *LA Reader*.

'Gaat het over de serie?'

'Het gaat over jou, David.'

'Over mij? Ik ben maar een scenarioschrijvertje.'

'Maar wel een heel bekende, en dus ben je een doelwit voor allerhande aantijgingen.'

'Word ik ergens van beschuldigd?'

'Ik vrees van wel.'

'Waarvan dan?'

Ik hoorde hem diep inademen, uitademen en toen: 'Plagiaat.'

Mijn hart miste een paar slagen. 'Wát?'

'Je wordt beschuldigd van plagiaat.'

'Dat is belachelijk!'

'Ik ben blij dat te horen.'

'Ik plagieer niet, Brad.'

'Dat weet ik ook wel.'

'Goed. Ik pleeg dus geen plagiaat. Waarom word ik er dan van beschuldigd?'

'Een waardeloze columnist genaamd Theo McCall heeft het erover in de editie van morgen.'

McCall kende ik wel. Zijn column heette 'De vuile was' en dat dekte de lading wel. Elke week had hij een aantal gemene roddels over mensen die in de showbusiness werkzaam waren, en ik moet bekennen dat ik zijn columns altijd verslond. Tenslotte genieten we op zijn tijd allemaal wel van een roddeltje. Maar het is een heel ander verhaal als je zelf het onderwerp bent.

'Ik sta toch niet in díé column, hoop ik?'

'Reken maar. Zal ik het je even voorlezen? Het is een vrij lang stuk.'

Dat beloofde weinig goeds. 'Ga je gang,' zei ik.

'Oké. Hier komt het. "Felicitaties aan het adres van de bedenker van *Selling You*, David Armitage. Niet alleen kreeg hij vorige week een Emmy voor het beste scenario voor een comedyserie, hij kan zich ook koesteren in juichende recensies voor het nieuwe seizoen, dat, wij moeten het toegeven, beter is dan het afgelopen…"'

'"Wij moeten het toegeven". Klinkt dat even kleinzielig,' onderbrak ik hem.

'Ik vrees dat het nog erger wordt, David. "Armitage is zonder twijfel een van de grote ontdekkingen van de laatste paar jaar, niet alleen vanwege zijn scherpe, verwrongen en komische observaties, maar ook vanwege de briljante dialoog en grappen die zijn hyperactieve personages ons week in, week uit voorschotelen. Hoewel niemand zal ontkennen dat meneer Armitage beschikt over originaliteit en komisch talent, meende een wakkere lezer ons vorige week te moeten melden dat een complete dialoog van de aflevering die de Emmy heeft gekregen, vrijwel letterlijk is overgenomen van Ben Hecht en Charles MacArthurs klassieke komedie *The Front Page*…"'

Ik onderbrak Brad weer.

'Gelul,' zei ik. 'Ik heb *The Front Page* in geen…'

'Je hebt de film dus wel gezien?' Nu was het Brads beurt om mij te interrumperen.

'Dat spreekt voor zich. Zowel de verfilming van Billy Wilder als die van Howard Hawks, met Cary Grant en Rosalind Russell. Ik heb zelfs toen ik op Dartmouth zat meegespeeld in een opvoering van het toneelstuk en…'

'Dat is fantastisch… maar niet heus.'

'Ik heb het wél over bijna twintig jaar geleden.'

'Nou, blijkbaar herinner je je er nog wel wat van. De passage die je naar verluidt hebt gepikt...'

'Brad, ik heb niets gepikt!'

'Laat me nou even uitspreken. Dit is wat McCall schrijft: "De snedige passage komt voor in de aflevering van *Selling You* getiteld 'Foute boel', waar Armitage de Emmy voor heeft gekregen. In de bewuste scène botst Joey – de duvelstoejager van Armitages fictieve pr-bureau, die een belangrijke cliënt, een egoïstische soulzangeres, naar de opname van de *Oprah Winfrey Show* moet rijden – tegen een politiebusje. Na het ongeluk zien we Joey ontdaan het kantoor van Jerome, de directeur-eigenaar van het pr-bureau, binnenlopen om zijn baas te vertellen dat de diva in het ziekenhuis ligt en dat de politie zich weer eens flink heeft misdragen. In het scenario van Armitage lezen we de volgende dialoog:

JEROME Je bent op een politiewagen geknald?
JOEY Wat zal ik zeggen, chef? Het was een ongelukje.
JEROME Er zijn toch geen agenten gewond geraakt, hoop ik?
JOEY Geen idee. Ik ben niet blijven kijken. Maar u weet wat er gebeurt als je een politiewagen ramt. Ze komen altijd met z'n allen uit de auto rollen.

Vergelijk de bovenstaande dialoog met die uit *The Front Page*. Louie, de trawant van de grote ritselaar van de redactie, Walter Burns, komt de redactieruimte in gerend en vertelt zijn baas dat hij terwijl hij Hildy Johnson, de toekomstige schoonmoeder van de sterverslaggever, in de auto had, op een busje vol agenten is geknald.

WALTER Je bent op een politiebusje geknald?
LOUIE Wat zal ik zeggen, chef? Het was een ongelukje.
WALTER Er zijn toch geen agenten gewond geraakt, hoop ik?
LOUIE Geen idee. Ik ben niet blijven kijken. Maar u weet wat er gebeurt als je een politiebusje ramt. Ze komen altijd met z'n allen uit de auto rollen."'

'O, god,' fluisterde ik. 'Ik had geen idee...'

'Let op, hier komt de laatste alinea van McCalls column. "Zonder twijfel kunnen we de door Armitage vrijwel in zijn geheel overgenomen dialoog scharen onder wat de Fransen zo mooi 'een hommage' noemen, maar in simpel Engels hebben we het dan over na-aperij. We twijfelen er niet aan dat dit in Armitages oeuvre het enige voorbeeld van plagiaat is, maar duidelijk is dat deze getalenteerde schrijver zich in het onderhavige geval heeft gespiegeld aan de beroemde woorden van T.S. Eliot: 'Onvolwassen dichters imiteren, volwassen dichters stelen.'"'

Het was even stil. Het was alsof ik in een liftschacht was gestapt.

'Ik weet niet wat ik hierop moet zeggen, Brad.'

'Wat valt er te zeggen? Ik zal er niet omheen draaien: hij heeft je gewoon betrapt.'

'Verdomme! Wacht nou even. Wil je beweren dat ik die dialoog expres uit *The Front Page* heb overgenomen?'

'Ik beweer niets. Ik kijk naar de feiten en feit is dat jouw dialoog bijna identiek is aan die in de film.'

'Oké, wat de dialoog betreft heb je gelijk, maar het is echt niet zo dat ik het scenario van *The Front Page* heb opengeslagen en die doodleuk overgepend heb.'

'David, dat zeg ik toch ook helemaal niet? Wat ik wél zeg, is dat het heel moeilijk te ontkennen valt.'

'Ik vind het eerlijk gezegd niet zo erg.'

'Dat is het dus wél. Het is héél erg.'

'Waar hebben we het nou over? Een sketch uit een film van zeventig jaar geleden duikt om de een of andere reden – misschien was het osmose – op in een aflevering van mijn hand. We hebben het hier echt niet over een geval van literaire diefstal. Ik heb per ongeluk een grap van een ander gebruikt, da's alles. Wie in dit vak steelt nou níét van anderen? Zo werkt het gewoon.'

'Akkoord, maar er is een verschil tussen het pikken van een sleetse grap als "je mag mijn vrouw zo van me hebben" en vier vrijwel identieke regels dialoog die zomaar in jouw scenario terechtkomen.'

Het was weer even stil. Mijn hart bonkte, want de waarheid was heel langzaam tot me doorgedrongen: ik zat flink in de penarie.

'Brad, geloof me als ik zeg dat dit geheel onopzettelijk is gebeurd.'

'Natuurlijk. Ik ben je producer en ik sta volledig achter je. Ik weet dat je nooit zoiets idioots zou doen, dat je nooit jezelf in de vernieling zou helpen. Ik snap best dat een paar zinnen van andermans werk in je werk kunnen opduiken. Ik weet dat vrijwel elke schrijver zich ongewild schuldig maakt aan dit in wezen niet zo ernstige vergrijp, maar het verschil is dat jíj tegen de lamp bent gelopen.'

'Wat je zegt: het is een niet zo ernstig vergrijp.'

'Dat vinden we hier allemaal, maar eh... Ik heb meer slecht nieuws. Je weet wie Tracy Weiss is, hè?' Hij had het over het hoofd van de pr-afdeling van FRT.

'Tracy? Natuurlijk ken ik haar.'

'Gisteravond om halftien is ze gebeld door Craig Clark, een journalist van Variety, om van haar te horen wat de reactie van FRT is. Godzijdank kent Tracy die Clark vrij goed. Ze heeft hem zover gekregen dat hij pas vandaag publiceert, maar alleen als hij FRT's officiële reactie als eerste mag brengen én een interview met jou kan krijgen.'

'Fantastisch...'

'Kijk, het gaat er nu om de schade te beperken, dus wat we ook maar kunnen doen om de boel te sussen...'

'Ik snap het helemaal.'

'Goed. Gisteravond, meteen na dat telefoontje van Clark, belt Tracy mij en...'

'Als jij het al sinds gisteravond weet, waarom hoor ik het dan nu pas?'

'Omdat Tracy en ik van mening waren dat je geen oog dicht zou doen. We voorzagen dat je vandaag heel wat over je heen zou krijgen, dus het leek ons beter je je nachtrust te gunnen.'

'Goed. Wat ga ik over me heen krijgen?'

'Je wordt om klokslag acht uur bij FRT verwacht. Tracy en ik zijn er, Bob Robison...'

'Bob weet het ook al?' vroeg ik. Ik raakte steeds geïrriteerder.

'Ja, Bob heeft de eindverantwoording voor de serie, dus natuurlijk weet hij ervan. Tracy gaat een verklaring opstellen waarin staat dat het volkomen onopzettelijk gebeurd is, dat het je erg spijt en dat je alleen maar schuldig bent aan het voor een tweede keer vertellen van een leuke grap. Goed, zodra we de verklaring op papier hebben, praat jij een minuut of tien met die vent van Variety.'

'Moet ik nou echt met die man gaan zitten kletsen?'

'Ja, er zit niets anders op. We hopen op een welwillend oor. Tracy rekent er zo'n beetje op dat hij je het voordeel van de twijfel gunt. Clarks stuk komt ongeveer tegelijkertijd uit als dat blaadje met de column van die eikel McCall. Hopelijk hebben we de boel dan snel gesust.'

'Als die knaap van *Variety* mijn kant van het verhaal niet gelooft, wat dan?'

Ik hoorde mijn producer diep zuchten.

'Daar moeten we nog maar niet aan denken.' Het was weer even stil. 'David? Ik weet dat het allemaal heel rottig is en...'

'Heel rottig? Een storm in een glas water, dat is het.'

'Juist. Zo gaan we het ook brengen. Ik voel aan mijn water dat we ons er wel uit kunnen redden, maar ik wil je toch één ding vragen...'

Ik wist wat er komen ging. 'Nee. Ik heb nooit opzettelijk gejat en nee, voor zover ik weet zitten er verder geen onopzettelijk overgenomen grappen of dialogen in welke andere aflevering van *Selling You* ook.'

'Dat is precies wat ik wilde horen. Goed, kom nu als de wiedeweerga hierheen. Het wordt een lange dag.'

In de auto op weg naar FRT belde ik Alison.

'Zoiets gemeens heb ik nog nooit gehoord,' zei ze nadat ik haar in grote lijnen had verteld wat McCall had geschreven, 'en geloof me als ik zeg dat ik heel wat gewend ben.'

'Hoe je het ook bekijkt, het is wél heel vervelend.'

'Het wordt allemaal gigantisch opgeblazen. Die verrekte journalisten, het zijn net geile katers. Die storten zich ook op alles wat beweegt.'

'Wat raad je me aan?'

'Wat er ook gebeurt, je overleeft het wel.'

'Dat is een hele troost.'

'Volgens mij is er geen reden voor paniek. Ik zie je wel bij FRT. Rij voorzichtig en vertrouw nou maar op mij. Ik zorg er wel voor dat ze je niet in de pan hakken. Hou je haaks, hè?'

Terwijl ik me door het verkeer wurmde, was ik beurtelings bezorgd en opstandig. Goed, ik was waarschijnlijk misleid door mijn onderbewustzijn, maar er zat geen opzet bij. Waar het op neerkwam, was dat die zak van een McCall het feit dat ik een paar in wezen onbeduidende zinnen had gebruikt gigantisch had opgeblazen. Het leek me een goed idee om dergelijke journalistieke praktijken maar meteen te lijf te gaan.

'Zo gaan we het dus níét spelen,' zei Tracy toen ik meteen aan het begin van de vergadering voorstelde dat we het niet moesten pikken. We zaten in Brads kamer aan de ronde tafel, ook wel bekend als de 'ideeëntafel', waar we normaal gesproken brainstormden over materiaal voor de serie. Die ochtend werd ik verwelkomd door Tracy, Brad en Bob Robison. Ze deden hun best me op te beuren, maar aan hun gespannen trekken zag ik dat ze zich wel degelijk zorgen maakten. Ik zag meteen dat dit niet een geval was van 'we nemen de schuld wel op ons'. Integendeel, zo gauw dat ik met hen rond de tafel zat, besefte ik dat hoewel het zakelijk gezien hún probleem was, ík in het beklaagdenbankje zat. Als er repercussies zouden zijn, dan zou ik en niemand anders de volle lading krijgen.

'David,' zei Tracy, 'die McCall is misschien een haatdragende klootzak, maar hij heeft je wel bij de ballen. Of je het er nou mee eens bent of niet, we moeten het probleem heel omzichtig benaderen.'

Alison, die naast mij zat, stak een Salem op en zei: 'Hij pakt David op voor een kapot achterlicht.'

'Kom, Alison,' zei Bob. 'De man heeft bewijzen. Neem nou maar van een voormalig advocaat aan dat bewijs een zaak maakt of breekt. Ben je eenmaal gepakt, dan is het motief van ondergeschikt belang.'

'Dit ligt wel even anders,' zei ik. 'Het vermeende plagiaat is volkomen onopzettelijk gepleegd en...'

'Wat is dat nou voor onzin?' viel Robison me in de rede. 'Je wilde niet stelen, maar hebt het toch gedaan.'

'Niks onzin,' zei Alison. 'Schrijvers weten de helft van de tijd niet waar ze de boel vandaan halen.'

'Helaas,' zei Robison, 'heeft McCall dát probleem alvast voor ons opgelost.'

'Er was absoluut geen opzet in het spel,' zei ik.

'Ik leef met je mee,' zei Robison, 'en dat meen ik echt; je weet dat ik je hoog heb zitten. Dat doet echter niets af aan het feit dat het wel is gebeurd. Je hebt plagiaat gepleegd. Niet opzettelijk, maar het is gebeurd. Begrijp je waar ik naartoe wil, David?'

Ik knikte.

'Als ik even wat mag zeggen,' zei Brad. 'Ik wil heel duidelijk stellen dat we pal achter jou en Alison staan. We laten jullie niet vallen.'

'Gevoelig gesproken, Brad,' merkte Alison droog op. 'Ik hoop van harte dat wij jou een dergelijke belofte nooit hoeven te doen.'

'Goed,' zei Tracy. 'We gaan wel degelijk terugvechten, hoewel niet te agressief. Toch laten we ons ook niet in de verdediging drukken. Het plan is dat we een verklaring opstellen die verdere discussie – en meer gewroet – uitsluit. David erkent laakbaar handelen en...'

'Goed zo. Dat is de juiste terminologie,' zei Robison.

'Maar we laten David niet in het stof bijten. De toonzetting is hier heel belangrijk, en dat geldt ook voor je interview met Craig Clark.'

'Denk je dat hij David het voordeel van de twijfel gunt?' vroeg Brad haar.

'Kijk, hij is natuurlijk wél showbusinessjournalist, en een verhaal als dit... Nou ja, ik hoop dat hij genoeg inzicht heeft om te snappen dat dit soort dingen kan gebeuren. Clark is niet zo'n rat als die McCall. We geven hem een exclusief interview. Ik weet dat hij een fan van de serie is en ik hoop maar dat hij de hele toestand beschouwt als bijzaak.'

Het volgende uur werkten we aan de verklaring van FRT. Het bedrijf zou toegeven dat ik geheel onopzettelijk een paar zinnen uit *The Front Page* in mijn scenario had verwerkt, dat ik de domme fout betreurde (Tracy's woorden, niet die van mij) en dat ik er enorm van geschrokken was. Er kwam een letterlijk citaat van Robison in waarin hij zei dat hij mijn uitleg had geaccepteerd en dat FRT volledig achter me stond, wat bleek uit het contract dat het bedrijf met mij had gesloten voor een derde seizoen *Selling You*. (Alison stond erop dat die zin erin kwam. Ze wilde daarmee bekrachtigen dat het bedrijf niet alleen in de onderhavige zaak achter me stond, maar dat 'de samenwerking werd voortgezet'.)

Als laatste werd ikzelf aangehaald. Ik toonde me meer dan berouwvol en liet doorschemeren dat ik geen idee had hoe de dialoog in mijn scenario beland was.

'Schrijvers zijn net sponzen: ze nemen van alles in zich op en gaan dat vervolgens verwerken, hoewel ze zich daar vaak niet eens van bewust zijn. Zo is het ook gegaan met de bewuste dialoog van *The Front Page* die in een aflevering van *Selling You* terechtgekomen is. Ik geef direct toe dat ik *The Front Page* een van de beste toneelstukken vind en dat ik er op de universiteit een rol in heb gespeeld. Dat was in 1980 en sindsdien heb ik het niet meer gelezen of gezien. Hoe die ongeëvenaarde zinnen van Ben Hecht en Charles MacArthur in mijn aflevering zijn geslopen? Eerlijk gezegd heb ik geen idee, maar dat is geen excuus voor de vrijwel letterlijke duplicatie (Tracy's woord) die ik, en elke andere schrijver die met iets dergelijks wordt geconfronteerd, heel pijnlijk vind. Ik heb nooit opzettelijk andermans tekst overgenomen. Dit is een eenmalige kwestie en ik kan me slechts beroepen op een geestelijke dwaling. Ik heb een grap uit de overvolle dossierkast van mijn geheugen gehaald en herinnerde me niet waar ik die grap voor het eerst heb gehoord.'

We bespraken de verklaring uitgebreid. Bob Robison wilde er een regelrecht mea culpa van maken (ja, hij is katholiek), Alison voelde meer voor een wat afgezwakte spijtbetuiging en een strijdbaarder houding. Ze bleef volhouden dat het allemaal niet zo ernstig was en dat het elke schrijver overkwam.

Tracy moedigde me aan het midden te zoeken tussen berouw en humor. 'Zo zou ik het ook spelen als je met Craig Clark praat,' zei ze toen we mijn aandeel in de verklaring op schrift hadden. Ze had het over berouw tonen, laten zien dat je je ervoor schaamt, en 'je mag best een beetje zelfspot ventileren'. Geen idee wat ze daar nou precies mee bedoelde.

Craig Clark bleek een redelijk nette journalist. Tracy werkte iedereen de kamer uit en toen Clark zijn vragen op me afvuurde, bleef ze bescheiden in een hoek van de kamer zitten. De journalist was begin veertig, had een wat gedrongen gestalte en was een tikkeltje nerveus, maar hij was een echte prof en (tot mijn grote opluchting) best een aardige vent.

'Laat ik beginnen te zeggen dat ik een heel grote fan van u ben,' zei hij.

'Dat is fijn om te horen.'

'Ik vind het een heel vernieuwende serie, bijzonder origineel. Daarom moet de eh… onthulling voor u ook wel heel moeilijk zijn. Om te beginnen wil ik u het volgende vragen: denkt u dat er meer schrijvers zijn die zo nu en dan ongewild dingen van anderen overnemen?'

De Heer zij geprezen. De man stond aan mijn kant. Hij wilde me niet levend villen, leek er niet op uit mijn carrière te verwoesten. Toch stelde hij een paar moeilijke vragen. Vond ik bijvoorbeeld dat iemand die onopzettelijk steelt níét moest worden aangepakt? 'Nee, dat vind ik helemaal niet,' antwoordde ik, in de hoop dat hij viel voor mijn houding van 'ik wil mezelf helemaal niet vrijpleiten'. En moesten andere scenarioschrijvers me maar extra goed in de gaten houden? 'Waarschijnlijk wel,' was mijn antwoord, indachtig mijn houding van 'ik aanvaard het als een man'. Ik maakte hem ook aan het lachen door te zeggen dat als ik schatplichtig was, ik dat liever was aan *The Front Page* dan aan *Gilligan's Island*. Ik zei ook dat ik voor straf het scenario voor de volgende film met Jackie Chan zou schrijven. Om kort te gaan, ik had Tracy's advies – ja, het spijt me, maar het is geen halszaak – goed opgevolgd. Aan het einde van het twintig minuten durende vraaggesprek (omdat Clark zich zo te zien vermaakte, gunde Tracy hem een minuut of vijf extra) gaf hij me een hand en zei: 'Goed. Ik hoop dat het een heel klein smetje op uw carrière zal blijken te zijn.'

'Dat hoop ik ook,' zei ik. 'Bedankt voor het prettige gesprek.'

'U was goed materiaal.'

Ik pakte een opschrijfboekje uit mijn zak en schreef mijn telefoonnummers, zowel mobiel als thuis, voor hem op. 'Als u nog vragen hebt, bel me gerust. Zodra de storm is gaan liggen, kunnen we misschien eens een biertje pakken.'

'Heel graag,' zei hij. 'Ik heb eh... een paar probeersels, aanzetjes voor een televisieserie, op papier gezet en...'

'Hé, dat is leuk. We hebben het er nog over.'

Hij gaf me weer een hand en zei: 'Doen we.'

Tracy hield de deur voor hem open en zei: 'Ik loop wel even met je mee naar je auto.'

Zodra ze weg waren, kwam Alison de kamer in.

'Mooi zo. Tracy stak haar duim op toen ze langsliep. Heb jij er ook een goed gevoel over?'

Ik haalde mijn schouders op en zei: 'Ik voel me eerlijk gezegd alleen een beetje daas.'

'Dat wordt nog wel erger. Ik zat even aan je bureau en hoorde dat Jennifer Sally aan de lijn had. Of je haar meteen wilt bellen.'

O, jee. Ze had het dus al gehoord, nog voor ik haar had gesproken.

Ik liep naar mijn bureau en belde haar. Haar secretaresse verbond me meteen door. Het eerste wat ik hoorde was: 'Ik kan mijn oren niet geloven!'

'Lieverd, het zit zo...'

'En het ergste is nog dat ik het uit de tweede hand heb.'

'Ik weet het zelf pas sinds zeven uur vanochtend.'

'Had je me niet even kunnen bellen?'

'Je had toch een werkontbijt met Stu?'

'Dát telefoontje had ik zonder meer aangenomen.'

'Ik moest als een speer naar kantoor. We hebben constant crisisberaad gehouden, afgezien van een interview dat een of andere journalist van *Variety* me heeft afgenomen.'

'*Variety* zit er al bovenop?'

'Ja. Tracy Weiss, het hoofd van de pr hier, is gisteravond thuis gebeld. Het leek haar verstan...'

'Ze weet het al sinds gisteravond?'

'Ja, maar geloof me als ik zeg dat ik het vanochtend pas heb gehoord. Het leek haar een goed idee onze kant van de zaak zo snel mogelijk de wereld in te sturen, dus heeft ze die journalist een exclusief interview beloofd en...'

'Komt het morgen in de *Daily Variety*?'

'Ja.'

'Heeft FRT al een verklaring opgesteld?'

'Ja, inclusief een paar berouwvolle zinnen mijnerzijds.'

'Kun je me die e-mailen?'

'Natuurlijk, lieverd, maar doe alsjeblieft niet zo koel tegen me. Wees nou even níét de professional. Ik heb je steun hard nodig.'

'Als dat zo was, had je me al eerder gebeld. Ik dacht dat ik je grote liefde was.'

'Dat ben je ook. Het is allemaal... Jezus, Sally, het is allemaal een beetje overweldigend.'

'Kun je je voorstellen hoe vervelend het voor míj is? Een of ander onderknuppeltje van onze pr-afdeling houdt die column in *Hollywood Legit* onder mijn neus en zegt: "Niet best van die vriend van u." En ik wist nergens van!'

'Het spijt me echt. Ik...'

Mijn stem stokte. Het leek wel alsof er een stoomwals over me heen was gereden.

'David?'

'Ja?'

'Gaat het een beetje?'

'Eigenlijk niet, nee.'

'Nou voel ik me schuldig.'

'Sally. Ik aanbid je, dat weet je toch? Het is alleen dat...'

'Ik jou ook,' onderbrak ze me. 'Maar ik vind echt dat je...'

'Ik weet het. Je hebt helemaal gelijk. Ik had je moeten bellen, maar het is allemaal zo snel gegaan. Bovendien...'

'Je hoeft je niet te verontschuldigen. Het spijt me dat ik tegen je ben uitgevaren, maar ik was echt over de rooie. Het ziet er niet goed voor je uit. Je hebt het niet opzettelijk gedaan, hè?'

'Van opzet was absoluut geen sprake.'

'Nou, dat is tenminste iets. Weet je zeker dat het alleen die...'

Daar had je de vraag die iedereen me wilde stellen.

'Je moet me geloven als ik zeg dat dit het enige geval is.'

'Ik geloof je, lieverd. Omdat het de eerste én de laatste keer is, wordt het een zaak van vergeven en vergeten.'

'Ik ben géén plagiaris,' zei ik heel nadrukkelijk.

'Dat weet ik. Over een week is het oud nieuws.'

'Ik hoop dat je gelijk hebt.'

'Heb ik dat niet altijd dan?' klonk het plagerig.

Ik moest voor het eerst die dag lachen.

'Weet je waar ik zin in heb?' zei ik. 'In een uitgebreide, rijkelijk van drank voorziene lunch met jou. Ik voel veel voor een martini-roes.'

'Lieverd, je weet toch dat ik vanmiddag weer naar Seattle moet?'

'Dat was ik vergeten.'

'Voor die nieuwe serie van ons.'

'Oké.'

'Je ziet me zaterdagochtend. Ik bel je vaak, oké?'

'Afgesproken.'

'Het komt allemaal goed, David.'

Na het telefoontje stak ik mijn hoofd om de deur van mijn kamer. Alison zat aan Jennifers bureau te bellen. Ik gebaarde haar dat ze even moest komen. Ze beëindigde het gesprek, liep mijn kamer in en sloot de deur achter zich.

'En?' vroeg ze. 'Hoe ging het?'

'Het duurde even, maar ze staat achter me.'

'Dat is tenminste iets,' klonk het effen.

'Laat maar…'

'Wát?'

'Ik weet hoe je over Sally denkt.'

'Ik denk helemaal niets.'

'Liegbeest.'

'Oké, ik beken. Goed, ze staat in elk geval achter je, maar dan alleen omdat ze ervan uitgaat dat deze toestand haar carrière niet schaadt.'

'Wat is dat nou voor rotopmerking?'

'Wel een rake, dacht ik zo.'

'Volgend onderwerp.'

'Graag. Ik heb goed nieuws. Ik heb net Larry Latouche van de SATWA gesproken,' zei ze. Ze had het over de Screen and Television Writers Association, de beroepsvereniging van scenaristen voor film en televisie. 'Hij had het al gehoord.'

'Hij wist er al van?'

'Kijk, er zijn op het moment niet zo heel veel andere showbizzroddels.

We moeten er maar op hopen dat een of andere populaire acteur een dezer dagen wordt betrapt met een minderjarig meisje; dan zijn wij meteen uit het nieuws. Op dit ogenblik ben jíj echter het onderwerp van gesprek. Het gaat als een lopend vuurtje.'

'Fantastisch...'

'Het goede nieuws is dat Latouche woedend is over McCalls aantijgingen, al was het alleen maar omdat Larry uit zijn hoofd minstens twintig voorbeelden kan geven van materiaal dat volkomen onopzettelijk is overgenomen. Hij wil dat je weet dat de beroepsvereniging vierkant achter je staat. Morgenochtend gaat er een communiqué uit met exact die woorden en de beschuldiging aan McCalls adres dat hij de hele boel enorm heeft opgeblazen.'

'Ik bel hem zo wel even om hem te bedanken.'

'Goed idee. We kunnen wel wat grote namen in onze hoek gebruiken.'

Er werd op de kleur geklopt. Tracy kwam de kamer in, met een kopie van het persbericht in de hand.

'Hier heb je het. De hoge heren in New York hebben het zo-even goedgekeurd.'

'Wat vinden zij hier nou van?' vroeg Alison.

'Ze houden niet van *tsouris*, dus je begrijpt dat ze er niet echt blij mee zijn, maar ze staan volledig achter David en hopen dat de hele affaire snel overgewaaid is.'

Alison vertelde haar over het communiqué dat Latouche zou laten uitgaan. Tracy was er niet helemaal gelukkig mee.

'Het is fijn dat ze achter ons staan, Alison,' zei ze, 'en ik waardeer je inzet, maar je had het wel eerst even met mij moeten opnemen.'

Alison stak nog een Salem op.

'Gut, Tracy, ik wist niet dat ik voor jou werkte.'

'Je snapt best wat ik bedoel.'

'Ja, dat je de touwtjes in handen wilt hebben.'

'Alison...' zei ik.

'Je hebt helemaal gelijk,' zei Tracy, 'en ik héb de touwtjes graag in handen omdat ik meen op die manier de schade van jouw cliënt te kunnen beperken. Heb je daar een probleem mee?'

'Nee, maar wel met dat toontje van je.'

'Ik heb er een probleem mee dat je hier rookt. Dit is een rookvrij kantoor.'

'Dan moest ik maar gauw opkrassen,' zei Alison.

'Alison, Tracy, rustig nou,' zei ik.

'Guttegut,' zei Alison, 'misschien moesten we elkaar maar gauw omhelzen, samen een traantje laten en aan onze interactie gaan werken.'

'Het is niet mijn bedoeling je kwaad te maken, Alison,' zei Tracy.

'Ach, ook ík ben een beetje over de rooie van het hele gedoe,' zei Alison. 'Ja, beschouw dat maar als een verontschuldiging.'

'Heb je al eetplannen voor vanavond?' vroeg ik Alison.

'O? Waar is je *inamorata*?'

'Die zit in Seattle, bij de opnamen van een pilotaflevering.'

'Dan betaal ík de martini's. We kunnen er wel een paar gebruiken, lijkt me zo. Kom om een uur of zes naar mijn werk, oké?'

Zodra Alison was vertrokken, keek Tracy me aan en zei: 'Ik hoop niet dat je het me kwalijk neemt, maar dat is me er eentje, zeg. Je mag blij zijn dat ze aan jouw kant staat. Zo te zien gaat ze voor je door het vuur.'

'Klopt. Het is een heel felle en waanzinnig loyaal.'

'Dan heb je echt geluk gehad, want "loyaal" hebben ze hier in LA al lang geleden uit het woordenboek geschrapt.'

'Zolang ik maar op jouw loyaliteit kan rekenen...'

'Uiteraard,' zei ze. 'Dat hoort bij je secondaire arbeidsvoorwaarden.'

'Mooi. Wat kunnen we verder nog doen?'

'Afwachten maar wat het stuk van McCall teweegbrengt.'

De volgende dag tegen het middaguur leek het alsof wij aan de winnende hand waren. De *LA Times* wijdde een heel klein stukje (in het kunstkatern) aan McCalls column, maar de overige landelijke dagbladen hadden het niet opgepikt, wat erop duidde dat ze het maar Hollywoods geneuzel vonden. Ja, de *Hollywood Reporter* had op de tweede pagina een redelijk groot stuk aan die vier verdomde regeltjes gewijd, maar men had het onderwerp van twee kanten belicht en ze hadden zowel mijn verklaring (overgenomen van het persbericht) als de positie die Larry Latouche innam in het stuk verwerkt. Craig Clarks artikel in de *Daily Variety* was zelfs nog beter. Hij schreef dat ik (tijdens een 'exclusief interview') volslagen open was geweest over het 'volkomen onopzettelijke plagiaat' en dat ik 'niet naar excuses had gezocht voor de vervelende fout'. Hij had een vijftal belangrijke scriptschrijvers (die hij de dag ervoor blijkbaar had weten te bereiken) benaderd, die het stuk voor stuk voor me opnamen. De coup de grâce was het commentaar van Justin Wanamaker, die (met William Goldman en Robert Towne) beschouwd werd als een van de beste scenaristen van de laatste dertig jaar. In een verklaring (die, zo onthulde Clark, exclusief aan *Variety* was verstuurd) stak Wanamaker niet alleen een mes in Theo McCalls rug, hij draaide het mes ook nog een paar keer om.

'Er zijn serieuze showbusinessjournalisten en straatvechtertjes als Theo McCall, die er niet voor terugdeinzen de carrière van een schrijver te verwoesten met verdachtmakingen van plagiaat, gebaseerd op het flinterdunne argument dat een geleende grap een doodzonde is, de inquisitie waardig. Het is walgelijk dat iemand die voor zo'n vod schrijft, een van de grootste hedendaagse komische talenten meent te moeten aanvallen.'

Tracy was opgetogen over het stuk van Craig Clark, net als Brad, Bob Robison en Alison, natuurlijk.

'Tot vijf minuten geleden vond ik die Justin Wanamaker een arrogante kwast,' zei Alison. 'Nu draag ik hem voor bij het Nobelcomité. Wat je noemt een vlijmscherpe reactie. Ik hoop dat het de reputatie van dat ettertje flink beschadigt.'

Sally belde vanuit Seattle om te zeggen hoe blij ze was met het artikel in *Variety*.

'Iedereen belt me vanochtend om steun te betuigen; ze zeggen dat ze het vreselijk vinden dat je zo hard bent aangepakt en dat je heel goed overkomt in het interview in *Variety*. Ik ben apetrots op je, schat. Je hebt het fantastisch gedaan. Deze strijd gaan we winnen.'

Erg fijn om te horen dat we weer 'we' waren geworden. Aan de andere kant, ik mocht het haar eigenlijk niet kwalijk nemen dat ze de dag ervoor boos op me was geweest. En ze had gelijk: zo te zien hadden we de in potentie rampzalige situatie onder controle en het tij leek te keren. Ik kreeg een lading e-mails en berichten op de voicemail (zowel thuis als op kantoor) van vrienden en collega's. Het was zelfs zo dat de rollen waren omgedraaid: Theo McCall was de gebeten hond geworden. De *LA Times* plaatste drie ingezonden brieven met voorbeelden van onopzettelijk plagiaat en forse kritiek op McCalls riooljournalistiek. In de zondagskrant werd hem een keiharde linkse hoek toegebracht in de vorm van een lang stuk op de pagina 'kunst en aanverwante zaken', waarin werd onthuld dat McCall voor hij bij *Hollywood Legit* werkte, een jaar of vijf geprobeerd had een door hem bedachte comedyserie te slijten, overigens zonder succes. Een producer van NBC verklaarde dat McCall begin jaren negentig kortstondig als schrijver voor hem had gewerkt, maar dat hij was ontslagen – en dit is nog eens een haatdragend citaat – 'toen duidelijk werd dat zijn beperkte talent geen groeikansen had'. Men vermeldde daarnaast dat toen NBC de zielenpoot de laan uit had gestuurd, ICM even later ook niets meer van hem wilde weten.

'Ik wou dat het altijd zo ging in het leven,' zei Sally nadat ze het dodelijke stuk in de *LA Times* had voorgelezen. 'Het jachtseizoen is geopend. McCall kan wel inpakken.'

'Terecht,' merkte ik op. 'Die vent moest zich zo nodig profileren als de pitbull van Hollywood. Nu hij gecastreerd is, kunnen ze hem eindelijk eens lekker schoppen.'

'Zijn verdiende loon. Het mooie is dat jij niet alleen gerehabiliteerd bent, maar dat je eruit tevoorschijn bent gekomen als degene die onrecht is aangedaan en dat je als een leeuw hebt teruggevochten.'

Ze had weer volkomen gelijk. In het weekend werd ik gebeld door Jake Dekker, hoofd Productie van Warner Brothers, die me verzekerde dat *Breaking and Entering* zeer binnenkort het groene licht zou krijgen. En zondag rond het middaguur belde Sheldon Fischer, de hoogste baas van FRT, me. Hij vertelde me de volgende anekdote:

'Ongeveer een jaar geleden, toen ik werd gekozen als "beste ondernemer van LA" bedankte ik mijn vrouw Babs nadat ik de onderscheiding in ontvangst had genomen. Ik citeer: "Om drie uur 's nachts, als de rest van de mensheid slaapt, is zij altijd aan mijn zijde." Na afloop werd ik door iedereen gecomplimenteerd met die mooie woorden, met uitzondering van Babs, die me wist te vertellen dat de toneelschrijver August Wilson precies dezelfde zin had uitgesproken toen hij zijn vrouw bedankte nadat hij begin jaren negentig een Tony had gekregen. Ik ben bij al die prijsuitreikingen geweest en ik denk dat Wilsons woorden zich in mijn hersenen hadden vastgezet om er later als originele Sheldon Fischer-tekst uit te komen. Wat ik maar wil zeggen, is dat ik met je meeleefde toen die gemene aantijging werd gedaan. Uit ervaring kan ik je zeggen dat het iedereen kan gebeuren.'

'Dank u, meneer Fischer,' zei ik. 'Ik heb binnen het bedrijf ontzettend veel steun gekregen.'

'We zijn nu eenmaal één grote familie, David. En alsjeblieft, noem me toch Shel.'

Toen ik Alison de volgende ochtend inlichtte over mijn telefoongesprek met Sheldon Fischer, stikte ze zowat in de rook van haar Salem.

'Nu moet je weten dat je nieuwe vriend Shel zó gecharmeerd is van het instituut "familie", dat hij zijn derde vrouw heeft verlaten en is ingetrokken bij – hou je vast – de vrouwelijke internist die zijn darmen heeft schoongespoeld. Toevallig is dat een achtentwintigjarige Servische met een voorgevel waarbij die van wijlen Jayne Mansfield plat zou lijken.'

'Hoe kom je nou in godsnaam aan dergelijke laag-bij-de-grondse roddel?'

'Uit de column van Theo McCall, natuurlijk.'

'Grappig, hoor.'

'Ja, grappig is het juiste woord. McCall is de risee geworden en wordt nu door iedereen uitgekotst. Je hebt de vuilste straatvechter in zijn kruis getrapt en daar is iedereen heel gelukkig mee.'

'Wat heb ik nou eigenlijk gedaan? Ik heb de waarheid gezegd, meer niet.'

'Klopt. Je verdient een onderscheiding voor je moed en je principiële houding, en ook omdat je een fantastische vent bent.'

'Bespeur ik nou enig cynisme of hoe zit het?'

'Cynisch? Ik? Hoe kun je dát nou denken? Nou ja, ik kan je wel vertellen dat ik erg opgelucht ben. Ik geloof echt dat je er als winnaar uit tevoorschijn bent gekomen.'

'We zijn nog niet helemaal uit het dal,' zei ik.

Later die ochtend kwam Tracy met een zelfverzekerde blik mijn kamer in gelopen.

'Ik heb alle landelijke dagbladen en die van Californië er even op nagekeken,' begon ze, 'en The New York Times, The Washington Post en USA Today schrijven over het stuk dat McCall over je heeft gepubliceerd én de ontdekking van de LA Times dat hij een gemankeerd scenarist is. De San Francisco Chronicle heeft er een klein stukje aan gewijd, net als de stadsbladen van Santa Barbara, San Diego en Sacramento. Zo te zien zijn ze allemaal op jouw hand... met dank aan Justin Wanamaker. Het lijkt me wel een aardig gebaar als we die Wanamaker uit jouw naam een bescheiden cadeautje sturen.'

'Is hij niet gek op wapens? Hij is toch degene die opgezette neushoornkoppen aan de muur heeft hangen en meer van die Hemingway-achtige onzin?'

'Klopt, dat is de macho in hem, maar verwacht niet dat we hem een AK-47 gaan geven.'

'Een kistje Schotse maltwhisky? Hij houdt toch wel van een glaasje?'

'Klopt. Tijdens interviews steekt hij ook graag een Lucky Strike op, al was het alleen maar om aan te tonen dat hij een pesthekel heeft aan die gezondheidsfreaks hier in Californië. Ja, een kist whisky is een goed idee. Heb je een bepaald merk in gedachten?'

'Nee, als het maar minimaal vijftien jaar oude is.'

'Komt in orde. Moet er een kaartje bij, en zo ja, wat moet erop komen te staan?'

Ik dacht even na en zei: 'Wat vind je van… "Bedankt"?'

'Ja, dat dekt de lading wel.'

'Nu we het toch over bedankjes hebben… Jij ook hartelijk bedankt, Tracy. Je hebt het fantastisch gedaan. Je hebt mijn reputatie gered.'

Ze glimlachte en zei: 'Dat hoort bij mijn werk.'

'We zijn waarschijnlijk nog niet helemaal uit de vuurlinie.'

'Laat ik het zo zeggen: mijn spionnen bij *Hollywood Legit* vertellen me dat McCall flink aangeslagen is door dat verhaal in de *LA Times*, die hem portretteerde als een naar, van elk talent gespeend ventje dat zijn column gebruikt om zich te revancheren voor zijn eigen mislukkingen in het metier. Geen van de andere media heeft hierbij jou of jouw houding aangevallen, en dat betekent volgens mij dat ze jouw kant kiezen. Niettemin zijn de komende twee dagen kritiek. Je weet maar nooit of iemand zich nog geroepen voelt de boel op te rakelen. Mijn instinct zegt dat de storm is gaan liggen, maar ik durf dat vrijdag pas hardop te zeggen.'

Die vrijdagochtend kwam het bevrijdende telefoontje van Tracy. Ik werkte thuis aan de eerste opzet voor het derde seizoen van *Selling You*, toen de telefoon ging.

'Heb je de *Hollywood Legit* al gezien?' vroeg ze.

'Om de een of andere reden staat dat blaadje niet op mijn "nog te lezen"-lijst. Smijt die clown nou weer modder in mijn richting?'

'Daarom bel ik je nou juist. Deze week gaat het allemaal over Jason Wonderly die…'

Ze had het over hét tieneridool van dat jaar. Hij was onlangs op de wc van de set van zijn werkelijk afschuwelijke televisieserie genaamd *Jack the Jock* betrapt toen hij zichzelf een shot toediende. In de comedyserie speelde hij een bijzonder felle, maar verder gezond levende speler van het footballteam van zijn school; een jongen die graag achter de meisjes aan zat, maar zich ook enthousiast met buurtwerk bezighield.

'… en volgens McCall is Wonderly's dealer gepakt op het moment dat hij Jason in de afkickkliniek een wikkel heroïne toestopte...'

'Geen woord over mij of *Selling You*?'

'Nee. Ik heb mijn secretaresse alle landelijke kranten laten doorspitten; er wordt met geen woord meer van gerept. Eigenlijk al niet meer sinds afgelopen maandag. Kortom, je bent oud nieuws, of liever gezegd: úít het nieuws. Gefeliciteerd.'

Later die middag ontving ik nog een goede tijding. Jake Dekker van Warner Brothers belde om te zeggen dat Vince Nagel, de favoriete regisseur van dat moment, de eerste versie van het scenario van *Breaking and Entering* eindelijk had gelezen en dat hij er wild enthousiast over was. Vince moest eerst een week naar New York, maar zodra hij terug was, wilde hij graag met me van gedachten wisselen. Hij wilde een paar dingen met me doornemen en zag ernaar uit met mij de tweede fase van het project in te gaan.

'Trouwens,' zei Jake toen ons gesprek bijna ten einde was, 'ik ben heel blij dat die engerd van een McCall goed op zijn nummer is gezet. Die vent is het journalistieke equivalent van het ebolavirus. Prachtig dat ze hem te kijk hebben gezet en, belangrijker nog, dat jij zo goed uit de ellende tevoorschijn bent gekomen.'

Dekker had helemaal gelijk: het was een ellendige week geweest. Nog afgezien van de beschuldiging (nooit een fijne ervaring, geloof me), was het ergste dat ik me realiseerde dat als ik de publieke opinie niet aan mijn kant had gehad, de uitkomst heel...

Ik moest daar maar niet aan denken, blij zijn dat dit achter de rug was en dat ik er vrijwel ongedeerd van af was gekomen. Eigenlijk, merkte Sally op, was mijn positie alleen maar sterker geworden door de kortstondige, hoewel niet minder nare beproeving.

'De mensen vinden het mooi als iemand zich uit de nesten werkt, zijn of haar naam weet te zuiveren en een comeback maakt,' zei Sally.

'Toch voel ik me er nog steeds heel vervelend onder,' zei ik terwijl ik mijn hoofd in haar schoot legde.

'Dat is niet slim van je, want dat heeft helemaal geen zin. Nou ja, we hebben het er al de hele week over gehad. Het was een sublimale fout, en die worden wel vaker gemaakt. Maak het jezelf nou niet zo moeilijk. Je bent vrijgesproken en de beklaagde kan gaan of staan waar hij wil.'

Misschien had ze wel gelijk. Misschien was mijn hele carrière, net als bij iemand die een bijna fatal auto-ongeluk heeft gehad, wel in een flits aan me voorbijgetrokken en verkeerde ik een week na de klap nog steeds in een shocktoestand. Het leek er inderdaad op, want dat weekend deed ik weinig meer dan uitslapen, een beetje thuis rondhangen, de nieuwe Elmore Leonard lezen. Kortom, ik deed mijn best alle andere gedachten uit te bannen.

Ik genoot zo van dat luie weekend, dat ik besloot er nog een paar dagen aan vast te plakken. Eigenlijk had ik me over de nieuwe reeks afleveringen van *Selling You* moeten buigen, maar ik had veel meer zin om een dag of wat voor flaneur te spelen: een beetje rondhangen in de cafés van West Hollywood, een uitgebreide lunch met een bevriend schrijver bij een uitstekend Mexicaans restaurant in Santa Monica, heel veel cd's aanschaffen, een kooplustig bezoekje aan mijn oude werkplek Book Soup. Ik ging naar een paar matineevoorstellingen en stelde al mijn verplichtingen uit.

Maandag ging over in dinsdag, dinsdag in woensdag. Toen ik woensdagavond de tafel afruimde na een afhaalmaaltijd sushi, zei ik tegen Sally: 'Zal ik je eens wat zeggen? Ik zou zó aan dit luie leventje kunnen wennen.'

'Dat zeg je omdat je in wezen helemaal niet lui bent. Een ander leven lijkt altijd aantrekkelijk, maar alleen als je een retourtje naar het oude op zak hebt. Je weet toch wat er met luie schrijvers gebeurt, hè?'

'Ze worden doodgelukkig?'

'Ik dacht meer aan "onmogelijk". Beter nog: volslagen onmogelijk.'

'Oké. Ik vat 'm. Ik zal niet té lui worden.'

'Dat is fijn om te horen,' klonk het droog.

'Ik kan je wel verzekeren dat ik in de toekomst vaker een weekje vrij neem om...'

De telefoon ging. Ik nam op en hoorde de stem van Brad Bruce. Hij begroette me niet en sloeg de prietpraat over.

'Stoor ik?' vroeg hij.

'Wat is er, Brad?' vroeg ik, waarop Sally me meteen bezorgd aankeek. 'Wat klink je somber.'

'Ik ben ook somber. Somber en kwaad.'

'Wat is er aan de hand?'

Het was even stil.

'Misschien is het beter als we ergens afspreken,' zei hij.

'Hoezo?'

Na een korte stilte zei hij: 'Tracy kwam net binnen met de nieuwe *Hollywood Legit*, en ja, Theo McCall heeft het weer over je. Om precies te zijn, het hele stuk gaat over jou.'

'O?' zei ik. Mijn onzekerheid was nu omgeslagen in pure angst. 'Dat kan helemaal niet. Ik heb niets misdaan.'

'Hij komt met nieuwe bewijzen.'

'Nieuwe bewijzen? Voor wat?'

'Plagiaat.'

Het duurde even voor ik wat kon uitbrengen.

'Dat is van de gekke! Ik ben geen, ik herhaal, géén plagiaris.'

Ik keek naar Sally, die me nu met grote ogen aanstaarde.

'Dat zei je vorige week ook,' zei Brad, 'en ik geloofde je op je woord, maar nu...'

'Nu wat?'

'Nu heeft hij... nog drie bewijzen van plagiaat opgeduikeld. En dat niet alleen, hij heeft ook een aantal dialogen van je toneelwerk tegen het licht gehouden, van vóór je be...'

Voor ik beroemd was, misschien? Voor ik alles had wat mijn hartje begeerde? Voor ze me hadden bestempeld als letterdief, hoewel ik nog nooit opzettelijk iets uit andermans werk had gebruikt? Dus hoe... Hóé?

Ik liet me langzaam op de bank zakken. De kamer tolde. Ik zag mijn hele carrière in één flits voorbijkomen. Het was of ik viel, maar deze keer wist ik dat het niet zo'n val was als in een droom, zo'n val die altijd eindigt met een veilige landing op je hoofdkussen. Die keer viel ik echt, en de landing zou verre van zacht zijn.

2

DANKZIJ DE DUBIEUZE WONDEREN DER TECHNIEK WIST TRACY HET ARTI-kel binnen een paar minuten te scannen en naar mijn computer thuis te versturen. Sally stond achter me en las over mijn schouder mee, maar ik voelde geen geruststellende hand op mijn schouder en ze zei niets om me op te beuren. Ze zei geen woord tussen mijn telefoongesprek met Brad en de ontvangst van het artikel. Helemaal niets. Ze staarde me aan met iets wat grensde aan ongeloof.

Ik had niemand willen verraden, ook mezelf niet.

Ik ging voor het computerscherm zitten, was snel online en zag dat Tracy's e-mail er al was. Ik opende hem en daar, voorafgegaan door een in kapitalen gezette kop, was het bewuste artikel. Niet alleen de lengte van het stuk kwam als een schok, ook de kop.

DE VUILE WAS
door Theo McCall

IS 'PLAGIARIS TEGEN WIL EN DANK' ECHT ONSCHULDIG?
Nieuw bewijs voor de stelling dat Selling You-*schrijver David Armitage niet vies is van het lenen van een regel hier en daar*

Zoals we allemaal weten, negeert de filmwereld van Hollywood alle zonden van hun leden, zolang ze de juiste connecties hebben en veel geld in het laatje brengen. Gewone mensen zoals u of ik komen nooit meer aan de bak als ze betrapt worden met harddrugs of in flagrante delicto met een minderjarige, maar in de filmindustrie sluit men de gelederen als zich zo'n probleempje voordoet. Elke respectabele krant, elk tijdschrift of welke academische instelling dan ook zal eenieder die zich schuldig heeft gemaakt aan plagiaat meteen ontslaan. In Hollywood daarentegen wordt de reputatie van iemand die een literaire dief is gebleken, met man en macht beschermd, zeker als die dief de schrijver is van een van de populairste series van het moment.

Twee weken geleden kon u in deze column lezen dat David Armitage, de hypergetalenteerde, met een Emmy onderscheiden schrijver van *Selling You*, een paar zinnen dialoog van het klassieke toneelstuk *The Front Page* in zijn scenario heeft verwerkt. In plaats van simpelweg te bekennen, hebben meneer Armitage en de mensen van zijn productiemaatschappij, FRT, gemeend in de tegenaanval te moeten gaan. Men heeft een hun goedgezinde journalist van *Variety* bereid gevonden hun kant van het verhaal te belichten; dat was overigens dezelfde journalist die tijdens zijn huwelijk een relatie had met het hoofd van de pr-afdeling van FRT. Voor u 'Nepotisme!' roept, moet gezegd worden dat een groot aantal bekende scenaristen en figuren uit de filmwereld in de rij stond om meneer Armitage te prijzen en de journalist die meende te moeten wijzen op de vier overgenomen zinnen, te verdoemen.

De langste jammerklacht is opgeschreven uit de mond van Justin Wanamaker, ook wel bekend als de Papa Hemingway van Santa Barbara, de in de jaren zestig en zeventig zeer radicale scenarioschrijver die in de nadagen van zijn carrière de heel lucratieve, maar even voorspelbare scripts voor de actiefilms van Jerry Bruckheimer mag schrijven. In zijn hartstochtelijke jeremiade neemt hij het niet alleen op voor meneer Armitage, maar hij doet ook een poging tot karaktermoord op degene die Armitage als plagiaris heeft ontmaskerd, door erop te wijzen dat die journalist een korte, weinig succesvolle carrière heeft gekend als schrijver voor televisieseries en te zeggen dat hij zich alleen maar wilde wreken op de eerste de beste succesvolle scenarist.

Maar, om agent Joe Friday van *Dragnet*, een van de betere politieseries ooit, te citeren, in deze column gaat het om 'de feiten, mevrouwtje, meer niet'. In de twee weken die zijn voorbijgegaan sinds wij hier onthulden dat meneer Armitage heeft geplagieerd, hebben wij van 'De vuile was' ons mede door Armitages onnodig heftige reactie genoopt gevoeld twee onderzoekers op te dragen het complete oeuvre van meneer Armitage door te spitten. Wij hadden gehoopt u te kunnen meedelen dat het inderdaad bij één keer is gebleven, maar tot onze grote verrassing stuitte het onderzoeksteam op de volgende voorbeelden:

1 In de derde aflevering van het afgelopen seizoen van *Selling You* heeft Bert, de immer op vrouwen jagende accountmanager van het pr-bedrijf, het over zijn ex-vrouw, die na hem bij de scheiding volledig te hebben kaalgeplukt, naar LA is verhuisd. 'Weet je wat de juiste definitie van kapitalisme is?' zegt Bert tegen zijn collega Chuck. 'Het proces waarbij Californische meisjes Californische vrouwen worden.'

Vrijwel dezelfde zin vinden we terug in een toneelstuk van de met een Oscar bekroonde toneelschrijver Christopher Hampton, *Tales from Hollywood*, waarin de Oostenrijkse dramaturg Odon von Horvath opmerkt dat 'kapitalisme het proces is waarbij Amerikaanse meisjes Amerikaanse vrouwen worden'.

2 In de eerste aflevering van de nieuwe serie laat Tanya, de altijd kauwgom kauwende receptioniste, duvelstoejager Joey weten dat ze niet meer met hem naar bed wil, omdat ze een nieuwe vriend heeft en wel eentje die volgens haar sprekend op Ricky Martin lijkt. Even later ziet Joey de nieuwe vriend op kantoor en zegt tegen Tanya: 'Ricky Martin? Hou toch op. Hij doet me eerder denken aan Ricky de Puist.' Ricky de Puist, zo blijkt, is de naam van een personage in Elmore Leonards thriller *Glitz*.

3 In dezelfde aflevering heeft de oprichter van het pr-bedrijf, Jerome, tijdens het opnemen van een commercial voor een cliënt een tamelijk onplezierige ontmoeting met een tweederangsacteur. Na de opnamen zegt Jerome tegen Bert: 'Als we nog eens een commercial doen, dan zonder acteurs.'

In Mel Brooks klassieker *The Producers* wendt Zero Mostel zich tot Gene Wilder en zegt: 'Als we nog eens een toneelstuk doen, dan zonder acteurs.'

Ah... maar er zijn nog meer voorbeelden van literaire dieverij. Ons team heeft ook een paar toneelstukken van meneer Armitages hand doorgevlooid, toneelstukken overigens die het niet verder hebben gebracht dan een paar try-outs in avant-gardistische producties. Ze zijn daarbij op twee intrigerende feiten gestuit:

1 *Riffs*, een toneelstuk dat Armitage in 1995 schreef, gaat over een doktersvrouw die ooit jazzpianiste was en verliefd wordt op de beste vriend van haar man, een saxofonist. Ze gaan samen duetten spelen en door de steeds sentimenteler wordende muziek groeit hun passie. Als de echtgenoot een weekend de stad uit is, consumeren ze hun passie, maar manlief betrapt hen. Tijdens een handgemeen tussen de echtgenoot en de saxofonist wil mevrouw tussenbeide komen, maar haar man steekt per ongeluk een mes in haar hart.

Verbluffend maar waar: de plot van *Riffs* is bijna een kopie van een novelle van Tolstoj, de *Kreutzer sonate*, waarin een verveelde pianiste-huisvrouw verliefd wordt op de beste vriend van haar man, die viool speelt. Als ze samen Beethovens *Kreutzer sonate* spelen, vliegen de vonken ervan af, ook in romantische zin. De echtgenoot gaat een weekendje weg en eindelijk kan het tweetal van bil, maar dan – *shazam!* – verschijnt de echtgenoot opeens, en in een vlaag van woede en jaloezie doodt hij zijn vrouw.

2 In Armitages filmscenario *Breaking and Entering* (aangekocht door Warner Brothers voor, zo hebben wij uit welingelichte bron vernomen, de somma van anderhalf miljoen dollar) zijn de eerste woorden van de hoofdpersoon: 'De eerste keer dat ik Cartier beroofde, regende het.' Vreemd genoeg hebben we ontdekt dat een van John Cheevers korte verhalen opent met de zin: 'De eerste keer dat ik Tiffany beroofde, regende het.'

Zoals we hebben aangetoond is meneer Armitage dus geen zielige plagiaris die maar één keer in de fout is gegaan, zoals hij en zijn fans zo hartstochtelijk beweren. Integendeel, hij is een serieplagiaris. Armitage zal wel zeggen dat deze voorbeelden niet meer zijn dan een geleende grap hier en een geleende verhaallijn daar. Plagiaat is plagiaat en niemand die het nu nog kan ontkennen. De man is zo schuldig als wat.

Tegen de tijd dat ik het stuk had gelezen, was ik zo woedend dat ik bijna met mijn vuist op het computerscherm begon te beuken.

'Niet te geloven, wat een bagger!' riep ik uit. Ik draaide me om, maar Sally zat al op de bank, behoorlijk van streek, met haar armen om zich

179

heen geslagen (bijzonder negatieve lichaamstaal). Ze weigerde me aan te kijken toen ik dat zei.

'Nou, David, ik geloof het wel degelijk. Ze hebben keiharde bewijzen, zwart op wit, dat je hebt geplagieerd.'

'Hou toch op, Sally. Waar beschuldigt die klootzak me nou van? Een zinnetje hier, een zinnetje daar...'

'Hoe zit het dan met dat toneelstuk? Geleend van Tolstoj...'

'Wat hij er níét bij zegt, is dat ik in het programmaboekje heb laten zetten dat het gebaseerd is op Tol...'

'Het programmaboekje? Dat stuk heeft het toch alleen maar tot een try-out gebracht?'

'Oké. Maar als het opgevoerd was, had ik heel duidelijk in het programmaboekje laten opnemen...'

'Ja, dat kun je achteraf wel zeggen.'

'Het is de waarheid. Denk je echt dat ik zoiets stoms zou doen als jatten van Tolstoj?'

'Ik weet niet meer wat ik moet denken.'

'Het is nu overduidelijk dat dat ettertje er alles aan gelegen is mijn carrière te vernietigen. Ik moet nu boeten voor het feit dat de LA Times hem heeft ontmaskerd als een gemankeerd scenarist.'

'Daar gaat het niet om, David. Hij heeft je opnieuw betrapt, en deze keer kom je er niet zo makkelijk van af.'

De telefoon ging. Ik nam op en hoorde de stem van Brad.

'Heb je het gelezen?' vroeg hij.

'Reken maar. Hij geeft een paar volkomen onbeduidende voorbeelden en...'

Hij onderbrak me.

'David? Ik moet je spreken.'

'Uiteraard. Hier moeten we wat aan doen...'

'Vanavond nog.'

Ik keek op mijn horloge. Het was zeven minuten over negen. 'Vanavond nog? Wordt dat niet een beetje erg laat?'

'Er is een crisissituatie ontstaan en we moeten snel handelen.'

Ik zuchtte enigszins opgelucht. Hij wilde een strijdplan ontwikkelen. Hij stond nog altijd achter me.

'Je hebt helemaal gelijk,' zei ik. 'Waar zullen we afspreken?'

'Hier op kantoor. Tien uur, als het lukt. Tracy is er al en Bob Robison is onderweg.'

'Ik kom eraan. Ik zou het op prijs stellen als Alison erbij mag zijn.'

'Geen probleem.'

'Ik zie je om tien uur,' zei ik. Ik hing op, draaide me om naar Sally en zei: 'Brad staat achter me.'

'O ja?'

'Hij zei dat we snel moeten handelen en wil me om tien uur op kantoor hebben.'

Ze keek me nog steeds niet aan.

'Ga dan maar,' zei ze. Ik liep op haar af en wilde haar in mijn armen nemen, maar ze duwde me van zich af.

'Sally? Lieverd, het komt allemaal wel goed,' zei ik.

'Nee,' zei ze. 'Daar geloof ik niets van.'

Ik bleef bedremmeld staan. Wat had ik haar graag willen overtuigen van mijn onschuld, haar willen overreden… Mijn intuïtie zei me echter dat ik beter kon gaan, dus ik pakte mijn jasje, mobieltje en autosleutels en ging de deur uit.

Op weg naar FRT belde ik Alison op haar mobiele nummer, maar ik kreeg haar voicemail met de mededeling dat ze tot en met donderdag in New York zat. Ik keek op mijn horloge en zag dat het in New York na middernacht was. Vermoedelijk had ze de voicemail aanstaan. Ik sprak een korte boodschap in. 'Alison, met David. Het is dringend. Bel me zo spoedig mogelijk.'

Ik gaf plankgas en scheurde naar kantoor. Onderweg repeteerde ik de argumenten die ik tegen McCalls laster kon aanvoeren en de niet mis te verstane boodschap voor Warner Brothers dat ze de mol die mijn scenario aan McCall had doorgespeeld maar beter snel konden opsporen.

Toen ik bij FRT binnenliep, zaten Brad en Bob met gezichten die op onweer stonden op me te wachten. Tracy had de rode oogjes van iemand die had gehuild.

'Het spijt me vreselijk,' zei ik. 'Die gek heeft een stelletje mensen ingehuurd die mijn scenario's onder een microscoop hebben gelegd. Wat hebben ze gevonden? Vijf zinnetjes van andere schrijvers. Meer niet. En wat die belachelijke aantijging betreft met betrekking tot dat verhaal van Tolstoj…'

Bob Robison onderbrak me.

'David, je standpunt is duidelijk. Om je de waarheid te zeggen: toen ik het stuk had gelezen, dacht ik ook dat het om hier en daar een paar zinnetjes ging. En wat dat toneelstuk betreft: Tolstoj kan de pot op. Ik weet zeker dat elke idioot zal begrijpen dat je zijn verhaal heel bewust in een nieuw jasje hebt willen steken en...'

'Dank je, Bob,' zei ik. Zijn woorden waren zo weldadig als een warme douche.

'Ik ben nog niet uitgesproken, David.'

'O, sorry.'

'Wat ik nadrukkelijk wil zeggen, is dat ik McCalls aanval niet juist, noch eerlijk vind. Het probleem waarmee we nu worden geconfronteerd, is dat van onze geloofwaardigheid. Of je het nou leuk vindt of niet, als het stuk vrijdag gepubliceerd wordt, is je reputatie...'

'Bob? Hoor eens...'

'Laat me uitspreken,' klonk het scherp.

'Sorry.'

'De situatie is ons inziens als volgt: je kunt één geval van plagiaat wegpoetsen als onopzettelijk, maar nog eens vier erbij?'

'Vier rottige zinnen,' zei ik. 'Dat is alles.'

'We hebben niet alleen te maken met de vier rottige zinnen die McCall nu aan het licht brengt, maar ook met die uit *The Front Page.*'

'Zie je dan niet dat die rat een beetje voor Kenneth Starr speelt? Met een minimum aan bewijs wil hij me aan de schandpaal nagelen.'

'Klopt,' zei Brad, die zich eindelijk in de discussie mengde. 'Hij is een rat, iemand die geniet van karaktermoord. Hij is vastbesloten je te beschadigen, en ik vrees dat zijn onderzoek net dat minimum aan bewijs heeft opgeleverd waarmee hij je straffeloos van plagiaat kan beschuldigen.'

'Erger nog,' voegde Bob eraan toe, 'ik verzeker je dat dit artikel door alle media zal worden opgepakt, en dat betekent niet alleen dat jóúw reputatie in het geding is, maar het schaadt ook de geloofwaardigheid van de serie.'

'Gelul, Bob.'

'Verdomme! Ga jij mij nou niet zitten vertellen wat gelul is, oké?' klonk het woedend. 'Besef je wel hoeveel schade er is aangericht? En ik heb het niet alleen over jou en de televisieserie, maar ook over Tracy. Dankzij dit stuk van McCall is haar geloofwaardigheid tot nul gereduceerd. Dat realiseert ze zich heel goed en daarom hebben we haar ontslag aanvaard.'

'Heb je ontslag genomen?' Ik keek haar met grote ogen aan.

'Ik heb geen keus,' zei ze kalm. 'Nu bekend is dat ik een "overspelige" relatie heb gehad met Craig Clark...'

'Je hebt niets misdaan, Tracy.'

'Dat kan wel zijn, maar de indruk is gewekt dat ik mijn ex-vriend heb overgehaald een welwillend stuk over je te schrijven.'

'Hij heeft jou toch gebeld?'

'Wat doet het er verder toe? De indruk is gewekt.'

'Wat vindt Craig hier nou van?'

'Die heeft zelf al genoeg problemen,' zei ze. 'Variety heeft hem zojuist ontslagen.'

'Wacht even,' zei Bob. 'Niemand heeft jou ontslagen, Tracy.'

'Nee, maar jullie hebben me de spreekwoordelijke fles whisky en het geweer met de ene kogel gegeven, met de overweging de eer aan mezelf te houden.'

Ze stond op het punt in huilen uit te barsten. Brad zag het ook en hij kneep even in haar arm, maar ze moest er niets van hebben.

'Ik verdien jullie steun en sympathie niet,' zei ze. 'Ik heb een domme zet gedaan en daarvoor zal ik boeten.'

'Ik ben er helemaal kapot van,' zei ik.

'En terecht,' zei Tracy.

'Het spijt me vreselijk, maar zoals ik al zei, het was absoluut niet...'

'Je standpunt is duidelijk,' zei Bob, 'maar ik hoop dat je begrip hebt voor de netelige situatie waarin je ons hebt gebracht. Als we je níét ontslaan...'

Hoewel het niet geheel onverwacht kwam, troffen zijn woorden me toch als een mokerslag.

'Dus... ik word ontslagen?' vroeg ik zachtjes.

'Ja. Het spijt ons heel erg, maar...'

'Het is niet eerlijk,' zei ik.

'Misschien niet,' zei Brad, 'maar onze geloofwaardigheid staat nu voorop.'

'Ik heb een contract...'

Bob rommelde tussen de papieren die voor hem lagen en pakte er een paar uit.

'Dat klopt, maar ik vertrouw erop dat Alison je kan uitleggen dat er een clausule in staat dat het contract nietig kan worden verklaard als blijkt dat je wat je werk betreft een verkeerde voorstelling van zaken hebt gegeven. Plagiaat valt absoluut onder die noemer.'

'Jullie zijn echt verkeerd bezig.'

'Nee. Het is heel vervelend allemaal, maar wél noodzakelijk,' zei Bob.

'Het is in het belang van de serie dat je opstapt.'

'Stel nou eens dat Alison en ik er een zaak van maken?'

'Je doet maar, David,' zei Bob. 'Maar ik vrees dat wij dan een langere adem zullen hebben dan jij. Dat ga je geheid verliezen.'

'Dat zullen we nog wel eens zien,' zei ik terwijl ik opstond.

'Denk je dat wíj dit leuk vinden?' vroeg Brad. 'Geloof je nou echt dat iemand hier in de kamer er gelukkig mee is? David, je bent en blijft het brein achter de serie en geloof me als ik zeg dat niet alleen je naam eraan verbonden blijft, maar dat je ook blijft meedelen in de winst. Je moet alleen niet vergeten dat er nog zeventig mensen betrokken zijn bij de totstandkoming van *Selling You*, en ik voel er weinig voor om hun baan in gevaar te brengen door koppig achter je te blijven staan. Wat je hebt geflikt, is niet te verdedigen. Dit zijn geen verdachtmakingen meer, David. Je bent gewoon betrapt.'

'Fijn dat je zo loyaal bent, Brad.'

Het was even stil. Brad speelde zenuwachtig met zijn balpen, haalde diep adem en zei: 'Ik schrijf je laatste opmerking maar even toe aan de verhitte gemoederen, want ik heb altijd vierkant achter je gestaan. Voor je een van de anderen hier de mantel uitveegt, vergeet niet dat je door eigen toedoen in deze situatie bent beland.'

Het scheelde niet veel of ik had hem met veel te harde stem iets emotioneels en onsamenhangends geantwoord. In plaats daarvan beende ik echter de kamer uit, de gang door en het gebouw uit. Ik ging achter het stuur zitten en reed weg.

Ik heb uren gereden, zonder doel, plan of enige logica, over alle snelwegen die Los Angeles doorkruisen. Mijn route was geografisch gezien volkomen onlogisch: van Manhattan Beach naar Van Nuys, van Ventura via Santa Monica naar Newport Beach...

Uren later ging mijn mobieltje over. Ik pakte het van de passagiersstoel en wierp een blik op het klokje op het dashboard. Tien over drie. Ik reed al vijf uur doelloos rond.

'David? Gaat het een beetje?'

Het was Alison, niet helemaal wakker, maar heel bezorgd.

'Wacht even,' zei ik. 'Ik ga aan de kant van de weg staan.'

Ik reed de auto naar een parkeerhaven en zette de motor af.

'Zit je in de auto?'

'Ik geloof het wel, ja.'

'Het is midden in de nacht!'

'Klopt.'

'Ik ben net op en heb je bericht gekregen. Waar zit je?'

'Geen idee.'

'Hoezo "geen idee"? Zie je ergens een straatnaambord of zit je op de grote weg?'

'Heus, ik weet het niet.'

'Nu ben ik echt bezorgd. Wat is er aan de hand?'

Op dat moment begon ik te snikken, omdat de ellendige situatie waarin ik me bevond toen pas goed tot me doordrong. Ik kon het niet meer ontkennen en heb een volle minuut zitten grienen. Toen ik mezelf weer onder controle had, zei Alison: 'David... goeie god, wat is er aan de hand?'

Ik vertelde haar alles, van McCalls nieuwe beschuldigingen, Sally's reactie en het ontslag dat me door Brad en Bob was aangezegd.

'Jezus christus,' zei Alison toen ik mijn verhaal had gedaan. 'Dit is volledig uit de hand gelopen.'

'Het is alsof ik een deur door ben gegaan en van een wolkenkrabber ben gestort.'

'Oké. Eerst maar even dit: weet je waar je bent?'

'Ergens in de stad.'

'Weet je zeker dat je in LA bent?'

'Ja, dat wel.'

'Kun je rijden?'

'Ik denk het wel.'

'Mooi. Luister goed. Je rijdt nú naar huis. Wees voorzichtig. Als je inderdaad in LA zit, ben je maximaal een uur onderweg. Zodra je thuis bent, mail je me het stuk van McCall. Ik ga zo naar Kennedy Airport en vlieg om negen uur die kant op. Ik ga ergens op het vliegveld wel online, lees het stuk en bel je direct na het opstijgen met de telefoon in het vliegtuig. Als alles goed gaat, land ik om twaalf uur LA-tijd, dus ik stel voor dat je het zo plant dat je om een uur of twee bij mij op kantoor zit. In de tussentijd wil ik dat je wat slaap pakt. Heb je iets in de huisapotheek waar je lekker op kunt slapen?'

'Ja, ik geloof van wel.'

'Neem er maar wat van.'

'Vertel me nou niet dat ik er anders tegenaan kijk als ik heb geslapen. Zo liggen de zaken niet.'

'Dat snap ik, maar je hebt dan wel even gerust.'

Veertig minuten later was ik thuis. Ik e-mailde Alison het artikel en terwijl ik achter de computer zat, ging de slaapkamerdeur open en kwam Sally de kamer in. Ze had alleen een pyjamajasje aan. Mijn eerste gedachte was: wat is ze mooi. De tweede: is dit de laatste keer dat ik haar zo zal zien?

'Ik was heel ongerust...' zei ze.

Ik bleef naar het scherm staren.

'Wil je me misschien vertellen waar je de afgelopen zeven uur hebt uitgehangen?' vroeg ze.

'Ik ben op kantoor geweest en heb een beetje rondgereden.'

'Waar ben je heen gereden?'

'Nergens heen. Ik heb rondgereden.'

'Je had me wel even kunnen bellen. Nee, je had me móéten bellen.'

'Sorry.'

'Wat is er gebeurd?'

'Als je weet dat ik de halve nacht heb rondgereden, snap je wel wat er is gebeurd.'

'Ben je ontslagen?'

'Ja. Ik ben ontslagen.'

'Nou snap ik het,' klonk het effen.

'Tracy Weiss ook.'

'Omdat ze haar ex een exclusief interview heeft gegeven?'

'Ja. Dat was haar misdaad.'

'Het is een keihard vak.'

'Ja, dat weet ik, en bedankt dat je me dat nog even onder de neus wrijft.'

'Wat wil je dan dat ik zeg, David?'

'Ik wil dat je bij me komt, je armen om me heen slaat en zegt dat je van me houdt.'

Het was even stil.

'Ik ga terug naar bed.'

'Jij vindt het terecht dat ik ontslagen ben, hè?'

'Ze hadden er wel een reden voor, ja.'

'Echt? Voor een paar geleende zinnetjes?'

'Hebben ze het nog over een afvloeiingsregeling gehad?'

'Dat is Alisons afdeling. Ze is op weg van New York naar hier.'

'Weet ze het al?'

'Ik heb haar gesproken, ja.'

'En?'

'Ze wil dat ik wat slaap pak.'

'Dat lijkt me een goed idee.'

'Jij vindt dat het allemaal mijn eigen schuld is, hè?'

'David, het is midden in de nacht.'

'Geef eens antwoord.'

'Kunnen we het er morgen over hebben?'

'Nee. Nú.'

'Goed dan. Ja, ik geloof dat je het goed verknald hebt en inderdaad, ik ben heel erg teleurgesteld in je. Zo goed?'

Ik stond op en liep langs haar heen richting badkamer. Ik kleedde me uit, vond de slaappillen en nam er vier in. Ik stapte in bed, zette de wekker op één uur en schakelde de voicemail in. Ik trok de lakens over mijn hoofd en viel binnen een minuut in slaap.

De wekker wekte me. Er lag een briefje op het hoofdkussen naast me. 'Ga eind van de middag naar Seattle. Blijf daar twee dagen. Sally'.

Ik gluurde naar de wekker. Eén uur. Met enige moeite kwam ik overeind. Ik pakte Sally's briefje weer en herlas het. Het was meer een kattebelletje zoals je voor de werkster achterlaat. Ik voelde me opeens heel alleen en bang en verlangde ernaar mijn dochtertje te zien. Ik pakte de telefoon en hoorde geen piepjes die zeiden dat er berichten voor me waren. Desondanks belde ik het nummer van mijn voicemail, maar de computerstem bevestigde wat ik al wist: 'U hebt geen nieuwe berichten.'

Er moest iets mis zijn. Zeker weten dat de vrienden en collega's die op de hoogte waren van McCalls artikel, me hadden gebeld met steunbetuigingen.

Aan de andere kant... dat hadden ze twee weken daarvoor al gedaan. Nú, nu er alweer aantijgingen van plagiaat waren, stond ik er alleen voor. Iedereen had zich van me afgewend.

Ik pakte de telefoon en belde Lucy's nummer. Caitlin zat op school, dat wist ik, maar haar stem stond op het antwoordapparaat, en die wilde ik graag even horen.

Tot mijn verrassing werd er opgenomen. Het was Lucy.

'O, eh... dag,' zei ik.

'Wat is dit? Waarom bel je 's middags?' vroeg ze. 'Je weet dat Caitlin op school zit.'

'Ik wilde alleen even een berichtje achterlaten en zeggen dat ik haar mis.'

'Kijk aan. Nu je carrière in het slop zit, krijg je opeens heimwee naar je voormalige gezinnetje?'

'Hoe weet je dat mijn…'

'Heb je de kranten nog niet gezien?'

'Ik ben net wakker.'

'Als ik jou was, zou ik meteen weer in bed duiken. Je staat op pagina drie van de *San Francisco Chronicle* en de *LA Times*. Goeie zet, David, andermans tekst jatten.'

'Ik heb niets gejat.'

'Nee, je hebt alleen de boel belazerd, David, net als je mij hebt belazerd.'

'Zeg tegen Caitlin dat ik haar nog bel,' zei ik voor ik de verbinding verbrak.

Ik liep naar de keuken en daar, op het aanrecht, lag de *LA Times* van die ochtend. Sally was zo attent geweest hem op pagina drie open te leggen. Ik las de kop boven het artikel rechtsboven op de pagina.

BEDENKER VAN *SELLING YOU* OPNIEUW VAN PLAGIAAT BETICHT

Eronder stond een verkorte weergave van het vernietigende stuk van Mc-Call. De redactie van de *LA Times* had de avond ervoor blijkbaar een proefdruk van de *Hollywood Legit* toegespeeld gekregen. Ze hadden al Mc-Calls verdachtmakingen op een rijtje gezet en daaronder stond een reactie van de producent van *Selling You*, Brad Bruce. 'Dit is natuurlijk heel tragisch voor David Armitage en iedereen die bij *Selling You* betrokken is,' zei hij, en de FRT zou de volgende dag een persbericht laten uitgaan.

Aardige strategie, Brad. Eerst een paar gevoelige woorden aan mij wijden en dan een communiqué laten uitgaan waarin staat dat ik ben ontslagen.

Ik zette me achter de computer, ging online en las het artikel op de website van de *San Francisco Chronicle*. Het was een haastklus van de verslaggever in LA, met dezelfde opsomming en dezelfde reactie van Brad. Waar ik pas écht zenuwachtig van werd, was mijn postvak IN, waarin zeker zes aanvragen voor een interview zaten of op zijn minst een reactie mijnerzijds.

Ik pakte de telefoon en belde mijn kantoor. Let wel: mijn voormalige kantoor. Jennifer, mijn voormalige secretaresse, nam op.

'Ze hebben me gezegd dat ik je kamer moest leegruimen,' zei ze. 'Ik neem aan dat alles naar je huisadres moet?'

'Jennifer? Kun je niet eens "Dag, David" zeggen?'

'Dag. Naar je huisadres dus?'

'Ja.'

'Mooi. Je kunt de hele mikmak morgen verwachten. Wat doe ik met de telefoontjes die voor je binnenkomen?'

'Is er al gebeld dan?'

'Sinds vanochtend minstens vijftien keer. De *LA Times*, de *Hollywood Reporter*, *The New York Times*, de *Seattle Times*, de *San Francisco Chronicle*, de *San Francisco Jose Mercury*, de *Boston Globe...*'

'Ik hoor het al,' zei ik.

'Zal ik je een lijst met telefoonnummers e-mailen?'

'Nee.'

'Als iemand van de pers je wil bereiken...'

'Zeg maar dat ik onbereikbaar ben.'

'Zoals je wilt.'

'Jennifer? Ben je in de ijstijd verzeild geraakt of hoe zit het?'

'Wat verwacht je nou? Jouw ontslag betekent dat ík over een week ook kan opkrassen.'

'O, jezus...'

'Spaar me je clichés, oké?'

'Ik weet niet wat ik moet zeggen, behalve dan dat ik het heel erg vind allemaal. Het is voor mij net zo'n verrassing als...'

'Een verrassing? Dat je hebt gejat?'

'Het was absoluut geen opzet.'

'Wat? Dat je gepakt bent? Hoor eens, ook ik ben verstrikt geraakt in het web dat je hebt gesponnen.'

Ze smeet de hoorn op de haak.

Ik hing op en steunde mijn hoofd in mijn handen. Hoe groot de schade ook was die ik mezelf had berokkend, het was vreselijk dat ik zonder het te weten ook twee andere mensen in mijn val had meegetrokken. Het was verschrikkelijk dat ik een stuk of vijftien journalisten achter me aan had die een reactie van me wilden. Ik was nieuws geworden: het grote talent dat alles had verkwanseld. Zo zouden ze het natuurlijk brengen. De week ervoor had mijn verhaal het in de pers goed gedaan, maar nu, met al dat zogenaamde bewijs (ik moest het toegeven, er wás bewijs), zou het tij keren en was het een heel ander verhaal. Ze zouden me neerzetten als iemand met veel talent, die werd bezeten door zelfdestructieve krachten; een figuur die een van de origineelste televisieseries van de laatste tien jaar had bedacht, maar toch had gemeend andermans tekst te moeten jatten. Ik was al voorbereid op het gebruikelijke gezever, dat ik het zoveelste slachtoffer was van de cultuur van Hollywood, waar het succes vaak vluchtig was.

Waar het allemaal op neerkwam, was dat ik er geen werk meer zou krijgen en dat ik het als scenarioschrijver verder wel kon vergeten.

Ik keek op mijn horloge. Bijna halfeen. Ik belde Alison op haar werk, maar haar secretaresse, Suzy, nam op. Ze klonk ontdaan en nog voor ik kon vragen of Alison er al was, zei ze: 'Ik wil wel even kwijt dat ik het heel oneerlijk vind allemaal.'

Ik slikte en voelde tranen opwellen.

'Dank je.'

'Hoe gaat het met je?' vroeg ze.

'Niet zo best.'

'Kom je nog hierheen?'

'Ja. Ik kom er zo aan.'

'Fijn. Alison verwacht je.'

'Kan ik haar nu al even spreken?'

'Ze zit te bellen met FRT.'

'Goed. Ik zie je over een halfuur.'

Toen ik Alisons kamer binnenging, zat ze met een vermoeide, afwezige blik uit het raam te staren. Zodra ze me hoorde binnenkomen, draaide ze haar bureaustoel, stond op en kwam met open armen op me af. Ze omhelsde me en we bleven zo zeker een minuut staan. Ze liep naar een kast en opende het deurtje.

'Een whisky gaat er zeker wel in, hè?'

'Ziet het er zó slecht voor me uit?'

Ze zweeg en liep met de fles J&B en glazen naar haar bureau. Ze schonk ons allebei een bel in, stak een sigaret op en nam een grote slok. Ik volgde haar voorbeeld.

'Goed dan,' zei ze. 'Hier komt het. Ik heb je nooit wat voorgelogen en dat ben ik nu ook niet van plan. De situatie waar we ons nu in bevinden, kan haast niet slechter.'

Ik sloeg de rest van de whisky achterover en ze vulde mijn glas meteen bij.

'Toen ik het artikel van McCall op het vliegveld las, was mijn eerste reactie: hoe kunnen Brad en Bob dit zo serieus nemen? De voorbeelden die McCall geeft, zijn niet bepaald wereldschokkend. De aantijgingen zijn volkomen belachelijk. Tja, als ik elke scenarist die wat van een ander heeft overgenomen een stuiver kon geven, was ik een rijk mens. Dat gedoe over Tolstoj is puur gelul en dat weet hij heel goed. Wat Cheever betreft, ja, dat is andere koek...'

'Het enige wat ik daarop kan zeggen, is dat ik bewust van Cheever heb geleend, maar dat ik wist dat het in een latere versie geschrapt zou worden. Die zin was nooit in de uiteindelijke film terechtkomen.'

'Jij en ik weten dat, maar het punt is dat gezien de ellende met *The Front Page*, nou ja... Je bent slim genoeg om te snappen dat...'

'Schuldig of niet, ik zit flink in de penarie.'

'Daar komt het wel op neer.'

'Ik hoor dat je al met FRT hebt gesproken. Kun je hen op andere gedachten brengen en...'

'Geen schijn van kans. Wat hen betreft, ben je voltooid verleden tijd. Maar dat is nog niet alles. Zodra ik was geland, heb ik een nogal verhit gesprek gevoerd met een van hun advocaten. Ze peinzen er niet over om je een gouden handdruk te geven.'

Meer slecht nieuws. 'Er staat toch een clausule...'

'Jazeker. Reken maar dat die verrekte clausule erin staat. Om precies te zijn, clausule 43B van het contract. Daarin staat dat als je ook maar íéts onwettigs doet of welk strafbaar feit dan ook pleegt met betrekking tot de televisieserie, je geen aanspraken kunt maken op welke vorm van winstdeling dan ook.'

'Beschouwen ze het dan als een strafbaar feit?'

'Waar ze op uit zijn, is je alle rechten te onthouden op wat voor compensatie voor je werk dan ook. Plagiaat is een strafbaar feit.'

'Wat een onzin allemaal.'

'Absoluut, maar ze zijn vastbesloten zich daarop te beroepen.'

'Gaat ze dat lukken?'

'Ik heb net een halfuur met mijn advocaat gebeld. Hij buigt zich vanavond over het contract, maar zijn eerste indruk is dat... Ja, dat kunnen ze hard maken.'

'Ik krijg dus geen cent meer.'

'Het wordt nog erger. Ze hebben me laten weten dat ze je verdiensten voor de drie afleveringen waarin je geplagieerd zou hebben, willen terugvorderen.'

'Waar zijn ze nou mee bezig? Willen ze me helemaal uitkleden?'

'Zonder meer. Laten we wel wezen, het gaat om een smak geld. Als bedenker van de serie alleen al krijg je zo'n drieënhalve ton per seizoen. De verwachting is dat de serie nog twee seizoenen loopt, dus reken maar uit. De drie afleveringen waarin je geplagieerd zou hebben, zijn per stuk goed voor zo'n anderhalve ton. Tel maar op…'

'Daar kunnen we wel het een en ander tegen inbrengen.'

'Volgens mijn advocaat kunnen ze je zonder meer pakken op de clausule waarin staat dat de schrijver garandeert dat het werk van zijn hand is. Toch valt er misschien nog wel een regeling met hen te treffen.'

'Zeg je nou dat ik hun moet betalen?'

'Dat zit erin, ja. Wat ik hoop, en meer dan hoop is het niet, is dat de hele boel over een paar dagen in een wat rustiger vaarwater is gekomen en dat ze afzien van het terugvorderen van het geld dat ze je voor die drie afleveringen hebben betaald. Zeker als ze het bedrag waar je als bedenker van de serie recht op hebt, in eigen zak kunnen steken.'

'Ben je van plan ze daarmee tegemoet te komen?'

'David, geloof je nou echt dat ik welke verdomde studio of zendgemachtigde dan ook een cliënt van mij laat plukken? Toegegeven, we zitten in een verdomd lastig parket en juridisch gezien kunnen ze waarmaken dat je je contract niet bent nagekomen. Als mijn advocaat, met zijn uurtarief van driehonderdvijfenzeventig dollar, een knaap die werkelijk elke maas in het juridische net weet te vinden, zegt dat ze je in de houdgreep hebben, dan moeten we ons maar concentreren op het beperken van de schade.'

'Ik vind wel dat we vóór we met die glibberige advocaten van FRT verder praten, en niet te vergeten met hun vakbroeders bij Warner Brothers, een second opinion moeten krijgen, en misschien wel een derde. Zeg, zit er nog wat in de fles?'

'Ja,' zei ze. 'We kunnen nog wel wat gebruiken. Ik heb namelijk nóg meer slecht nieuws.'

Ik schonk mezelf een bel in en zei: 'Vertel maar.'

'Ik ben al benaderd door een advocaat van Warner Brothers. Ze zien af van *Breaking and Entering*.'

'Dus het gesprek met Nagel gaat niet door?'

'Ik ben bang van niet. En dat is nog niet alles. Ze willen het voorschot terug.'

'Dat is van de gekke! Hoe kunnen ze dat hard maken?'

'Ze hangen het op aan die zin van John Cheever.'

'Kom nou. Dat was een vingeroefening. Het was de eerste versie.'

'Ja, je hoeft míj niets uit te leggen. Het probleem is dat zij, net als FRT, aan één zin genoeg hebben om je om de oren te slaan met dat "de schrijver garandeert dat het werk van zijn hand is". En die zin van Cheever staat zwart op wit. Overigens vraag ik me af of die eikels wel weten wie John Cheever is.'

'Nou,' zei ik, 'dan is het maar goed dat we zoveel voor dat scenario van Fleck vangen.'

Ze stak weer een sigaret op, hoewel de vorige nog lag te smeulen in de asbak.

'Flecks advocaat heeft ook al gebeld...'

'Alsjeblieft, ga me nou niet vertellen dat...'

'Ik citeer: "Gezien de huidige reputatie van meneer Armitage ziet meneer Fleck zich genoodzaakt de samenwerking te beëindigen, hoezeer hem dat ook spijt."'

Ik staarde naar het vloerkleed en zei: 'Ik kan Warner Brothers met geen mogelijkheid die tweeënhalve ton voorschot terugbetalen.'

'Heb je het geld al uitgegeven?'

'Grotendeels.'

'Je bent toch niet blut, hè?'

'Zo stom ben ik nou ook weer niet. Ik heb een half miljoen door mijn vermogensbeheerder laten beleggen, maar het probleem is dat de helft daarvan eigenlijk al voor de belastingdienst is. Als FRT en Warner Brothers inderdaad geld willen zien, hou ik geen cent over.'

'Voor dergelijke doemscenario's is het nog te vroeg. Ik ga je met hand en tand tegen die schoften verdedigen en zorg er wel voor dat ze hun eisen naar beneden bijstellen. In de tussentijd moet jij contact opnemen met die vermogensbeheerder en je accountant om je investeringen zo goed mogelijk te beschermen.'

'Ik kan het hier in de stad verder wel vergeten, hè?'

'Ja, het wordt heel moeilijk om nog werk voor je te vinden.'

'Stel dat de hele toestand nou eens níét overwaait en de schade is permanent, wat dan?'

'Wil je een eerlijk antwoord?'

'Uiteraard.'

'Ik weet het niet. We moeten maar afwachten; over een paar weken weten we hoe de vlag erbij hangt. Ik vind wel dat we een verklaring moeten opstellen waarin je niet alleen jouw kant van de zaak belicht, maar ook duidelijk stelt dat je het allemaal zeer betreurt. Ik heb pr-adviseur Mary Morse gevraagd ons te helpen met het opstellen en verspreiden van een persbericht. Ze moet hier over een minuut of tien zijn. Mocht de situatie over een paar dagen niet verbeterd zijn, dan moeten we een jou goedgezinde journalist vinden die jouw kant van de zaak nog eens belicht.'

'Die knaap van *Variety* is wat dat betreft natuurlijk uit beeld. Zijn carrière is naar de haaien, net als die van die arme Tracy.'

'Daar kon jij echt niets aan doen.'

'Klopt, maar als ík niet in deze situatie was beland...'

'Tja. Het zijn allebei professionals en ze hadden kunnen weten dat hun affaire bekend zou worden als...'

'Tracy had het beste met me voor.'

'Natuurlijk, maar dat was haar werk. Ga je nou niet ook nog eens andermans ellende aantrekken. Je hebt al genoeg aan je hoofd.'

'Vertel mij wat.'

De dag na mijn gesprek met Alison was de hele wereld op de hoogte. McCalls beschuldigingen verschenen, net als het perscommuniqué van FRT waarin mijn ontslag (het betreurt ons zeer...) werd aangekondigd. Alle landelijke dagbladen hadden het bericht in hun kunstkatern geplaatst, alleen de *LA Times* zette het op de voorpagina. De overige media bleven niet achter. De radio, NPR's *All Things Considered*, *Entertainment Tonight* en het merendeel van de ontbijtprogramma's besteedden er aandacht aan. Ja, iedereen citeerde de door mij afgelegde verklaring waarin ik me verontschuldigde voor alle commotie die ik had veroorzaakt bij FRT en bij iedereen die bij het maken van *Selling You* betrokken was, en vertelde dat ik de beschuldigingen vanwege die paar zinnetjes buitenproportioneel vond. 'Het ergste wat een schrijver kan overkomen, is dat men hem een letterdief noemt,' had ik in de verklaring laten opnemen, 'en dat ben ik niet.'

Die avond werd ik zelfs genoemd in Bill Mahers programma *Real Time*.

'Het grote nieuws in Hollywood is dat de bedenker van *Selling You*, David Armitage, zich heeft bediend van de onsterfelijke tekst van Richard Nixon, "Ik ben geen schurk", nadat hij door producent FRT is ontslagen. Toen Armitage werd gevraagd of zijn teksten wel van hemzelf waren, antwoordde hij: "Ik heb geen seks met die vrouw gehad..."'

Mahers studiopubliek kon de grap zeer waarderen. Ik zat in mijn eentje te kijken. Sally was in Seattle, adres onbekend. Ze had me niet gezegd in welk hotel ze logeerde en ze had de hele dag niets van zich laten horen. Ik wist dat ze meestal in het Four Seasons verbleef als ze in Seattle moest zijn, maar ik was bang dat als ik haar belde, ik vreselijk hulpeloos zou overkomen, veel te onzeker, te wanhopig. Ik kon alleen maar hopen dat zodra deze blitzkrieg van slechte pers was uitgeraasd, ze zich zou herinneren waarom we ooit verliefd op elkaar waren geworden en dat ze...

Wat eigenlijk? Dat ze me om de hals zou vallen en zou zeggen dat ze hoe dan ook achter me stond? Zoals Lucy? Die had altijd achter me gestaan, misschien niet van harte, maar ze was er voor me geweest, al die jaren dat ik helemaal niemand was, dat ze haar ambities om het als actrice te gaan maken opzij had gezet en als telefonisch verkoper aan de slag was gegaan om onze huur te kunnen betalen. En hoe had ik haar daarvoor bedankt? Met het voorspelbare gedrag van iemand die in een midlifecrisis zit en een grote ster wordt. Heel langzaam begon het me te dagen dat Sally's liefde voor mij alles te maken had met mijn succes, met mijn status in het film- en televisiewereldje en hoe die haar eigen positie versterkte in de door geld geregeerde kleuterklas die Hollywood heet.

'Iedereen kent zo'n moment dat alles op zijn plaats valt,' had ze gezegd vlak voordat ik de Emmy won. 'Dit is blijkbaar ons moment.'

Dat moment is nu voorbij, schatje.

Konden ze nou echt alles wat ik in de afgelopen jaren had bereikt, binnen een paar dagen van me afnemen?

Kom nou, mensen! Ik ben David Armitage! Ik had het wel van de daken kunnen schreeuwen, maar ja, als je eenmaal boven op dat dak staat, is er maar één weg die je kunt nemen: naar beneden. Hoe dan ook, talent is vluchtig, zowel in Hollywood als in het echte leven, en voor je het weet, is het je ontglipt. Ook degenen die aan de top staan ontkomen daar niet aan. Niemand is uniek en iedereen speelt hetzelfde spelletje. En voor dat spelletje geldt maar één regel, namelijk dat je moment van triomf duurt zolang als het duurt, als je al het geluk hebt ooit zo'n moment te mogen beleven.

Ik kon maar niet geloven dat mijn moment voorbij was. Sally was toch niet zo berekenend dat ze me nu meteen al aan de kant zou schuiven? Ik kon Brad en Bob, en Jake Dekker van Warner Brothers, of welke producent in die verdomde stad ook, er vast wel van overtuigen dat ik hun vertrouwen waard was.

Kom nou, mensen! Ik ben David Armitage! Ik heb een fortuin voor jullie verdiend!

Hoe meer ik mijn best deed de ontstane situatie optimistisch te benaderen, hoe meer ik dacht: de ergste lulkoek is de lulkoek die je jezelf verkoopt.

Ik maakte een fles Glenlivet Single Malt open en besloot me te verdrinken in mijn ellende. Tegen de tijd dat ik het vijfde glas ophad, was ik even helemaal de weg kwijt. Ik hield mezelf een spiegel voor en besloot Sally een e-mail te sturen waarin ik mijn ziel voor haar zou blootleggen, in de hoop dat ze me een lieve reactie op mijn *cri de coeur* zou sturen. Ik schreef:

Liefste,

Ik hou van je. Ik heb je nodig, zo vreselijk nodig. Dit is een keiharde business. Alsjeblieft, blijf in me geloven. Alsjeblieft. Ik ben de wanhoop nabij. Laten we ons hier samen doorheen slaan, want als ik één ding zeker weet, is het dat we het gaan redden. Wij zijn het beste dat ons is overkomen. Jij bent de vrouw met wie ik de rest van mijn leven wil doorbrengen, met wie ik kinderen wil krijgen. Ik zal altijd van je blijven houden, ook als we oud zijn, wanneer de schemering valt die de jaren van verval inluiden. Ik zal er altijd voor je zijn, dus alsjeblieft, wees jij er nu ook voor mij.

Ik verzond de mail zonder hem na te lezen, nam nog twee flinke slokken Glenlivet en stommelde uitgeteld richting slaapkamer.

Het werd ochtend. De telefoon ging. In de wazige seconden voor ik opnam, spookte er één zin door mijn hoofd, of liever gezegd, een gedeelte van een zin: de jaren van verval.

Ik herinnerde me de rest van die belachelijke e-mail, in al zijn grimmige, opdringerige glorie. Wat ben je toch een idioot, dacht ik.

Ik pakte de telefoon en nam op.

'David Armitage?' hoorde ik een heel wakkere stem vragen.

'Ik vrees van wel.'

'Met Fred Bennet, van de *Los Angeles Times*.'

'Hoe laat is het?'

'Rond halfacht.'

'Ik heb nu echt geen zin in een gesprek.'

'Heel even maar, meneer Armitage.'

'Hoe komt u aan mijn privénummer?'

'Dat is niet zo vreselijk moeilijk.'

'Ik heb een persbericht doen uitgaan.'

'Weet u al van de motie die de SATWA gisteravond heeft aangenomen?'

'Wat voor motie?'

'Om u publiekelijk van plagiaat te beschuldigen, u te royeren en u minimaal vijf jaar te verbieden te werken, hoewel er een paar leden waren die liever zagen dat u levenslang in de ban werd gedaan.'

Ik zette de telefoon in de houder terug en trok de stekker uit het stopcontact. Vrijwel meteen hoorde ik een telefoon in een andere kamer overgaan, maar ik deed net of ik het niet hoorde. Ik trok het laken over me heen en wenste dat de dag voorbij was.

De slaap wilde niet meer komen, dus uiteindelijk waggelde ik naar de badkamer en nam drie aspirines in de hoop dat die de pneumatische boor in mijn hoofd tot zwijgen zouden brengen. Ik liep naar de zitkamer en ging voor de computer zitten. Ik had twaalf e-mails, waarvan elf van journalisten. De laatste was de mail die ik het meest vreesde, die van Sally.

David,

Ik vind het heel naar dat je in deze situatie terecht bent gekomen en dat je carrière door alle onthullingen is verwoest. Maar je hebt het allemaal aan jezelf te danken, omdat je om redenen die jij alleen begrijpt, je eigen ondergang hebt geregisseerd. Daar kan ik dus absoluut niet bij en ik vraag me af hoe goed ik je eigenlijk ken, een gevoel dat nog wordt versterkt door je verontrustende e-mail. Ik begrijp dat je flink in de war bent van alles, maar niets is zo stuitend als iemand die om liefde smeekt, zeker als diegene het vertrouwen waarop liefde gebaseerd is, heeft geschonden. Hoewel ik heel goed snap dat je onder grote druk staat, is dat nog geen excuus om je zo te laten kennen. En op 'die periode van verval' zal ik maar helemaal niet ingaan. Ik vind het allemaal heel treurig en verwarrend en ik weet niet wat ik ermee aan moet. Ik denk dat een paar extra dagen afstand verhelderend zal werken en heb besloten dit weekend naar Vancouver Island te gaan. Ik ben maandag terug en dan hebben we het erover. In de tussentijd denk ik dat het voor alles en iedereen beter is om niet met elkaar te communiceren. Ik hoop dat je wilt overwegen professionele hulp in te roepen, want als je e-mail iets was, dan was het een schreeuw om hulp.

Sally

Fantastisch. Ronduit fantastisch...

Toen de telefoon weer overging probeerde ik dat te negeren, maar mijn mobieltje begon ook mee te doen aan de kakofonie. Ik pakte het en keek naar de nummermelder. Het was Alison, dus nam ik snel op.

'Wat klink je vreemd. Heb je gisteravond gedronken?'

'Dat heb je helemaal goed.'

'Ben je al lang op?'

'Vanaf het moment dat een journalist van de *LA Times* me telefonisch meedeelde dat de SATWA me wil royeren voor het leven.'

'Zeg dat nog eens?'

'Je hebt het goed gehoord. Het politburo heeft gisteravond een spoed-vergadering belegd.'

'Dit gaat de verkeerde kant op. Het wordt nog erger, trouwens.'

'Vertel op?'

'Zo meteen wordt Theo McCall geïnterviewd door *Today.*'

'Gaat dat over *moi*?'

'Het heeft er alle schijn van.'

'Jezus, hij gaat maar door.'

'Dat doet elke roddeljournalist. Je bent niet meer dan een gebruiksarti-kel en op dit moment een heel lucratief exemplaar. Hij kan nu over jouw rug naam en faam maken, om nog maar te zwijgen over een optreden bij *Today.*'

'Die vent is pas tevreden als ik gevierendeeld ben.'

'Ik ben bang dat het daar inderdaad op neerkomt. Daarom wilde ik je ook melden dat hij op tv komt. Ik denk dat het goed is als je kijkt, voor het geval hij zich schuldig maakt aan laster. Zo ja, dan kunnen we die kleine gluiperd daarop aanpakken.'

In feite was er weinig kleins aan Theo McCall. Hij was een Brit van be-gin veertig die een jaar of tien geleden de Atlantische Oceaan was overge-stoken, wat te horen was aan zijn combinatie van vette klinkers met het wat nasale accent van Californië. Hij was vrij dik. Zijn gezicht deed me denken aan een stuk camembert dat te lang in de zon had gelegen. Hij was wel zo slim om zijn figuur met dandyachtige kleren te verhullen: een krijtstreeppak, een overhemd met een grote boord en een zwarte das met witte stippen. Gezien de lage status van *Hollywood Legit* vermoedde ik dat het zijn enige pak was. Toch moest ik met enige tegenzin toegeven dat ik bewondering had voor de manier waarop hij zich aan de wereld presenteerde: als de dandy die volledig op de hoogte was van het reilen en zeilen in Hollywood. Ik twijfelde er niet aan of hij had zich extra netjes aangekleed. Hij zag het optreden die ochtend waarschijnlijk als een sollicitatie naar een betrekking in de hogere regionen van het roddelwezen.

Anne Fletcher, de journalist die hem vanuit New York ondervroeg, liet zich niet inpakken door de journalistieke act, die elementen bevatte van zowel T.S. Eliot als Tom Wolfe.

'Meneer McCall, veel mensen in Hollywood zien u als een van de felste en gevaarlijkste journalisten die er zijn.'

McCalls vette lippen vertoonden een zweem van een glimlach.

'Dat vat ik dan maar op als een compliment,' zei hij enigszins bekakt.

'Anderen vinden u slechts een verspreider van schandalen, die er niet voor terugdeinst om carrières, huwelijken en zelfs hele levens kapot te maken.'

Hij verbleekte even, maar herstelde zich snel. 'Sommige mensen zullen er wel zo over denken, ja. Als er al één regel is in Hollywood, dan is het dat de mensen elkaar de hand boven het hoofd houden, zelfs wanneer er sprake is van een ernstig misdrijf.'

'Acht u het vermeende plagiaat van David Armitage, dat voor FRT aanleiding was hem te ontslaan, een ernstig misdrijf?'

'Zeer zeker. Armitage heeft van andere schrijvers gestolen.'

'Wat heeft hij nou eigenlijk "gestolen"? Een grap uit een toneelstuk en wat zinnetjes hier en daar. Vindt u het terecht dat zijn carrière door een paar kleine vergrijpen verwoest is?'

'Nou, Anne... Om te beginnen heb ik niets te maken met de straf die hem is opgelegd; dat besluit hebben zijn superieuren bij FRT genomen. Maar om even terug te komen op je vraag of ik plagiaat een ernstig misdrijf vind... Kijk, diefstal is diefstal.'

'Wat ik u vroeg, meneer McCall, is of zo'n klein vergrijp als hier en daar een paar grappen overnemen...'

'Hij heeft een heel verhaal van Tolstoj overgenomen.'

'Meneer Armitage heeft uitgelegd dat het toneelstuk, dat nooit is opgevoerd, heel bewust een interpretatie van dat verhaal was.'

'Dat zegt hij nú, maar ik heb hier een kopie van zijn toneelstuk en...' Hij hield een stoffige kopie van *Riffs* op. De camera zoomde in op de titelpagina.

'Zoals u kunt zien,' zei McCall, 'staat hier "*Riffs*, een toneelstuk van David Armitage". Nergens staat "Gebaseerd op de *Kreutzer Sonate* van Tolstoj", hoewel de complete verhaallijn zo van Tolstoj is overgenomen. De vraag is natuurlijk waarom een getalenteerd man als Armitage het nodig acht om van anderen te stelen. Dat is de vraag die heel Hollywood op het ogenblik bezighoudt: waarom is hij zo zelfdestructief, zo vreselijk oneerlijk bezig geweest? Bekend is dat hij zodra *Selling You* een succes was, zijn vrouw en kind heeft verlaten voor iemand met een goede positie in het televisiewereldje. Het is tragisch dat dit patroon van de boel belazeren zijn ondergang heeft ingeluid...'

Ik zette de televisie uit en smeet de afstandsbediening tegen de muur. Ik pakte mijn jasje, rende de deur uit, startte de auto en spoot weg. Een halfuur later kwam ik aan bij de studio van NBC. Ik gokte erop dat die zak na het vraaggesprek nog een tijdje in de studio zou rondhangen en afgeschminkt moest worden. En ik had goed gegokt, want ik kwam aangereden op het moment dat McCall de deur uit kwam en op een wachtende Lincoln Town Car afliep. Vlak voor de deur kwam ik met piepende remmen tot stilstand. McCall schrok zich dood. Binnen een paar seconden stond ik naast de auto. Ik liep op McCall af en schreeuwde: 'Jij smerige vetzak!'

Hij staarde me met wijdopen ogen aan, totaal verbijsterd. Hij wilde wegrennen, maar hij leek verlamd van schrik, wat mij de gelegenheid gaf hem bij zijn krijtstreeprevers te pakken en flink aan hem te sjorren onder het uitschreeuwen van een paar nauwelijks verstaanbare kreten als: 'Mijn leven ruïneren... mij een dief noemen... mijn vrouw en kind erbij betrekken... ik breek je je poten... smerige vetzak...'

Tijdens mijn onsamenhangende uitbarsting gebeurden twee dingen die voor mij niet echt gunstig waren. Een plaatselijke freelancefotograaf die in de lobby van NBC stond, had het gekrakeel gehoord en kwam naar buiten gerend. Terwijl ik McCall bij zijn revers hield en hem stond uit te kafferen, knipte de fotograaf snel een paar foto's. Intussen was er iemand van de bewaking van NBC gealarmeerd, een grote vent van eind twintig, die zich meteen in de strijd wierp en 'Hé, hé. Ophouden jullie!' riep.

'Heeft deze persoon u aangevallen?' vroeg hij aan McCall.

'Hij probeerde het wel,' zei McCall, die een paar stappen achteruit deed.

'Wilt u dat ik de politie bel?'

McCall keek me minachtend aan met een gemeen 'je bent erbij, klootzak'-glimlachje.

'Ach, hij heeft al genoeg problemen,' zei McCall. 'Zet hem maar buiten het hek.'

Hij draaide zich om en sprak even met de fotograaf. Ik hoorde hem naar zijn naam vragen, of hij een visitekaartje bij zich had en: 'Heb je het er allemaal op staan?'

Ondertussen pakte de man van de bewakingsdienst me stevig bij de arm en sleurde me mee naar mijn auto.

'Is die Porsche van u?'

Ik knikte.

'Mooi karretje. Goed meneer, ik stel het volgende voor: u stapt heel rustig in en maakt dat u wegkomt. We zullen dit snel vergeten, maar als ik u hier nog één keer zie...'

'Ik ga al. Mij zie je niet meer.'

'Zeker weten?'

'Ik beloof het.'

Ik maakte het portier open en ging achter het stuur zitten. Toen ik startte, tikte de man op het raampje en ik draaide het omlaag.

'Nog één ding, meneer. Ik weet niet wat u verder nog gaat doen, maar misschien is het een goed idee als u zich eerst aankleedt.'

Toen pas zag ik dat ik nog in mijn pyjama was.

3

Het is onmogelijk om te ontkomen aan de wet van oorzaak en gevolg, laat staan als een fotograaf er getuige van is dat je, slechts gekleed in een pyjama, een journalist te lijf gaat.

Zo kwam het dat ik twee dagen nadat ik de voorpagina van de *LA Times* had gehaald, weer in het nieuws was. Op pagina vier van de zaterdagkrant stond een foto waarop te zien was hoe ik Theo McCall met een van woede verwrongen gezicht bij zijn revers pakte. Bovendien was daar het probleem van mijn uitmonstering. Een pyjama, vooral buiten de slaapkamer, roept altijd beelden op van het gekkenhuis. Wordt een pyjama overdag gedragen, en wel door een duidelijk verwarde figuur op het parkeerterrein van de NBC-studio, dan wijst dat op problemen die de persoon in kwestie wellicht eens met een deskundige moet bespreken. Ja, als ik de foto geheel onbevooroordeeld in de krant had zien staan, was ik zonder meer tot de slotsom gekomen dat die man knettergek was.

Onder de foto was een kort stukje geplaatst. De kop boven het artikel luidde:

ONTSLAGEN BEDENKER VAN *SELLING YOU* VALT JOURNALIST AAN

Eronder stond een onopgesmukte beschrijving van het incident op het parkeerterrein, de rol die McCall in mijn ondergang had gespeeld en mijn zonden jegens de mensheid, met de vermelding dat de bewakingsdienst van NBC me na een waarschuwing had laten gaan en dat McCall geen aangifte zou doen. McCall zelf kwam nog even aan het woord. 'Ik heb de waarheid aan het licht gebracht, meer niet, maar meneer Armitage kan de waarheid blijkbaar niet aan. Gelukkig is de bewakingsdienst van NBC me te hulp geschoten voor hij me lichamelijk letsel kon toebrengen. Ik hoop voor meneer Armitage dat hij zich laat behandelen. Het is duidelijk dat hij heel erg in de war is.'

Laat me de zoom van uw *shmata*, uw hemd, kussen, dokter Freud (en inderdaad, die uitdrukking heb ik níét van mezelf). Ik had geen tijd om me druk te maken over McCalls diagnose van mijn geestelijke gesteldheid. Ik had wel belangrijker zaken aan mijn hoofd. Blijkbaar was het de freelancer gelukt de foto waarop ik de gek bij zijn revers beet had aan een persbureau te verkopen, dus het plaatje en het bijbehorende verhaal werden over het hele land verspreid. Tenslotte is niemand vies van een sappig 'ooit een gevierd persoon, nu volkomen getikt'-verhaal.

Een en ander bereikte zelfs het grote, koude land genaamd Canada, om precies te zijn de stad Victoria, in British Columbia, waar Sally het in het lokale sufferdje zag staan. Ze kon er niet om lachen. Integendeel, ze vond het zelfs zo ernstig dat ze me zaterdagochtend al om halftien belde. Zonder zelfs maar 'hoi' te zeggen, zei ze: 'David, ik heb het verhaal gelezen en ik vrees dat dit het einde van onze relatie is.'

'Mag ik het misschien even uitleggen?'

'Nee.'

'Je had moeten horen wat hij bij *Today* over me zei...'

'Ik heb de uitzending gezien en om je de waarheid te zeggen: ik was het in grote lijnen met hem eens. Je hebt je waanzinnig gedragen. Letterlijk waanzinnig.'

'Hou toch op, Sally. Ik heb even mijn zelfbeheersing verloren, meer niet.'

'Nee, je hebt je verstand verloren. Hoe verklaar je anders dat je in je pyjama bij NBC terecht bent gekomen?'

'Omdat ik even een beetje in de war was.'

'Een beetje? Ik denk wel wat meer dan een beetje.'

'Toe nou, lieverd. Laten we er nog eens rustig over praten.'

'Ik dacht het niet. Ik kom morgenavond thuis en wil graag dat je voor die tijd vertrokken bent.'

'Wacht eens even. Je kunt me niet zomaar het huis uit zetten! We hebben een gezamenlijk huurcontract, weet je nog?'

'Volgens mijn advocaat...'

'Heb je vanochtend al een advocaat gebeld? Het is zaterdag!'

'Hij was nog niet naar *shul*. Gezien de crisis hier op het werk...'

'Wat zijn we weer melodramatisch bezig. Verdomme, Sally. Hou daar nou eens mee op.'

'En jij beweert dat je niet gestoord bent?'

'Ik ben kwaad.'

'Nou, dat zijn we dan allebei. Helaas is het zo dat jij volgens de wet een gevaar voor je medehuurder bent, en dat betekent dat die medehuurder je uit de woning kan laten zetten.'

Het was even stil.

'Dat ben je toch niet van plan, hoop ik?'

'Nee, zolang je morgenavond om zes uur weg bent, zal ik geen juridische stappen ondernemen. Als ik je thuis aantref, bel ik Mel Bing om een procedure in gang te zetten.'

'Alsjeblieft, Sally. Kunnen we er niet...'

'Discussie gesloten.'

'Het is niet eer...'

'Je hebt het allemaal aan jezelf te danken. Wees verstandig en pak je spullen in. Zorg jij nou maar dat ik geen juridische stappen hoef te nemen.'

Na die woorden hing ze op. Ik zat als verdoofd op de bank. Mijn reputatie was geruïneerd, ik was ontslagen en stond met foto en al in de krant. Wie die foto zag, zou denken dat ik helemaal was doorgedraaid. Dan wordt me nog te verstaan gegeven dat ik het huis uit moet, om nog maar te zwijgen over het eind van de relatie die me mijn huwelijk had gekost.

Wat voor onheil kon ik verder nog verwachten?

Die vraag werd beantwoord door Lucy, of liever gezegd, door haar advocaat, ene Alexander McHenry. Hij belde me een uur na de bom die Sally had laten vallen.

'Meneer Armitage,' zei hij op effen, professionele toon. 'U spreekt met Alexander McHenry van Platt, McHenry en Swabe. Zoals u zich misschien zult herinneren, vertegenwoordigden wij...'

'Ik weet heel goed wie u hebt vertegenwoordigd. En aangezien u me op een zaterdagochtend belt, hebt u waarschijnlijk slecht nieuws voor me.'

'Nou...'

'Kom maar meteen ter zake, meneer McHenry. Waar is Lucy nu weer kwaad over?'

Ik wist wat er ging komen, want ik had zo'n voorgevoel dat het incident op het parkeerterrein ook de pagina's van de *San Francisco Chronicle* had gehaald.

'Ik vrees dat uw ex-echtgenote nogal gealarmeerd is door uw gedrag bij NBC, vooral door alle publiciteit die dat heeft gekregen en het effect dat uw daden op uw dochter Caitlin zal hebben.'

'Ik ben van plan mijn dochter vanochtend nog te bellen.'

'Ik vrees dat dat niet gaat. Uw ex-echtgenote acht u gezien uw gedrag gisteren een gevaar voor haarzelf én uw dochter.'

'Hoe kan ze dat nou zeggen? Ik heb nog nooit een vinger naar...'

'Dat kan wel zijn, maar feit is dat u meneer McCall hebt aangevallen. Uw contract met FRT is ontbonden vanwege plagiaat en dat, zo zal elke psycholoog kunnen getuigen, is genoeg om iemands geestestoestand negatief te beïnvloeden. Om kort te gaan: het is eenvoudig aannemelijk te maken dat u een gevaar vormt voor uw ex-echtgenote en kind.'

'Wat ik voor u me onderbrak wilde zeggen, is dat ik mijn vrouw en kind nooit iets heb aangedaan. Wat gisteren betreft, ja, ik heb even mijn zelfbeheersing verloren. Einde verhaal.'

'Ik vrees dat het verhaal niet uit is, meneer Armitage. We hebben uw omgangsregeling ingetrokken. Het is u verboden contact te zoeken, in persoon of telefonisch, met zowel Lucy als Caitlin.'

'U kunt me niet bij mijn dochter weghouden!'

'Het is al vastgelegd. Ik moet u meedelen dat indien u het verbod overtreedt – als u een poging doet een van beiden aan te spreken of zelfs maar te bellen – u het risico loopt gearresteerd te worden en gevangenisstraf opgelegd te krijgen. Ben ik duidelijk genoeg, meneer Armitage?'

Ik smeet de telefoon neer en liet me met mijn hoofd in mijn handen op de bank vallen. Ze mogen alles van me afnemen, maar niet Caitlin. Dat kunnen ze me niet aandoen. Dat kán gewoonweg niet.

Er werd aangebeld. Ik stond op en liep naar de voordeur.

Alison.

'Wat doe jij hier?' vroeg ik haar kalm.

'Je tegen jezelf beschermen, heet dat geloof ik.'

'Hoezo? Ik voel me prima.'

'Dat zie ik. Je stond er mooi op, vanochtend in de *LA Times*. Leuke pyjama. Precies wat een agent zijn of haar cliënt graag ziet dragen als die cliënt iemand op een parkeerterrein te lijf gaat.'

'Ik ben hem helemaal niet te lijf gegaan.'

'Kijk aan, dan is er dus geen vuiltje aan de lucht. Mag ik binnenkomen of hoe zit het?'

Ik deed een pas opzij, liet haar binnen en ging haar voor naar de zitkamer. Ik ging op de bank zitten en sloeg mijn ogen neer.

'Jezus christus,' zei ik.

'Is dat een reactie op die toestand bij NBC?'

Ik vertelde haar wat de foto en het artikeltje teweeg hadden gebracht, dat Sally me niet alleen uit het appartement had gezet, maar ook uit haar leven, en dat Lucy had geregeld dat ik mijn dochter niet meer kon zien.

Alison zweeg even.

'Ik regel wel dat je een tijdje de stad uit gaat,' zei ze na een korte stilte.

'Zeg dat nog eens?'

'Ik vind wel ergens een rustig plekje waar je geen kwaad kunt.'

'Ik red me wel, Alison.'

'Nee, dat zie je verkeerd. Hoe langer je hier in LA blijft, hoe groter de kans dat je echt doordraait.'

'O, dank je.'

'Het is toch zo? Of je het nou toegeeft of niet, je bent helemaal over de rooie. Als je jezelf in dergelijke situaties blijft plaatsen, is dat leuk voor de kranten, maar kun je het hier verder wel vergeten.'

'Ik ben al te ver heen, Alison.'

'Daar ga ik niet eens op in, oké? Wanneer wil Sally dat je hier weg bent?'

'Morgenavond om zes uur.'

'Laten we dan maar meteen beginnen. Heb je een sleutel voor me?'

'Hoezo?'

'Omdat ik morgen je spullen ga inpakken.'

'Dat kan ik zelf wel.'

'Nee, dat kun je niet. We gaan namelijk zo de deur uit.'

'Waarheen?'

'Ik heb al wat in gedachten.'

'Toch geen kliniek of zo, hè?'

'Niet echt, nee. Ik breng je naar een plek waar je geen schade kunt aanrichten en even tot jezelf kunt komen. Geloof me als ik zeg dat je het beste af bent met rust en tijd om na te denken.'

Of je het nou leuk vindt of niet, dacht ik, ze heeft wel gelijk. Ik was zo gespannen als de snaren van een piano en vroeg me af of ik het weekend wel zou doorkomen zonder mezelf iets fataals, en smerigs, aan te doen, zoals uit het raam springen.

'Vooruit dan maar,' zei ik. 'Wat moet ik doen?'

'Pak maar wat kleren in. Boeken of cd's heb je niet nodig, want die zijn daar genoeg. Neem je laptop wel mee, dan kun je in elk geval online. Neem eerst maar een douche en scheer die verrekte baard af die eraan zit te komen. Je ziet eruit als zo'n talibanstrijder.'

Binnen een halfuur was ik gewassen en geschoren, had ik schone kleren aangedaan en sleepte ik twee grote weekendtassen plus een laptop naar Alisons auto.

'Dit is het plan,' zei ze. 'Jij neemt je eigen auto en rijdt achter me aan. We gaan vanhier naar de Pacific Coast Highway en volgen die zeker twee uur naar het noorden. Beloof me dat je geen rare dingen doet, zoals opeens een afslag nemen en verdwijnen.'

'Wie denk je wel dat je voor je hebt? Jack Kerouac?'

'Ik wil maar zeggen…'

'Oké. Ik beloof je dat ik niets doe zonder jouw toestemming.'

'Afgesproken. Mochten we elkaar kwijtraken, bel me dan mobiel.'

'Ik weet hoe ik iemand moet volgen,' zei ik.

Het kostte me geen enkele moeite om haar bij te houden op de Pacific Coast Highway. Ze nam de afslag Meredith, we reden door de winkelstraat met onder andere een boekhandel en een kruidenierszaak en daarna over een tweebaansweg tot we op een onverhard pad kwamen dat door een stukje bos voerde en bij een houten cottage eindigde. Het huisje stond vrijwel aan het strand en daarachter strekte de Stille Oceaan zich uit. Het huisje had een kleine tuin, en het uitzicht over de kust was fantastisch. Ik was verguld met de hangmat die tussen twee bomen was gespannen, waarin je niet alleen kon luieren, maar ook nog een prachtig uitzicht op zee had.

'Niet verkeerd,' zei ik. 'Is dit je geheime plekje?'

'Ik wou dat het waar was. Nee, het is van Willard Stevens. De bofkont.'

Willard Stevens was ook een cliënt van Alison, een scenarioschrijver die (net als mijn drankzuchtige verdediger Justin Wanamaker) in de jaren zestig en zeventig helemaal ín was, maar zich de laatste tijd vooral bezighield met het herschrijven van andermans scenario's.

'Waar is Willard dan?'

'Die zit drie maanden in Londen. Hij is bezig met het scenario voor de nieuwe James Bond-film.'

'Heeft hij daar drie maanden voor nodig?'

'Ik geloof dat hij nu hij tóch in de buurt is, nog even naar de Côte d'Azur gaat. Hoe het ook zij, hij heeft mij de sleutel gegeven. Ik heb er maar één keer gebruik van gemaakt. Hij blijft nog twee maanden weg, dus…'

'Als je maar niet denkt dat ik hier twee maanden ga zitten.'

'Kom, kom. Zie het nou niet als een luxueuze gevangenis. Je kunt komen en gaan wanneer je wilt. Ik hoop wel dat je het een week uithoudt. Zie het maar als vakantie, een paar dagen om alles op een rijtje te zetten, om even uit te waaien en alle ellende te vergeten. Beloof je me dat je een week zult blijven?'

'Ik heb het nog niet eens vanbinnen gezien.'

Ik was nog geen twee minuten binnen of ik beloofde haar al dat een week geen probleem was. Het huisje had bakstenen binnenmuren, een stenen vloer en comfortabele meubels. Ik zag een hoop boeken en rijen cd's en dvd's.

'Dat lukt wel,' zei ik.

'Dat doet me goed. Je hebt telefoon, maar de televisie ontvangt helemaal niets, omdat Willard hier alleen oude films wil zien. Hij heeft een heel aardige collectie. Je ziet dat er verder genoeg te lezen en te beluisteren valt. De tuner van de stereo ontvangt NPR, dus als je het nieuws wilt horen of naar Car Talk wilt luisteren, dan kan dat. De kruidenier in het dorp heb je waarschijnlijk wel gezien. Het dichtstbijzijnde winkelcentrum is een kilometer of twintig verderop, maar ik denk dat je alles in het dorp kunt krijgen.'

'Dat lukt allemaal wel.'

'Hoor eens,' zei ze. Ze liet zich op de bank zakken en gebaarde mij in de leunstoel plaats te nemen. 'Ik wil wel even een paar dingen met je afspreken.'

'Nee, ik zal er geen puinhoop maken en nee, ik verdwijn niet...'

'En nee, je zet geen voet in LA, je belt FRT niet, noch Warner Brothers of wie dan ook uit het vak. En nee, en dit is het belangrijkste, je neemt géén contact op met Sally, Lucy of Caitlin.'

'Hoe kun je nou van me eisen dat ik geen contact zoek met mijn dochter?'

'Je kunt contact met haar hebben, maar alleen als ik het voor je regel. Hoe heten die advocaten ook alweer die je bij je scheiding hebben bijgestaan?'

'Die waren helemaal niks. Die hebben gewoon staan toekijken hoe die tang die Lucy had ingehuurd me volledig uitkleedde.'

'Oké, dan bel ik mijn advocaat en vraag of hij iemand kan aanbevelen. Nogmaals, ik moet je er écht op wijzen dat...'

'Ik weet wat je wilt zeggen. Als ik contact met Caitlin opneem, maak ik van een catastrofe een waar armageddon.'

'Bingo. Goed, ik ga met je accountant praten om te horen hoe het met je belastingen staat en meer van dergelijke leuke dingen. Morgen om zes uur heb ik al je spullen uit het appartement gehaald en ergens in de opslag gezet. Ik neem wel met Sally op hoe het moet met jouw aandeel in de borgsom, de spullen die jullie samen gekocht hebben enzovoort.'

'Ze mag alles houden.'

'Nee.'

'Het is míjn schuld dat het zo gelopen is. Het is allemaal míjn schuld en nu...'

'Nu ga je een week niets anders doen dan lange wandelingen maken, lekker in de hangmat liggen lezen, niet meer dan twee glaasjes wijn per dag drinken en lekker slapen. Is dat duidelijk?'

'Ja, dokter.'

'Over dokters gesproken. Ga nou niet meteen gillen, maar morgen om elf uur word je gebeld door een therapeut genaamd Matthew Sims. Ik heb een sessie van vijftig minuten met hem geregeld en als jullie het een beetje kunnen vinden, dan kunnen we er een dagelijkse telefoonsessie van maken. Neem maar van mij aan dat hij voor een therapeut lang niet slecht is.'

'Is hij jóúw therapeut?'

'Je hoeft niet zo verbaasd te doen.'

'Ik bedoel... Ik wist niet...'

'Lieverd, ik ben een agent in Hollywood. Natuurlijk ben ik in therapie. Deze man is echt goed en ik denk dat het goed voor je is om met iemand te praten.'

'Oké.'

'Mooi.'

'Alison?'

'Ja?'

'Je had dit echt niet hoeven doen.'

'Ik vind van wel. Goed, ik moet weer eens terug. Ik heb vanavond een afspraakje dat ik niet wil missen.'

'O, vertel eens!'

'Hij is een voormalig financieel directeur van een van de studio's. Hij is drieënzestig, heeft waarschijnlijk onlangs een drievoudige bypass gehad en zit in het beginstadium van de ziekte van Alzheimer, maar als er wat te stoeien valt, zeg ik geen nee.'

'Mijn god, Alison...'

'Luister eens, preutse figuur die je bent. Ik mag dan wel zevenenvijftig zijn, maar ik ben je moeder niet, dus ik mag best seks hebben.'

'Ik zeg er toch niks van?'

'Nee, dat moest er nog bij komen,' zei ze, en keek me schuin aan. Ze nam mijn handen in de hare en zei: 'Ik hoop echt dat het allemaal goed komt met je.'

'Ik doe mijn best.'

'Onthou nou maar dat wat er ook verder gebeurt met je carrière, je het allemaal wel te boven komt. Hoe vreemd het ook klinkt, het leven gaat gewoon door. Denk daar nou maar aan.'

'Dat beloof ik.'

'Ga maar gauw in die hangmat liggen.'

Zodra Alison was weggereden, volgde ik haar raad op. Ik pakte *The Thin Man* van Hammett uit Willard Stevens' boekenkast en liet me in de hangmat vallen. Hoewel het een van mijn favoriete thrillers was, de druk en afmattende gebeurtenissen van de laatste dagen maakten dat ik na één bladzijde al van de wereld was.

Ik werd wakker en voelde dat het een beetje kil was geworden. De zon hing laag boven zee. Ik kreeg het koud, was even een beetje gedesoriënteerd, maar binnen een paar seconden werd mijn brein weer bevolkt door het afgrijselijke scenario van de afgelopen paar dagen. Het liefst was ik meteen naar de telefoon gerend om Lucy te bellen, te zeggen dat ze een heel vuil spelletje speelde en dat ik Caitlin wilde spreken, maar ik zette het onzalige plan uit mijn hoofd en herinnerde me wat er was gebeurd toen ik McCall de waarheid had willen zeggen. Bovendien besefte ik dat de wereld over me zou vallen als ik het omgangsverbod negeerde. Ik stapte uit de hangmat, ging naar binnen en plensde wat water op mijn gezicht. Toen ik zag dat er niets te eten was, trok in een trui aan en reed naar de plaatselijke kruidenier.

Het was meer dan een kruidenierszaak, eerder een winkel van Sinkel annex delicatessenzaak. Alle winkels aan Main Street (de boekhandel, de cadeauwinkeltjes met geparfumeerde kaarsen en duur badzout, de modezaak met Ralph Lauren-overhemden in de etalage) wekten de indruk dat het welgestelde stadje zich richtte op de welgestelde eigenaren van de weekendhuisjes. Meredith leek me zo'n stadje waar de mensen beleefd afstand hielden.

Dat was zeker het geval in Fuller's Kruidenierswaren. Nadat ik wat elementaire benodigdheden voor het huis en zeer speciale pasta en pesto had aangeschaft, vroeg de dame van middelbare leeftijd die achter de toonbank stond (knap om te zien, grijs haar en een denim blouse – typisch de eigenaresse van een wat duurdere zaak) me niet of ik er pas was komen wonen, of ik een weekendgast was en meer van die nieuwsgierige praat. Ze rekende rustig af en zei: 'De pesto is een goede keus. Ik heb hem zelf gemaakt.'

Inderdaad, de pesto wás een goede keus, net als de fles Oregon Pinot Noir. Ik hield het bij twee glazen en lag al om tien uur in bed. Ik kon niet in slaap komen, dus stond ik op en keek naar Billy Wilders *The Apartment* (een van mijn favoriete films). Ik had hem al zeker vijf keer gezien, maar ik moest weer huilen toen Shirley MacLaine aan het einde van de film door de straten van Manhattan rende om Jack Lemmon haar liefde te betuigen. Na de film kon ik nog niet slapen, dus bleef ik op en bekeek een fantastische, een beetje in de vergetelheid geraakte jarendertigkomedie van Cagney, *Jimmy the Gent*. Tegen de tijd dat die was afgelopen, was het bijna drie uur. Ik ging naar bed en viel als een blok in slaap.

Ik werd wakker van de telefoon. Het was Matthew Sims, de therapeut die Alison voor me had geregeld. Hij had een aardige, kalme stem zoals het een therapeut betaamt. Hij vroeg of hij me wakker had gemaakt en toen ik dat bevestigde, zei hij dat het geen punt was me over een minuut of twintig terug te bellen. Het was zondag, zei hij, dus zijn agenda stond niet bepaald vol afspraken. Ik bedankte hem en ging naar de keuken om een pot koffie te zetten. Toen de telefoon weer ging, had ik al twee koppen gedronken.

Alison had helemaal gelijk: Matthew Sims was een uitstekende keus. Hij onthield zich van zachtaardige flauwekul en de 'ontdek het kind in je'-onzin. Hij liet me vertellen over de gebeurtenissen van de afgelopen week, waarom ik dacht dat ik een vrije val had gemaakt, waarom ik bang was nooit meer te herstellen van de professionele calamiteiten, me waanzinnig schuldig voelde over het opbreken van mijn gezin en me afvroeg of de hele toestand mijn eigen schuld was. Sims haakte daar natuurlijk meteen op in. 'Wil je beweren dat je de ellende al dan niet bewust hebt aangetrokken?'

'Onderbewust, denk ik.'

'Geloof je dat echt?'

'Hoe zijn die teksten anders in mijn werk gekomen?'

'Dergelijke dingen overkomen schrijvers toch vaker?'

'Misschien wílde ik dat het uitkwam.'

'Vertel?'

'Dat ik...'

'Ga door?'

'Het feit dat ik niets voorstel.'

'Geloof je dat nou echt? Denk eens aan al het succes dat je de laatste tijd hebt gehad.'

'Ik weet nu dat ik helemaal niets voorstel.'

De vijftig minuten waren om en we spraken af dat hij me de volgende dag om elf uur weer zou bellen.

Die dag luierde ik een beetje in de hangmat en maakte lange strandwandelingen. Ik deed weinig meer dan nadenken. Ik hield imaginaire monologen waarin ik Lucy alles zei wat ik op mijn hart had, Sally overtuigde me – óns – nog een kans te geven en op televisie werd ik geïnterviewd door Charlie Rose. Mijn reactie op McCalls aantijgingen was zo indrukwekkend, dat Brad Bruce me de dag na de uitzending belde en zei: 'Dave, we hebben een stomme fout gemaakt. Kom nou maar gauw terug, dan gaan we aan de slag voor het derde seizoen.'

Natuurlijk, dromen zijn bedrog. Het zat er echt niet in. Ik had het verknald, had de boel laten escaleren en het was een persoonlijk drama geworden. Ik pijnigde mijn hersenen met 'stel dat...' Stel dat ik niet zo fel had gereageerd op McCalls eerste beschuldiging, stel dat ik in het stof had gebeten, hem een brief had geschreven waarin ik hem bedankte dat hij me op mijn fout had gewezen. Maar nee, daar was ik te schijterig voor geweest, om nog maar te zwijgen over mijn arrogantie. Ik dacht terug aan het begin van mijn verhouding met Sally. Aan de ene kant was ik bang dat ik mijn gezin zou kwijtraken, aan de andere kant was ik dermate ingenomen met mezelf en mijn succes, dat ik dacht dat ik 'die prijs' wel had verdiend. Natuurlijk, stel dat ik nog met Lucy getrouwd was, dan had ik vast niet zo idioot gereageerd op McCalls uitspraken bij *Today*, al was het alleen maar omdat hij de opmerking over mijn vrouw en kind dan niet gemaakt had, de opmerking die me in het verkeerde keelgat was geschoten, waarna ik naar NBC was gereden en die scène had veroorzaakt.

Genoeg, genoeg. Om de bekende, zo vaak in kruissteek geborduurde spreuk maar eens aan te halen: gedane zaken nemen geen keer. Ik vertaalde de spreuk meteen naar mijn eigen situatie: zit je eenmaal in de hoek waar de klappen vallen, dan kom je er nooit meer uit.

Ik dacht terug aan mijn sessie met Sims. Had ik me de hele toestand nou echt moedwillig op de hals gehaald? Had ik zo weinig vertrouwen in mijn succes dat ik mijn val zélf had geregisseerd? Had ik, zoals Sally had gezegd, mijn eigen ondergang geregisseerd?

Tijdens de volgende sessie met Matthew Sims bracht ik het ter sprake.

'Bedoel je dat je jezelf niet vertrouwt?' vroeg hij.

'Kun je jezelf ooit helemaal vertrouwen?'

'Hoe bedoel je?'

'Hebben we niet allemaal iets zelfdestructiefs?'

'Misschien wel, maar de meeste mensen weten ermee om te gaan.'

'Ik dus niet.'

'Daar kom je steeds op terug, David. Denk je echt dat je alles aan jezelf te danken hebt?'

'Dat weet ik niet.'

De dagen erna gingen we daar uitgebreid op door. Had ik mezelf opzettelijk in de nesten gewerkt? Matthew probeerde me ervan te overtuigen dat er in het leven nu eenmaal dingen gebeurden waar je niets aan kon doen.

'Vergeet niet,' zei hij, 'dat iedereen die onder zware druk staat, dingen doet die hij anders nooit doet. Wat je aanvaring met McCall betreft, je hebt toch geen lichamelijk geweld gebruikt?'

'Nee, maar ik heb er mijn goede naam wél mee verknald.'

'Akkoord,' zei hij. 'Het was inderdaad een domme zet, maar de vraag is: hoe nu verder?'

'Geen idee.'

De sessies met Sims werden het centrale punt van de dag. Verder las en wandelde ik, ik keek oude films en vocht tegen de aandrang een paar mensen te bellen of online te gaan. Ik nam niet eens de moeite een krant te kopen. Alison belde elke avond klokslag zes uur en ik vroeg haar niet of ik nog in het nieuws was. We bespraken voornamelijk praktische zaken. Ze had mijn spullen ingepakt en in de opslag gezet. Dinsdag vertelde ze me dat ze een heel goede advocaat voor me had gevonden, ene Walter Dickerson. Ze had Sally de helft van de borgsom plus de helft van de waarde van de inboedel afgetroggeld en van die vijfduizend dollar kon Dickerson worden ingehuurd.

'Hoe was Sally?'

'In het begin vreselijk vijandig. "Hoe durf je?" begon ze, waarop ik zei: "Hoe durf jíj iemands huwelijk kapot te maken, om hem als het maar even tegenzit meteen aan de kant te schuiven?"'

'Heb je dat écht gezegd?'

'Reken maar.'

'Hoe reageerde ze daarop?'

'Meer "Hoe durf je?" Ik heb haar meteen gezegd dat ik niet de enige ben die er zo over denkt, maar dat héél Hollywood die mening is toegedaan. Je begrijpt dat ik dat ter plekke verzon, maar ze schrok wel degelijk en heeft de cheque uitgeschreven. Ik heb nog even moeten onderhandelen omdat ik vijfenzeventighonderd had geëist, maar goed, we zijn eruit gekomen.'

'Mooi. Bedankt.'

'Ach, het hoort bij de dienstverlening. Nu de kogel door de kerk is, wil ik wel even zeggen dat ik haar altijd een keiharde heb gevonden. Voor haar was jij niet meer dan een treetje hoger op de ladder.'

'Dat vertel je me nu pas.'

'Dat had jij toch zelf ook wel door?'

'Ja,' zei ik zachtjes. 'Ik denk eigenlijk van wel.'

's Woensdags vertelde Alison dat ze mijn accountant, Sandy Meyer, had gevraagd mijn financiën op een rijtje te zetten, maar dat ze er nog niet in was geslaagd Bobby Barra te bereiken. Een van Barra's compagnons had gezegd dat Bobby op zakenreis was in China. Ik twijfelde er niet aan dat hij zou proberen de Chinezen hun eigen Muur te verkopen.

Donderdag vertelde ze me dat Walter Dickerson al met Alexander McHenry om de tafel zat en dat ze hoopte dat er binnenkort iets uit kwam.

'Waarom heeft die Dickerson míj nog nooit gebeld?'

'Dat heb ik hem zowat verboden. Ik heb hem uitgebreid ingelicht en duidelijk gemaakt dat je absoluut weer contact met je dochter moet hebben. Ik heb hem opgedragen die McHenry eens goed onder handen te nemen. Wat zou jij er nog aan kunnen toevoegen?'

'Ik weet het niet. Niets, eigenlijk.'

'Kun je goed slapen?'

'Kon slechter.'

'Dat is dan een hele verbetering. Praat je elke dag met Sims?'

'Ja.'

'Zit er een beetje schot in?'

'Je weet hoe het gaat met die therapieën. Je herhaalt de boel zo vaak dat je er helemaal ziek van wordt, en dan denk je: hé, ik ben genezen.'

'Denk je dat je beter bent?' vroeg ze.

'Niet echt, nee. Humpty Dumpty is nog niet helemaal in elkaar gezet.'

'Het gaat in elk geval beter dan een week geleden.'

'Dat wel.'

'Blijf daar dan nog maar een week zitten,' zei ze.

'Ja, waarom niet. Wat moet ik anders?'

Mijn tweede weekend bracht ik door met nietsdoen, dat wil zeggen met het doorspitten van Willards uitgebreide filmcollectie, wat lezen, naar muziek luisteren, in de branding lopen, een paar lichte maaltijden en twee glazen wijn per dag. Ik probeerde niet te piekeren.

Het werd maandag. Vrijwel meteen na de telefonische sessie met Sims ging de telefoon. Het was mijn advocaat, Walter Dickerson.

'Ik draai er niet omheen, David,' zei hij. 'Je ex-vrouw heeft besloten het onderste uit de kan te halen. Haar eigen advocaat was het met me eens dat het omgangsverbod echt te ver ging. Tenslotte is er nooit sprake geweest van huiselijk geweld en heb je je, afgezien van één weekend, stipt aan de afspraken over Caitlin gehouden. McHenry heeft zijn best gedaan haar daarvan te overtuigen, maar ze is blijkbaar vastbesloten je te straffen. Wat we hier nu hebben, noemen wij advocaten "een situatie". Mijn ervaring is dat als mensen dermate kwaad zijn, ze helemaal buiten zinnen raken als ze met een tegenoffensief worden geconfronteerd. Met andere woorden: we kunnen het aanhangig maken en aanvoeren dat je je even hebt vergaloppeerd met de man die je carrière kapot heeft gemaakt, maar dat je hem geen haar hebt gekrenkt. Waarom zou je dan een gevaar opleveren voor je vrouw en kind? Ik garandeer je dat als we het zó aanpakken, ze er dubbel zo hard tegenaan gaat en je van alles voor de voeten zal gooien... dat je lid ben van een satanistische sekte en dat je voodoopoppen onder je bed hebt liggen.'

'Zo gek is ze nou ook weer niet.'

'Misschien niet, maar ze is witheet en als we die woede aanwakkeren, gaat dat je wat kosten, zowel letterlijk als figuurlijk. Ik heb het volgende met McHenry afgesproken... Ik weet het, het is niet ideaal, maar het is beter dan niets. McHenry denkt dat hij je vrouw kan overreden je één keer per dag met Caitlin te laten bellen.'

'Meer zit er niet in?'

'Kijk, aangezien ze je nu elk contact verbiedt, is één telefoontje per dag een stap in de goede richting.'

'Mag ik mijn dochtertje ooit weer zien?'

'Daar twijfel ik niet aan, maar misschien pas over een maand of twee.'

'Een maand of twee? Maar, Walter...'

'Ik kan geen wonderen verrichten, David. Ik moet rekening houden met wat de advocaat van de tegenpartij me vertelt over zijn cliënt. Op het ogenblik is één telefoontje per dag al pure winst. Zoals ik al zei, je kunt haar voor de rechter slepen, maar dat gaat je minimaal vijfentwintigduizend kosten. Bovendien, als de pers er lucht van krijgt... Als ik Alison mag geloven, is dat het laatste wat je kunt gebruiken.'

'Oké. Dan houden we het voorlopig op dat ene telefoontje per dag.'

'Heel verstandig,' zei Dickerson. 'Ik bel je zodra ik wat van de tegenpartij hoor. Trouwens... Ik ben een grote fan van *Selling You*.'

'Dank je,' zei ik zachtjes.

Die maandag belde Sandy Meyer ook nog. Hij vertelde dat ik binnen drie weken tweeënhalve ton belasting moest betalen en dat hij zich zorgen maakte over mijn liquiditeit.

'Ik heb BankAmerica gebeld. Er staat achtentwintigduizend op je rekening courant, wat net genoeg is voor twee maanden alimentatie voor Lucy en Caitlin. Daarna...'

'De rest van mijn vermogen zit bij Bobby Barra.'

'Ik heb zijn laatste afrekening bekeken, die van het afgelopen kwartaal. Het ziet er goed uit, want ik zie dat je twee maanden geleden 533.245 dollar bij hem had staan. Het probleem is dat je naast je aandelenportefeuille geen contanten hebt.'

'Als ik die ellende niet over me heen had gekregen, dan zou ik dit jaar tegen de twee miljoen verdienen, maar nu... Ik heb geen inkomsten. Je weet waar het geld is gebleven dat ik het eerste goede jaar heb verdiend.'

'Ja, dat weet ik. Dat is naar de belastingen gegaan en naar je ex.'

'God zegene hen.'

'Zo te zien zul je de helft van je aandelenportefeuille moeten verkopen om aan je belastingplicht te kunnen voldoen, maar ik heb van Alison begrepen dat FRT en Warner Brothers van plan zijn een half miljoen te vorderen. Als dat inderdaad gebeurt...'

'Ik weet het. Dan hang ik. Ik hoop dat Alison de vorderingen tot de helft kan terugbrengen.'

'Dat betekent dat je vrijwel je complete aandelenportefeuille moet verkopen. Heb je verder geen inkomsten?'

'Nee.'

'Hoe denk je dan de elfduizend dollar voor Lucy en Caitlin op te kunnen hoesten?'

'Met schoenen poetsen?'

'Ik neem aan dat Alison wel werk voor je kan vinden.'

'U weet toch dat ik van plagiaat beticht ben? Niemand wil zo iemand inhuren.'

'Verder heb je geen bezittingen?'

'Mijn auto.'

Ik hoorde hem met papieren ritselen. 'Een Porsche, nietwaar? Vermoedelijk zo'n veertigduizend waard?'

'Dat kan wel kloppen.'

'Verkopen dan maar.'

'Hoe moet ik me dan verplaatsen?'

'Met iets goedkopers. Nou ja, ik hoop dat Alison FRT en Warner Brothers kan overreden die vordering in te trekken. Mochten ze niet te vermurwen zijn, dan begrijp je dat een persoonlijk faillissement...'

'Ik begrijp het.'

'Duimen maar dat we die ellende kunnen vermijden. Goed. Ik heb van een compagnon van Bobby Barra begrepen dat hij aan het eind van de week terug is. Ik heb een boodschap voor hem achtergelaten dat hij me zo snel mogelijk moet bellen. Tegen de tijd dat Barra terug is, hebben we nog maar zeventien dagen voordat de belastingdienst geld wil zien. Het verkopen van een aandelenportefeuille kost ook tijd, dus...'

'Ik ga wel achter Barra aan,' zei ik.

De ochtend erop besprak ik mijn financiële problemen met Matthew Sims. Hij wilde uiteraard weten hoe ik eronder was.

'Ik doe het zowat in mijn broek.'

'Oké,' zei hij. 'Als we nou eens uitgaan van het ongunstigste scenario: je verliest alles en je gaat failliet. Geen cent op de bank. Wat dan? Denk je dat je nooit meer ergens aan de slag zult komen?'

'O, ik kan best werk vinden, maar dan wel het soort baan waar ik de klanten vraag: "Wilt u een milkshake bij de frietjes?"'

'Kom op, David. Je bent een slimme vent.'

'... maar in Hollywood wél persona non grata.'

'Laten we hopen dat dat tijdelijk is.'

'Of voor altijd. Dat is het ergste van alles, dat ik nooit meer zal kunnen schrijven.'

'Natuurlijk ga je weer schrijven.'

'Dat misschien wel, maar niemand die mijn schrijfsels nog aankoopt, en dáár schrijf je voor: je wilt een publiek, kijkers, wat dan ook. Schrijven is het enige waar ik goed in ben. Ik was een slechte echtgenoot en een redelijke vader, maar met woorden ben ik echt goed. Ik heb er meer dan tien jaar over gedaan om de wereld ervan te overtuigen dat ik een goede scenarioschrijver ben, en weet je wat? Ik heb het gemaakt, en wel zodanig dat ik meer succes heb gehad dan ik ooit voor mogelijk had gehouden. Maar nu wordt me letterlijk álles ontnomen.'

'Heb je het dan over je ex, die je verbiedt Caitlin ooit nog te zien?'

'Daar doet ze wel haar best voor, ja.'

'Denk je dat het haar gaat lukken?'

Voor de vijfde of zesde keer eindigde een sessie met 'Dat weet ik niet'.

Die nacht sliep ik slecht en ik was de volgende ochtend heel vroeg wakker. Het moment dat ik mijn ogen opende, spookte de ellende alweer door mijn hoofd.

Alison belde en ik hoorde meteen dat ze gespannen was.

'Heb je de krant al gezien?'

'Sinds ik hier zit, lees ik geen kranten meer. Wat nu weer?'

'Ik heb een gemengd bericht. Zowel goed als slecht nieuws. Wat wil je het eerst horen?'

'Het slechte, natuurlijk. Hoe slecht is slecht?'

'Dat hangt ervan af.'

'Waarvan?'

'Hoezeer je aan je Emmy gehecht bent.'

'Willen die schoften hem terug?'

'Ja, dat is al gebeurd. De *LA Times* meldt dat ze je de Emmy hebben afgenomen omdat...'

'Ik weet waarom.'

'Het spijt me vreselijk, David.'

'Laat maar. Het is maar een lelijk blikken dingetje. Ik neem aan dat je het hebt ingepakt?'

'Ja.'

'Stuur maar terug. Opgeruimd staat netjes. Dan nu het goede nieuws, alsjeblieft.'

'In hetzelfde artikel staat dat de SATWA gisteravond een motie heeft aangenomen waarin staat je wordt berispt...'

'En dat noem jij goed nieuws?'

'Laat me nou even uitspreken. Er lag een motie op tafel waarin het je voor onbepaalde tijd onmogelijk gemaakt zou worden nog als scriptschrijver te werken, maar die is weggestemd.'

'Het zal wel. De studio's en producenten zorgen er wel voor dat ik nooit meer aan de bak kom, met of zonder decreet van de SATWA.'

'Kijk, David, je zult zeggen dat ik mijn eigen draai aan het verhaal geef, maar een berisping is ook niet meer dan dat. Het is een goed teken dat de beroepsvereniging de hele affaire op waarde heeft geschat: het is complete flauwekul.'

'De mensen van de Emmy anders niet.'

'Die doen het alleen voor de publiciteit. Zodra je terug bent...'

'Ik geloof niet in reïncarnatie. Nou ja, je weet wat Scott Fitzgerald tijdens een van zijn zeldzame nuchtere momenten heeft gezegd: "In Amerika krijgt een mens maar één kans."'

'En mijn motto is: "Het leven is kort, maar schrijverscarrières zijn een lang leven beschoren." Ga maar eens vroeg naar bed, David. Je klinkt niet best.'

'Ik voel me ook niet best.'

Natuurlijk slief ik niet vroeg in. In plaats daarvan zag ik alle drie de delen van *The Apu Trilogy* (een zes uur durend drama dat zich afspeelt in het India van de jaren vijftig; een briljante film, maar alleen een manisch slapeloze kan er zes uur lang naar kijken). Toen de film was afgelopen, stommelde ik richting bed.

Ik werd wakker van de telefoon. Wat voor dag was het? Woensdag? Donderdag? Het zei me weinig meer; tijd speelde geen rol.

Nog niet zo lang geleden waren mijn dagen overvol: een paar uur schrijven, een productievergadering, brainstormen, eindeloze telefoongesprekken, een zakenlunch, een zakendiner, een screening, een festiviteit waar ik gezien móést worden, om het weekend Caitlin en de weekenden dat ik haar niet had, zat ik de hele dag achter de computer om er een nieuwe aflevering uit te persen. Persen, persen, persen maar. Ik was me ervan bewust dat het heel lekker ging en als dat zo is, kun je het je niet veroorloven pauzes in te lassen, want dan...

De telefoon bleef overgaan. Ik nam op.

'David? Met Walter Dickerson. Heb ik je uit bed gebeld?'

'Hoe laat is het?'

'Tegen het middaguur. Ik bel wel terug.'

'Nee, laat maar. Heb je nieuws?'

'Ja.'

'En?'

'Het is redelijk goed nieuws.'

'Vertel.'

'Je ex gaat akkoord met het voorstel. Je mag Caitlin bellen.'

'Dat is een stap in de goede richting.'

'Zeker. Er zijn wel voorwaarden aan verbonden: je mag om de dag bellen en de gesprekken mogen maar een kwartier duren.'

'Komen die voorwaarden uit haar koker?'

'Ja, en volgens haar advocaat kostte het hem aardig wat moeite haar zover te krijgen.'

'Wanneer mag ik bellen?'

'Vanavond. Je ex heeft graag dat het op vaste tijden gebeurt. Ze stelt voor dat je om zeven uur 's avonds belt. Komt dat jou een beetje uit?'

'Ja,' zei ik, en ik dacht: ik heb ook niet echt een uitpuilende agenda. 'Walter, wanneer kan ik mijn dochter zien?'

'Dat ligt eerlijk gezegd aan je ex. Als ze kwaad wil, kan ze het maanden rekken. In dat geval – en als je het kunt betalen – maken we het aanhangig. We moeten er maar op hopen dat ze wat afkoelt en bereid is akkoord te gaan met een voor beide partijen acceptabele omgangsregeling. Het zal niet van de ene dag op de andere gaan. Ik wou dat ik beter nieuws had, maar zo langzamerhand heb je wel begrepen dat er niet zoiets bestaat als een vriendschappelijke scheiding. Zeker als er een kind bij betrokken is, zijn er veel geschilpunten. Hoe het ook zij, je kunt je dochter bellen. Het is een beginnetje.'

Zoals afgesproken belde ik Caitlin om zeven uur. Lucy had haar waarschijnlijk bij de telefoon geposteerd, want mijn dochter nam meteen op.

'Papa!' Zo te horen was ze blij mijn stem te horen. 'Waarom ben je opeens verdwenen?'

'Ik moest er even tussenuit, om te werken.'

'Wil je me dan niet meer zien?'

Ik slikte. 'Ik wil je heel graag zien, maar het is... Ik kan op het ogenblik niet...'

'Waarom niet?'

'Omdat... omdat ik te ver weg ben. Ik moet werken.'

'Mama zegt dat je in de narigheid zit.'

'Dat is ook zo. Ik heb een paar probleempjes, maar het gaat al een stuk beter.'

'Kom je me gauw halen?'

'Zo gauw mogelijk.' Ik zuchtte en beet op mijn onderlip. 'In de tussen-tijd kunnen we gezellig met elkaar bellen...' Ik kon me niet goed houden.
'Wat is er, pap?'

'Niets. Helemaal niets.' Ik vermande me. 'Vertel eens, hoe gaat het op school?'

De volgende veertien minuten hadden we het over van alles en nog wat, over haar rol als engel in het toneelstuk dat met Pasen zou worden opge-voerd, dat ze Pino maar stom vond en het Koekiemonster juist heel leuk, dat ze een Barbiepop wilde...

Ik keek op mijn horloge en na exact een kwartier hoorde ik Lucy op de achtergrond roepen: 'Zeg tegen papa dat de tijd om is.'

'Papa, de tijd is om.'

'Oké, schatje. Ik mis je heel erg.'

'Ik mis jou ook.'

'Ik bel vrijdag weer. Mag ik mama even?'

'Mama? Papa wil je even spreken. Dag, pap.'

'Dag, schatje.' Ik hoorde dat de hoorn werd doorgegeven, maar Lucy hing op zonder ook maar één woord te zeggen.

De volgende dag was dat telefoontje het enige waar Sims en ik het over hadden.

'Lucy verafschuwt me. Ik weet haast zeker dat ze me geen toestemming zal geven Caitlin ooit nog te zien.'

'Ze laat je wel met je dochter bellen, dus vergeleken met een week gele-den is er duidelijk vooruitgang geboekt.'

'Het is allemaal mijn eigen schuld.'

'Hoe lang geleden ben je eigenlijk bij Lucy weggegaan?'

'Twee jaar geleden.'

'Je hebt me tijdens ons eerste gesprek verteld dat je je wat de boedelver-deling betreft heel coulant hebt opgesteld.'

'Lucy heeft het huis gekregen, hypotheekvrij.'

'Sindsdien heb je de alimentatie keurig betaald, ben je een goede vader geweest en heb je je op geen enkele manier vijandig tegenover haar opge-steld.'

'Klopt.'

'Goed. Als ze zich twee jaar na de scheiding nog steeds vijandig opstelt, dan is dat háár probleem, niet het jouwe, en als ze Caitlin in de strijd gooit, zal ze zich vandaag of morgen wel moeten realiseren dat ze bijzonder egoïstisch bezig is, want reken er maar op dat Caitlin haar dat onder de neus zal wrijven.'

'Ik hoop het maar. Toch, ik word nog steeds achtervolgd...'

'Waardoor?'

'Door schuldgevoel, dat ik hen heb verlaten, dat ik een grote fout heb gemaakt.'

'Zou je terug willen?'

'Dat zit er niet in. Daarvoor is er veel te veel gebeurd, veel te veel haat en nijd. Maar dat neemt echter niet weg dat ik een grote fout heb gemaakt.'

'Weet Lucy dat je er zo over denkt?'

Toen ik de vrijdag erop belde, wilde Lucy nog steeds niet met me praten. Na een kwartier zei ze tegen Caitlin dat ze moest ophangen en zondag was het niet anders. Ik kon Caitlin nog net mijn telefoonnummer geven en zeggen dat ze haar moeder moest vertellen dat ik de komende weken op dat nummer te bereiken was.

Het besluit om in Willards cottage te blijven zitten, was snel genomen. Ik had verder ook niet veel keus en het toeval wilde dat Willard had besloten er nog een halfjaar in Londen aan vast te knopen, waardoor ik langer kon blijven.

'Hij heeft een grote opdracht binnengehaald,' wist Alison, 'en zo te horen bevalt de grijze somberte daar in Londen hem goed. Het ziet ernaar uit dat je er zeker tot Kerstmis kunt blijven zitten. Hij liet me weten dat hij blij was dat jij zijn huisbewaarder was, en afgezien van de kosten van gas, water en licht hoeft hij er geen cent voor te hebben.'

'Klinkt goed.'

'Hij wil je ook laten weten dat hij het belachelijk vindt wat je is aangedaan. Zo gigantisch overdreven allemaal. Hij heeft de mensen van de Emmy laten weten dat hij het maar een stelletje eikels vindt.'

'Heeft hij het zo geformuleerd?'

'Zo ongeveer.'

'Als je hem weer spreekt, zeg dan dat ik hem zeer erkentelijk ben. Dit is echt een meevaller voor me.'

Mijn voorspoed was geen lang leven beschoren, want de dag erop kreeg ik Bobby Barra eindelijk aan de lijn. Wat hij me te vertellen had, was een grote schok. Ik belde hem op zijn mobieltje en zodra hij mijn stem hoorde, dacht ik iets van onzekerheid te ontwaren.

'Hé! Hoe gaat het met je?' vroeg hij.

'Ik heb betere tijden gekend.'

'Ja, ik hoor dat je wat tegenslag hebt gehad. Waar zit je eigenlijk?'

Ik vertelde hem dat Sally me uit huis had gezet en dat Alison een schuilplaats ergens aan de kust voor me had geregeld.

'Man, je zit echt aan de grond.'

'Dat kun je wel stellen.'

'Hoor eens, het spijt me dat ik geen contact heb gezocht, maar zoals je misschien weet, zat ik in Sjanghai voor die emissie van dat bedrijf met die zoekmachine. Ik neem aan dat je wilt weten hoe het is gelopen?'

Er begon een alarmbelletje te rinkelen.

'Wat heb ik met die emissie te maken?'

'Wat jij met die emissie te maken hebt... Wacht nou even. Je hebt me zelf gezegd dat ik je hele portefeuille kon verkopen en in die emissie moest stappen.'

'Dat heb ik nooit gezegd.'

'O, nee? Herinner je je dan niet dat ik je paar maanden geleden heb gebeld over het dividend over het laatste kwartaal?'

'Ja, dat weet ik nog, maar...'

'Wat heb ik je toen gevraagd?'

Wat hij me had gevraagd, was of ik interesse had om bij het selecte clubje te horen dat kon investeren in een emissie van een bedrijf dat een Aziatische zoekmachine ging opzetten en marktleider in Azië zou worden. Ik herinnerde het me letterlijk:

'Zie het maar als een investering in een Yahoo met spleetogen.'

'Wat is dat weer een politiek correcte uitspraak van je, Bobby.'

'Hoor eens, we hebben het wel over de grootste, nog vrijwel braakliggende markt ter wereld. Dit is dé kans er met weinig geld in te stappen, maar ik moet het wel snel weten. Wat vind je ervan?'

'Je hebt me tot op heden nog geen slecht advies gegeven...' zei ik.

'Heel verstandig.'

Shit, hij had het opgevat als een verkoopopdracht.

'Dat wás toch ook een verkoopopdracht?' vroeg Bobby. 'Ik heb je gevraagd of je interesse had en toen heb je bevestigend beantwoord. Ik heb het opgevat als een bevestiging dat je mee wilde doen.'

'Heb ik gezegd dat je mijn hele portefeuille kon verkopen?'

'Nee, maar het tegendeel heb ik ook niet gehoord. Meedoen is meedoen.'

'Zonder schriftelijke toestemming mijnerzijds had je geen enkel aandeel mogen verkopen.'

'Dat is gelul en dat weet je donders goed. Wat denk je eigenlijk wel? Dat we in de aandelenbusiness werken met het naar elkaar toe schuiven van getekende overeenkomsten? In mijn vak telt elke seconde, dus als iemand me zegt dat ik kan verkopen...'

'Dat héb ik niet gezegd.'

'Ik heb je een aanbod gedaan om in een emissie te stappen en daar heb je ja op gezegd. Als je het contract wat jij met ons hebt gesloten erop naleest, zul je zien dat er een clausule in staat die ons machtigt aandelen te kopen of te verkopen na een mondelinge overeenkomst. Oké, als je naar de geschillencommissie wilt stappen, ga je gang. Ze lachen je vierkant uit, reken daar maar op.'

'Ik geloof niet dat we...'

'Het is echt niet het einde van de wereld. Ik voorzie dat de prijs per aandeel in een maand of negen verviervoudigd is. Niet alleen heb je het verlies dan...'

Nu rinkelden er drie alarmbelletjes.

'Wat zei je daar?'

Hij bleef kalm. 'Ik wilde zeggen dat de technologieaandelen het even moeilijk hebben. De koers is niet helemaal gegaan zoals we hadden gehoopt en op het ogenblik sta je op vijftig procent verlies.'

'Dat kan niet waar zijn.'

'Wat wil je dat ik zeg? Het gebeurt. Het blijft natuurlijk gokken, maar ik ben altijd bezig met het minimaliseren van het risico. Soms werkt de markt niet mee en gebeuren er onverwachte dingen. Het is echt niet rampzalig, verre van dat. Over een jaar, dat garandeer ik je, heb je...'

'Bobby, over een jaar zit ik vast wegens het niet betalen van mijn schulden. De belastingdienst krijgt een kwart miljoen van me. FRT en Warner Brothers krijgen, als het meezit, eenzelfde bedrag. Besef je wel wat me is overkomen? Al mijn contracten zijn verscheurd. In Hollywood ben ik een melaatse. Het enige wat ik heb, heb ik bij jou belegd, en nu vertel je me...'

'Wat ik je vertel, is dat je niet in paniek moet raken.'

'En wat ik jóú vertel, is dat ik een week of twee heb om mijn belasting te betalen. De belastingdienst heeft geen mededogen met iemand die zijn schuld te laat voldoet. Het zijn de grootste schoften die er rondlo...'

'Wat wil je nou van me?'

'Zorg maar dat je mijn geld terugkrijgt.'

'Dan zul je geduld moeten hebben.'

'Voor geduld is geen tijd.'

'Ik kan niets voor je doen. Dat wil zeggen, niet meteen.'

'Wat kun je wél voor me doen?'

'Ik kan je de huidige waarde van de portefeuille overmaken. Dan hebben we het over een kwart mil...'

'Je hebt me geruïneerd.'

'Dat heb je dan nog altijd zelf gedaan. Wacht nou maar een maand of negen en je zult zien dat...'

'Ik heb verdomme geen negen maanden. Ik heb zeventien dagen en als ik mijn belasting heb betaald, ben ik blut. Hoor je dat? Blut.'

'Wat wil je van me? Het is en blijft gokken.'

'Als je rechtdoorzee was geweest...'

'Ik ben verdomme altijd eerlijk tegen je geweest, zak. Laten we wel wezen: als jij je niet van andermans teksten had bediend, had je geen schop onder je kont gekregen en...'

'Vuile schoft die je er bent!'

'Mooi. Dat doet de deur dicht. Letterlijk en figuurlijk. Ik doe geen zaken meer met je.'

'Nee, dat snap ik. Je hebt me geflest en...'

'Ik beëindig dit gesprek. Ik heb nog één vraag: moet ik de aandelen verkopen?'

'Ik heb geen keus.'

'Dit is een verkoopopdracht?'

'Ja. Verkopen die handel.'

'Mooi. Komt in orde. Het staat morgen op je rekening. Einde verhaal.'

'Waag het niet me ooit nog te bellen,' zei ik.

'Waarom zou ik?' zei Bobby. 'Ik doe geen zaken met mislukkelingen.'

Gedurende mijn daaropvolgende sessie met Sims bracht ik die laatste opmerking ter sprake.

'Beschouw je jezelf als een mislukkeling?' vroeg hij.

'Wat vind jij?'

'Ik vraag het aan jou, David.'

'Niet alleen ben ik een mislukkeling, ik ben een totale ramp. Alles, alles is me ontvallen, en dat allemaal door mijn eigen stommiteit. Ik ben veel te veel met mezelf bezig geweest.'

'Daar gaan we weer. Moet je nou echt weer je zelfhaat etaleren?'

'Wat dacht je? Nu zit ik ook nog financieel aan de grond.'

'Denk je niet dat je slim genoeg bent om er weer bovenop te komen?'

'Hoe dan? Door zelfmoord te plegen?'

'Dat soort dingen moet je dus niet tegen je therapeut zeggen.'

Mijn accountant was niet erg gelukkig toen ik hem vertelde over het debacle met Bobby Barra.

'Ik zeg niet dat ik je gewaarschuwd heb,' zei Sandy Meyer, 'maar ik heb je wel gezegd dat het niet verstandig is je hele portefeuille bij één vermogensbeheerder onder te brengen.'

'Hij heeft het tot nu toe altijd uitstekend gedaan,' wierp ik ertegenin, 'en ik verwachtte ook dit jaar goed te boeren.'

'Ik begrijp het, David. Het is allemaal heel vervelend. Ik stel het volgende voor: de tweeënhalve ton die je morgen op je rekening gestort krijgt, gaat naar de belastingdienst. De schuld bij je creditcardmaatschappijen bedraagt achtentwintigduizend, dus de dertig die je nog op je rekening hebt staan, gaat daarheen. Je houdt tweeduizend dollar over. Alison zei dat je geen huur hoeft te betalen en...'

'Klopt. Ik betaal geen huur en leef van tweehonderd dollar per week.'

'Dan kun je tien weken voort. Blijft het probleem dat Lucy en Caitlin elfduizend per maand moeten hebben. Ik heb het er met Alison over gehad en die vertelde me dat je een uitstekende advocaat hebt. Ik weet zeker dat de rechter dat bedrag gezien de veranderde omstandigheden zal willen terugbrengen.'

'Maar dat wíl ik helemaal niet.'

'Hoor eens, David. Lucy verdient heel aardig en als je het mij vraagt, was de alimentatie altijd al veel te hoog. Ik weet dat je destijds een miljoen per jaar verdiende, maar dan nog vond ik het een veel te hoog bedrag om je... sorry dat ik het zeg... schuldgevoelens mee af te kopen.'

'Dat was het ook. Dat is het nog steeds.'

'Je kunt het je niet meer veroorloven je schuldig te voelen. Elfduizend per maand is niet op te brengen.'

'Ik verkoop de auto wel, zoals je al voorstelde. Ik kan er veertigduizend voor krijgen.'

'Wat komt ervoor in de plaats?'

'Iets goedkoops, iets van ruim onder de zevenduizend dollar. Met wat ik dan overhou, kan ik zowat drie maanden alimentatie betalen.'

'En als het op is?'

'Geen idee.'

'Als ik jou was, zou ik Alison vragen werk voor je te zoeken.'

'Ze mag dan de beste agent zijn die er is, maar die vindt heus geen werk meer voor me.'

'Ik bel haar wel even, als het mag.'

'Bespaar je de moeite. Ik ben een hopeloos geval.'

Een paar dagen later belde Alison. 'Zo, hopeloos geval,' begon ze.

'Ah, ik begrijp dat je mijn gewaardeerde accountant hebt gesproken.'

'Ja, en nog een boel anderen,' zei ze. 'Met inbegrip van de heren van FRT en Warner Brothers.'

'En?'

'Het is weer zo'n gemengd bericht. Eerst maar even het slechte nieuws. FRT en Warner Brothers staan erop dat je je schuld voldoet.'

'Dan kan ik wel inpakken.'

'Wacht nou even. Het goede nieuws is dat ze hun eis hebben bijgesteld en genoegen nemen met de helft van de oorspronkelijke eis. Dan hebben we het dus over ieder honderdtwintigduizend.'

'Dan ben ik dus nog steeds geruïneerd.'

'Sandy heeft het me allemaal uitgelegd. Ik heb het zo geregeld dat je het in termijnen kunt afbetalen en je hebt een halfjaar respijt.'

'Is dat even boffen, maar ik kán niets afbetalen. Zoals je weet, heb ik geen werk.'

'Dat heb je wél.'

'Waar heb je het over?'

'Ik heb werk voor je gevonden.'

'Als scenarist?'

'Nou en of. Niet bepaald het soort werk waarmee je in de schijnwerpers komt te staan, maar het is werk. Voor het aantal uren dat je ervoor nodig hebt, is het nog goed betaald ook.'

'Vertel nou maar wat het is.'

'Alleen als je belooft dat je niet gaat grommen en sissen.'

'Schiet nou maar op.'

'Het gaat om een roman, of liever gezegd het bewerken van een scenario tot een roman.'

Ik moest me inhouden om niet te grommen. Het was broodschrijverij. Je kreeg een scenario voor een film in de maak en bouwde dat om tot een kort, makkelijk lezend romannetje van het type dat je in supermarkten en goedkope discountzaken bij de kassa ziet liggen. Ik beschouwde het als het laagste van het laagste, het soort werk dat je aanpakte als je geen gevoel voor eigenwaarde had of als je volkomen aan de grond zat. Maar ja, ik voldeed aan beide eisen, dus ik slikte mijn bezwaren in en vroeg: 'Wat voor film is het?'

'Niet grommen, oké?'

'Ik heb daarnet toch ook niets laten horen?'

'Nou, misschien dat je het nu niet kunt helpen. Het is een tienerfilm van New Line.'

'Genaamd?'

'*Losing It.*'

Ik gromde. 'Laat me eens raden? Twee pokdalige knapen van zestien willen hun maagdelijkheid verliezen en...'

'Heel slim, David. Petje af. Alleen de leeftijd klopt niet. Ze zijn zeventien.'

'Die zijn er dan ook een beetje laat bij.'

'Pas op, maagdelijkheid is tegenwoordig helemaal in.'

'Hoe heten onze hoofdpersonen?'

'Hou je vast... Chip en Chuck.'

'Klinkt eerder als twee bevers in een tekenfilm. Het speelt zich zeker af in een spannend oord als Van Nuys?'

'Je bent warm. Ergens in een van de randgemeenten van LA.'

'Wordt een van de twee een verknipte moordenaar?'

'Nee, *Scream* is het ook weer niet. Er zit wel een duizelingwekkend mooie wending in het verhaal. Het meisje met wie Chip uiteindelijk een wip maakt, blijkt Chucks halfzusje te zijn.'

'En Chuck wist zeker niet dat hij een halfzusje had?'

'Bingo. Het meisje, dat overigens January heet, blijkt...'

'January?'

'Tja, het is zo'n soort film, weet je.'

'Duidelijk. Het klinkt allemaal héél erg.'

'Mee eens, maar ze betalen vijfentwintigduizend als je binnen twee weken kunt leveren.'

'Verkocht,' zei ik.

Het scenario werd de volgende dag per koerier bezorgd. Het was vreselijk: dommig, vol smerige grappen over erecties, clitorissen en winderigheid, met volkomen eendimensionale hoofdpersonen, de gebruikelijke tienersituaties (met inbegrip van een pijpscène op de achterbank) en de onontbeerlijke vechtpartij als Chuck erachter komt dat het meisje met wie Chip vrijt zijn zusje is. Daarna volgde natuurlijk de even onontbeerlijke finale, waarin de hoofdpersonen wat geleerd hebben: Chip en Chuck maken het goed, net als Chuck en zijn vader, en January bekent Chip dat hij haar eerste minnaar was, dat ze geen vaste verkering wil en dat ze altijd vrienden zullen blijven.

Meteen nadat ik het scenario had gelezen, belde ik Alison.

'Nou?' vroeg ze.

'Rotzooi.'

'Dus die twee weken gaat lukken?'

'Geen enkel probleem.'

'Mooi. Ik heb hier een paar voorwaarden voor me liggen, waarvan Max Newton, de uitgever, graag ziet dat je je eraan houdt. De lengte mag niet meer dan 75.000 woorden zijn. Vergeet niet dat je voor een dommig publiek schrijft, dus hou het snel en simpel. Zorg dat de seksscènes... hoe zei hij het ook alweer... "lekker, maar niet al te lekker" zijn. Snap je dan wat hij bedoelt?'

'Ik denk van wel.'

'Nog iets. Hij weet dat jij de schrijver bent.'

'Dat was geen punt?'

'Ach, hij zit in New York en hij vindt alles wat hier gebeurt op zijn gunstigst stupide. We zijn wel overeengekomen dat het voor beide partijen beter is als we met een pseudoniem werken. Dat vind je toch niet erg, hè?'

'Grapjurk. Ik wíl mijn naam niet eens aan dergelijke rotzooi verbinden.'

'Verzin maar een pseudoniem dan.'

'Wat vind je van John Ford?'

'Ach, waarom niet? Oké, David, luister. Jíj weet dat het bagger is, ík weet het én de uitgever weet het, maar...'

'Ik snap het. Lever goed werk.'

'Goed zo, jochie.'

Als ik de dag nadat het scenario werd bezorgd zou beginnen, had ik dertien werkdagen. Om te beginnen moest ik per hoofdstuk een verhaallijn ontwikkelen (dat wilde ik die dag nog doen). Ik deelde het aantal te leveren woorden door het aantal dagen dat ik eraan kon werken en kwam uit op 4.230 per dag. Als ik dat haalde, zou ik precies op tijd kunnen inleveren.

Met dubbele interlinie gingen er 250 woorden op een pagina, dus ik moest een kleine zeventien pagina's per dag schrijven. Dat was een idioot hoog aantal, zij het dat het materiaal waarmee ik te maken had niet beter verdiende dan een snelle productie en weinig denkwerk.

Maar goed, werk is werk, zeker als er verder niets in je vak te krijgen is. Ik vatte het serieus op, vastbesloten ervan te maken wat er met dit slechte materiaal van te maken was: 'het boek naar de film' moest professioneel in elkaar zitten en op tijd worden ingeleverd.

Ik hield me aan het strakke tijdschema dat ik had opgesteld en liet me maar door twee dingen van het werk houden: mijn telefoontjes met Caitlin en mijn sessies met Matthew Sims.

'Je klinkt heel wat opgewekter,' zei Sims toen ik halverwege het boek was.

'Ach, ik heb werk. Vraag me niet wát, maar...'

'Je toont inzet en dat is bewonderenswaardig.'

'Ik kan het geld goed gebruiken en het is fijn dat ik mijn dagen kan vullen met iets constructiefs.'

'Met andere woorden, je bent ergens verantwoordelijk voor en je bewijst jezelf dat je in de toekomst best werk kunt vinden.'

'Dit is niet helemaal wat ik voor ogen heb.'

'Het is een begin. Het betaalt ook nog redelijk, zei je? Dan heb je toch alle reden om tevreden te zijn met wat zich laat aanzien als een positieve doorstart?'

'Niet echt. Werken aan "het boek naar de film" kun je met geen mogelijkheid positief noemen.'

Toch, ik was plichtsgetrouw, haalde mijn dagelijkse quota en hield me strikt aan het schema. Ik leverde gedegen werk en waakte ervoor me te verlagen tot het niveau van het scenario. Ik haalde de deadline en leverde het werk een uur voor sluitingstijd af bij het kantoortje van de koeriersdienst.

Ik maakte drie kopieën: één voor de uitgever in New York, één voor Alison en één voor mezelf. Na gedane zaken reed ik naar een Italiaans restaurant in Santa Barbara (een ritje van veertig minuten) en trakteerde mezelf op het eerste eten buitenshuis sinds ik in de cottage zat. Na zulke noeste arbeid had ik wel een kleine uitspatting verdiend. Het was heerlijk weer eens buiten de deur te eten. De afgelopen jaren was ik dat als vanzelfsprekend gaan beschouwen, maar in Santa Barbara ervoer ik het als heel bijzonder. Na het eten maakte ik een lange strandwandeling, verheugd over het simpele feit dat ik heel redelijk werk had geleverd, én op tijd.

Blijkbaar was het meer dan redelijk, want een dag of drie later belde Alison me om te zeggen dat de uitgever erg enthousiast was.

'Moet je horen wat Max zei. "Die vent heeft van pure bagger goede bagger gemaakt." Hij is zeer onder de indruk, niet alleen van je lekkere stijl, maar ook omdat je op tijd hebt ingeleverd. Neem maar van mij aan dat dat voor een auteur heel bijzonder is. Hij geeft eens in de maand zo'n "boek naar de film" uit. In het verleden had hij een hele stal schrijvers op wie hij een beroep kon doen, maar om de een of andere reden werkte dat niet meer. Hij wil je graag een contract voor zes boeken aanbieden. Per boek vang je vijfentwintigduizend dollar en het gaat om één boek per maand.'

'Ik kan onder dat pseudoniem blijven schrijven?'

'Ja, als John Ford. Dat is geen enkel punt. Het mooie is dat je met dit contract je schuld aan FRT of Warner Brothers kunt aflossen.'

'Vergeet niet dat ik ook nog alimentatie moet betalen.'

'Natuurlijk. Daar heb ik het nog even met Sandy over gehad. Je moet dat bedrag echt omlaag zien te krijgen. Het is van de gekke. Lucy kan zich best...'

'Laat maar zitten, Alison.'

'Zoals je wilt.'

'Ik ben blij met de opdracht, Alison, heel erg blij. Ik dacht niet dat ik ooit opgetogen zou raken van dit soort werk, maar...'

'Het is beter dan niks. Veel beter.'

Ik sliep die nacht goed. De volgende ochtend werd ik goed uitgerust wakker en was ik opmerkelijk positief gestemd. Als Max Newton in zijn sas was met de volgende zes boeken, kon ik zijn vaste kracht voor dergelijk werk worden. Met de voorgestelde vergoeding, met inachtneming van Alisons percentage en de belasting, kon ik Lucy blijven betalen en had ik mijn schuld aan FRT en Warner Brothers in twee jaar afbetaald.

'Het is goed om te horen dat je zo optimistisch gestemd bent,' zei Matthew Sims.

'Het is goed dat ik niet meer hoef te bedelen.'

Alison stuurde me de cheque van Max Newton door. Ik stortte het geld op de bank, liet het direct op Lucy's rekening storten en stuurde haar die avond een korte e-mail.

Heb vandaag twee maanden alimentatie op je rekening laten storten. Zou het prettig vinden je eens te spreken.

De avond daarna, toen ik op het punt stond het gesprekje met mijn dochter te beëindigen, vroeg ik Caitlin of ik haar moeder even aan de lijn kon krijgen.

'Sorry, pap,' zei Caitlin. 'Mama zegt dat ze geen tijd heeft.'

Ik liet het maar zitten.

Na een paar dagen had ik nog geen nieuw scenario van Max Newton ontvangen, dus e-mailde ik Alison en vroeg haar wat er aan de hand was. Ik kreeg een mail terug waarin stond dat ze Newton de dag ervoor nog had gesproken, dat alles in orde was en dat ze het contract voor de nieuwe reeks elk moment verwachtte.

De dag na haar mailtje belde Alison. Ik hoorde meteen aan haar stem dat er wat was.

'Ik weet niet precies hoe ik het moet brengen…' begon ze.

Het lag op het puntje van mijn tong om te zeggen: wat nou weer? Maar ik kon het niet opbrengen, dus ik wachtte maar af.

'Max trekt zijn aanbod in.'

'Hij wát?'

'Het gaat niet door.'

'Waarom niet?'

'Een stukje van onze vriend, Theo McCall…'

'Niet weer, hè?'

'Ik lees het even voor. Het zijn maar een paar regels. "O, wat vangen hoge bomen toch veel wind. De bedenker van *Selling You*, David Armitage, wegens plagiaat door FRT de laan uit gestuurd (zoals wij als eerste berichtten) en publiekelijk aan de schandpaal genageld vanwege een handgemeen met een journalist (*c'est moi*) op het parkeerterrein van NBC, heeft zich verlaagd tot de onderste regionen van het schrijversvak, te weten het vervaardigen van romannetjes gebaseerd op filmscenario's. Volgens een bron bij Lionel Publishing in Nueva York stampt de voormalige winnaar van een Emmy (de onderscheiding is hem overigens onlangs door de organisatie afgenomen) nu instantromannetjes uit de grond gebaseerd op scenario's van nog uit te brengen films. Raad eens welke film de voormalige lieveling van de televisie zojuist tot roman heeft bewerkt? Ja, *Losing It*, een abominabele tienerfilm van New Line die, zo fluistert men, *American*

Pie nog op een latere film van Ingmar Bergman doet lijken. Nog mooier is het dat Armitage zich verschuilt achter het pseudoniem John Ford. Bedoelt hij de beroemde regisseur van westerns of de grote jacobean toneelschrijver, bekend van *'t Is jammer dat ze een hoer is*. In Armitages geval zou de titel kunnen luiden: *'t Is jammer dat hij plagiaris is.'*"

Het was even stil. Ik was niet misselijk, geschokt of van de kaart. Ik had het allemaal al zo vaak gehoord. Het enige wat ik kan zeggen, is dat ik een beetje verdoofd was, als een bokster die één klap tegen zijn kop te veel heeft geïncasseerd en niets meer voelt.

'David?' verbrak Alison de stilte. 'Ik weet niet hoe ik moet begin…'

'Dus die Max Newton heeft de hele boel geannuleerd op het moment dat hij dit had gelezen?' vroeg ik op opmerkelijk rustige toon.

'Daar komt het wel op neer, ja.'

'Goed,' klonk het effen.

'Je begrijpt dat ik het al met een advocaat heb opgenomen. Hij gaat kijken of we genoeg gronden hebben om McCall aan te klagen voor laster.'

'Doe geen moeite.'

'Zeg dat nou niet, David.'

'Kom nou. Ik weet heus wel wanneer ik verslagen ben.'

'We kunnen hier wel degelijk iets tegen doen.'

'Laat nou maar. Hoor eens, Alison. Ik wil je nog wel even zeggen dat je niet alleen een fantastische agent voor me bent geweest, maar ook de beste vriendin die ik me maar kon wensen.'

'David? Wat moet ik hier nou van denken?'

'Niets, behalve dat…'

'Je gaat toch geen rare dingen doen, hè?'

'Met de Porsche in de slip en dan een boom omarmen? Nee, dat gun ik die McCall niet. Maar ik gooi wel de handdoek in de ring.'

'Zeg dat nou niet…'

'Ik zeg het dus wél.'

'Ik bel je morgen.'

'Ik hou je niet tegen.'

Ik hing op, pakte mijn laptop en de eigendomspapieren van mijn auto en belde de Porsche-dealer in Santa Barbara met wie ik een week daarvoor al even had gebabbeld. De man zei dat hij me binnen het uur verwachtte.

Ik reed naar het noorden en toen ik bij de dealer aankwam, kwam de verkoper al naar buiten. Hij bood me een kopje koffie aan, wat ik beleefd afsloeg. Hij vertelde me dat hij de auto binnen twee uur kon keuren en meteen een offerte zou maken. Ik vroeg of hij een taxi voor me kon bellen. De taxi kwam voorgereden en ik vroeg de bestuurder me naar de lommerd te rijden, waarop hij me via de achteruitkijkspiegel een argwanende blik toewierp. Toen we bij een pandjeshuis aankwamen, vroeg ik hem op me te wachten. De zaak had een zwaar rolluik en boven de zware, metalen deur hing een camera die alle bezoekers opnam. Ik belde aan, de deur ging open en ik bevond me in een halletje met een gekraste linoleum vloer, tl-licht en een ruit met gewapend glas. De pandjesbaas moest wel heel argwanend zijn. Een dikke man van een jaar of veertig verscheen achter het glas en terwijl hij tegen me sprak, at hij een sandwich.

'Wat hebbu?' vroeg hij.

'Een vrij dure laptop, een Toshiba Tecra Notebook. Kostte nieuw vijfenveertighonderd.'

'Laat maar 's kijken,' zei hij terwijl hij het onderste deel van de ruit naar boven schoof. Hij bekeek de laptop, draaide hem om, stak de stekker in een stopcontact en zette hem aan. Hij wierp een blik op de icoontjes van de software op het bureaublad, zette hem uit en haalde zijn schouders op.

'Het probleem met die dingen is dat ze na een halfjaar al achterhaald zijn. Ik krijg er niet veel voor. Maar goed, ik kan u er vierhonderd dollar voor geven.'

'Duizend.'

'Zeshonderd.'

'Verkocht.'

De taxi bracht me terug naar de Porsche-dealer. De verkoper had al een offerte klaar. Zijn bod was 39.280 dollar.

'Ik had gerekend op twee- à drieënveertigduizend,' zei ik.

'Veertig. Meer kan ik echt niet verantwoorden.'

'Verkocht.'

Ik vroeg hem een kascheque voor me uit te schrijven en weer een taxi voor me te bellen en liet me afzetten bij het dichtstbijzijnde filiaal van BankAmerica. Ik overlegde een paar identiteitsbewijzen, ze belden naar mijn bankfiliaal in West Hollywood en ik ondertekende een paar formulieren. Na veel gedoe waren ze bereid me de cheque van veertigduizend uit te betalen en drieëndertigduizend op Lucy's rekening te storten. Ik liep de bank uit met zevenduizend dollar op zak, nam de derde keer die dag een taxi en liet me afzetten bij een zaak in tweedehandsauto's, niet ver van de

Porsche-dealer. Deze garage verkocht uitsluitend auto's in de wat goed-kopere prijsklasse. Ik telde vijfduizend dollar neer voor een donkerblauwe Golf, bouwjaar 1994, met 'slechts' 155.000 kilometer op de teller en een halfjaar garantie.

Ik vroeg of ik mijn autoverzekering even mocht bellen en de man aan de andere kant van de lijn was een beetje geschokt toen ik hem vertelde dat ik de Porsche had vervangen door een oud Golfje.

'U hebt nog negen maanden op de polis van de Porsche staan, maar omdat die voor de Golf dertig procent goedkoper is, bespaart u vijfhon-derd dollar.'

'Stuur me maar een cheque,' zei ik, en gaf hem mijn adres in Meredith.

Ik reed in mijn nieuwe, oude auto naar een internetcafé, bestelde koffie en stuurde Lucy een e-mail.

Vandaag of morgen wordt er weer drie maanden alimentatie op je rekening bijgeschreven.Alles bij elkaar heb ik dus vijf maanden voor-uitbetaald. Ik hoop dat we ooit nog eens normaal kunnen praten. Voor het zover is, wil ik je zeggen dat ik heel verkeerd heb gehan-deld en dat ik er veel spijt van heb.

Ik verzond de e-mail en liep naar de telefoon in het café. Ik belde Ameri-can Express, Visa en MasterCard. Ze meldden me alle drie dat ik geen schuld had (ik had Sandy's raad opgevolgd en mijn schuld afbetaald met het geld dat ik op mijn rekening courant had staan). Toen ik alle drie de creditcardbedrijven vertelde dat ik van mijn card af wilde, probeerden ze me te behouden ('Waarom zou u, meneer Armitage?' zei de vrouw van American Express. 'Een goede klant als u verliezen we niet graag.') Ik liet me niet ompraten, annuleerde de drie creditcards en liet hen de benodig-de formulieren naar het adres in Meredith sturen.

Voor ik het café uit liep, vroeg ik aan de jongen achter de balie of hij een schaar had die ik even kon lenen. Hij had er een en ik knipte de cards stuk voor stuk in vieren. De jongeman keek me aan en vroeg: 'U hebt ze zeker ingewisseld voor platina cards?'

Ik lachte, stopte hem de stukken kapotgeknipt plastic in de hand en ging de zaak uit.

Op de terugweg naar Meredith maakte ik een paar optelsommetjes. Ik had zeventienhonderd dollar op mijn rekening courant en zesendertighonderd aan contanten in mijn zak. De verzekering zou me een cheque van vijfhonderd sturen en ik had vijf maanden alimentatie vooruitbetaald. De komende vijf maanden kon ik zonder huur te betalen in Willards huis zitten en als het meezat, bleef hij nog een paar maanden langer in Londen hangen (maar zo ver wilde ik niet vooruitdenken). Ik had geen schulden, verwachtte geen rekeningen, zeker als Alison haar belofte nakwam om Matthew Sims te betalen van haar percentage van mijn boek voor Newton. Ze had in mijn vette jaren zoveel geld aan me verdiend, zei ze, dat ze de therapie best kon betalen. Ik had nog voor negen maanden een ziektekostenverzekering en had geen behoefte aan kleren, boeken, mooie vulpennen, cd's, video's, privéfitnesstrainers, dure kappers, een behandeling om mijn tanden witter te maken (kosten tweeduizend dollar per jaar), dure vakanties in een gezellig, door een bekende architect ontworpen hotelletje in het zuidelijkste puntje van Baja California. Kortom, ik had geen enkele behoefte aan de luxe waarin ik me voorheen had gewenteld. Ik bezat achtenvijftighonderd dollar. De gas-, licht- en waterrekening in Meredith was dertig dollar per week. De telefoon gebruikte ik vrijwel niet. De kosten van eten, een paar eenvoudige flessen wijn, een kratje bier en een bezoekje aan de plaatselijke bioscoop kwamen niet boven de tweehonderd dollar per week. De komende negenentwintig weken zat ik goed.

Het was een vreemd gevoel dat ik alles had gereduceerd tot dit niveau. Het was niet zozeer bevrijdend, zoals adepten van dat maffe zen-gedoe het noemen, maar het leven werd er absoluut minder gecompliceerd door. Ik bevond me nog steeds in de roes die me had getroffen op het moment dat Alison me vertelde over McCalls laatste artikel. Het was alsof ik zelf geen beslissingen nam, of ik werd gestuurd, zoals met het doorknippen van mijn creditcards, de verkoop van mijn laptop, of mijn bezoekje aan de boekhandel in Meredith, Books and Company aan Main Street.

Books and Company was een unicum: een kleine, onafhankelijke boekhandel die overeind bleef in een wereld vol identieke, grote winkelketens. Het was het soort zaak waar het rook naar gewreven hout, dat een balkenplafond had en een parketvloer. Het assortiment bestond uit de gebruikelijke literaire fictie, bestsellers, kookboeken en een flinke afdeling kinderboeken. Er hing al een paar weken een briefje op de etalageruit waarin de goede burgers van Meredith werd medegedeeld dat men een fulltime medewerker zocht. Inlichtingen binnen bij de eigenaar.

Les Pearson was eind vijftig. Hij had een baard, droeg een bril en was gekleed in een spijkerhemd en blauwe Levi's. Ik zag hem al in de City Lights Bookshop in San Francisco rondstruinen, in 1967, de bloeiperiode van het hippiedom. Hij had vast bongo's gespeeld.

Toen ik de winkel binnenkwam, stond hij achter de toonbank. Ik was al eerder in de zaak geweest. 'Kan ik u misschien helpen?' vroeg hij.

'Om u de waarheid te zeggen, ik kom voor die baan.'

'O? Echt?' Hij bekeek me nu iets beter. 'Hebt u ooit eerder in een boekhandel gewerkt?'

'Hebt u wel eens van Book Soup gehoord? Een boekhandel in LA?'

'Wie heeft dat niet?'

'Daar heb ik dertien jaar gewerkt.'

'O? U woont nu zeker hier. Ik heb u eerder gezien.'

'Klopt. Ik zit in het huis van Willard Stevens.'

'Dat is waar ook. Ik had al gehoord dat er iemand ingetrokken was. Hoe kent u Willard?'

'We hadden dezelfde agent.'

'Bent u schrijver?'

'Ik wás scenarioschrijver.'

'Zal ik me even voorstellen? Ik ben Les.'

'David Armitage.'

'Kan het zijn dat ik die naam eerder gehoord heb?'

Ik haalde mijn schouders op.

'Wil je hier echt komen werken?'

'Ik hou van boekhandels en ik weet wat erbij komt kijken.'

'Het gaat om een veertigurige werkweek, woensdag tot en met zondag van elf tot zeven en een uur lunchpauze. Omdat dit maar een kleine, onafhankelijke boekhandel is, kan ik je niet meer dan zeven dollar per uur betalen. Tweehonderdtachtig per week. Ik bied geen ziektekostenverzekering en dergelijke, maar wel zo veel koffie als je wilt, en vijftig procent korting op boeken. Is tweehonderdtachtig per week oké?'

'Ja. Geen probleem.'

'Als ik twee referenties wil...'

Ik pakte een opschrijfboekje en balpen uit mijn zak en noteerde het telefoonnummer van Andy Barron, de bedrijfsleider van Book Soup (die discreet zou zijn en niet aan de grote klok zou hangen dat ik een baan bij een boekhandel zocht), en dat van Alison.

'Andy was mijn baas, Alison is mijn agent,' zei ik. 'Als je mij wilt bereiken...'

'Ik heb Willards nummer in mijn klapper.' Hij stak zijn hand uit en zei: 'Je hoort nog van me, oké?'

Een paar uur later ging de telefoon. 'Wat is dat nou?' vroeg Alison. 'Wat moet je in godsnaam in een boekhandel?'

'Ook goeiemorgen. Hoe staan de zaken in LA?'

'Er hangt smog. Geef eens antwoord op mijn vraag. Ik ben gebeld door ene Les Pearson, die zei dat hij erover dacht je aan te nemen voor zijn boekhandel.'

'Heb je hem een goede referentie gegeven?'

'Wat dacht je? Waarom wil je daar in hemelsnaam werken?'

'Omdat ik werk nodig heb.'

'Waarom heb je mijn e-mails niet beantwoord?'

'Ik heb mijn laptop weggedaan.'

'Och, heer. Waarom, David?'

'Omdat ik niets meer met de schrijverij van doen heb, daarom.'

'Waarom zeg je dat nou?'

'Het is toch zo?'

'Ik weet zeker dat we weer wat voor je kunnen vinden.'

'Wat dan? Een Servische soap herschrijven, zeker? Of even snel een Mexicaanse vampierfilm bijschaven? Kijk, als ik nog niet eens een opdracht voor het schrijven van romannetjes naar filmscenario's kan binnenhalen, zelfs niet onder een pseudoniem, wie zal me dan nog inhuren? Niemand dus.'

'Niet meteen, maar...'

'Wanneer dan wel? Herinner je je die toestand met die verslaggeefster van *The Washington Post*? Toen uitkwam dat ze een verhaal volledig uit haar duim had gezogen, hebben ze haar de Pulitzerprijs afgenomen. Weet je wat ze nu doet, tien jaar na die misstap? Ze verkoopt cosmetica in een warenhuis. Zo vergaat het je als ze erachter komen dat je de boel hebt belazerd: je kunt ergens achter de kassa gaan staan.'

'Vergeleken met haar misstap stelt jouw zaak weinig voor.'

'Theo McCall heeft de wereld ervan overtuigd dat het heel wat voorstelt. Mijn carrière is verleden tijd.'

'David, je klinkt me veel te kalm.'

'Ik ben zo rustig als wat. En heel tevreden.'

'Je bent toch niet aan de Prozac, hè?'

'Nee, niet eens aan het sint-janskruid.'

'Moet ik langskomen?'

'Wacht nog maar een week of wat. Om Greta Garbo te citeren: "Iek wiel even allein zijn."'

'Weet je het zeker?'

'Heel zeker.'

Een uur later werd er weer gebeld. Het was Les Pearson.

'Nou, ik heb lovende referenties over je gekregen, zowel van Andy Barron als van je literair agent. Wanneer kun je beginnen?'

'Wat mij betreft morgen.'

'Dan zie ik je om tien uur. O, nog even... Ik heb gehoord wat je allemaal is overkomen. Het spijt me echt.'

'Dank je.'

Zoals afgesproken begon ik de dag erna in de boekhandel. Het kwam erop neer dat ik er woensdag tot en met zondag de scepter zwaaide. Ik stond achter de toonbank, hielp de klanten, veegde de winkel, stofte de boekenplanken af, hield de wc schoon, maakte de kas op en bracht de inkomsten elke dag naar de bank. Ik had zelfs tijd om een uur of twee achter de toonbank te zitten lezen.

Het was gemakkelijk werk, zeker door de week, wanneer er maar zo nu en dan een klant binnenkwam. Dankzij de dagjesmensen was het in het weekend drukker. Al met al was het plezierig werk, waar ik niet echt moe van werd. Ik dacht niet dat de bewoners van Meredith wisten wie ik was. Ik heb het eigenlijk nooit gevraagd. Niemand die iets zei of me een veelbetekenende blik toewierp. In Meredith gold de ongeschreven wet dat je beleefd afstand hield, en dat beviel me uitstekend. Op vrijdag kwamen de weekenders uit LA binnendwarrelen, maar ik zag er nooit iemand uit 'het wereldje'. Afgezien van Willard Stevens waren het verder voornamelijk advocaten, artsen en tandartsen. Voor hen was ik gewoon die man van de boekhandel, maar wel een die er in de loop der weken heel anders ging uitzien.

Om te beginnen viel ik zeven kilo af, waardoor ik op het vedergewicht van drieënzeventig kilo uitkwam. Stress had daar natuurlijk wel wat mee te maken, maar ook het reduceren van mijn alcoholconsumptie tot één biertje of één glas wijn per dag. Ik at eenvoudige, gezonde kost en jogde elke dag langs het strand. Het was rond die tijd dat ik besloot me niet meer te scheren en mijn haar te laten groeien. Na twee maanden als boekhandelaar zag ik eruit als een schriel overblijfsel van de jaren zestig. Les noch de klantenkring zei iets over mijn pasverworven hippie-uiterlijk. Ik deed mijn werk en deed dat goed; ik was plichtsgetrouw, maakte geen fratsen en was altijd beleefd. Kortom, alles ging z'n gangetje.

Les was een gemakkelijke baas. Hij werkte maandag en dinsdag (mijn vrije dagen), voor het overige hield hij zich bezig met zeilen en de aandelenbeurs, die hij via internet volgde. Uit onze schaarse gesprekken begreep ik dat hij een jaar of tien daarvoor wat geld had geërfd, wat hem in staat had gesteld de boekhandel te openen. De jaren dat hij in Seattle in de reclame werkzaam was, had hij gedroomd van een boekhandel, en dankzij de erfenis kon hij zijn droom verwezenlijken en zijn plezierige levensstandaard handhaven. Hij vertelde me een keer dat hij gescheiden was en twee volwassen kinderen had in de buurt van San Francisco. Toen ik hem vertelde dat ik mijn dochter om de dag om klokslag zeven moest bellen, stond hij erop dat ik de telefoon van de zaak gebruikte.

'Beschouw het maar als een emolument,' zei hij.

Lucy wilde nog steeds niet met me praten. Na twee maanden nam ik contact op met Walter Dickerson om hem te vragen of hij me kon helpen met een normale omgangsregeling.

'Als Lucy wil dat er supervisie is, dan ga ik daarmee akkoord,' zei ik, 'want ik wil mijn dochter echt heel graag zien.'

Een paar dagen later belde Dickerson terug.

'Er verandert niet veel, David,' zei hij. 'Volgens haar raadsman is ze er nog niet uit wat die omgangsregeling betreft. Het goede nieuws is dat Caitlin, en dit heb ik van hém, haar moeder bewerkt. Ze wil weten waarom ze haar vader niet meer ziet. Ik heb kunnen regelen dat je vanaf vandaag elke avond mag bellen.'

'Dat is goed nieuws.'

'Geef het wat tijd, David, en laat je van je beste kant zien. Vroeg of laat zal Lucy echt wel zwichten.'

'Bedankt dat je de extra telefoontjes hebt geregeld. Stuur me de rekening maar.'

'Laat maar zitten. Deze was van het huis.'

Na drie maanden bij Books and Company was mijn leventje een plezierige routine geworden. Ik jogde, werkte, belde Caitlin en sloot om kwart over zeven af. Ik ging naar huis, las een boek of keek naar een film. Op mijn vrije dagen reed ik langs de kust, ging naar de bioscoop en een enkele keer at ik bij een Mexicaans restaurant in Santa Barbara. Ik dacht maar niet aan de volgende alimentatiebetaling van elfduizend dollar, of aan mijn schuld bij FRT en Warner Brothers. Ik dacht ook maar niet aan de dag dat Willard Stevens terug zou komen, en waar ik dan heen moest. Volgens Alison had ik nog zeker drie maanden. Het leek me het beste alles maar te nemen zoals het kwam, want als ik over de toekomst nadacht, zou ik me grote zorgen maken en doodnerveus worden.

Alison belde wekelijks. Ze had weinig nieuws, geen zicht op werk voor me, zei niets over royalty's of geld dat me toekwam omdat de televisieserie aan derden was verkocht. Dergelijke verdiensten kon ik wel vergeten sinds FRT mijn contract had geannuleerd. Toch belde ze me elke zaterdagochtend, al was het maar om te horen hoe het met me ging, en ik kon haar iedere keer geruststellen.

'Ik zou heel wat gelukkiger zijn als je me vertelde dat het slecht met je ging,' zei ze.

'Ik zeg je dat het goed gaat.'

'Volgens mij is dat hét bewijs dat je in een fase van verdringing zit. Op een dag komt het wel tot een uitbarsting.'

'Tot nu toe ben ik heel tevreden.'

'En nog iets, David. Laat me nou eens goed schrikken en bel míj voor de verandering eens.'

Twee weken later gaf ik gevolg aan haar wens. Het was tien uur 's ochtends en ik had de boekhandel net geopend. Er waren geen klanten, dus toen ik een pot koffie had gezet en de post had doorgekeken, besloot ik de *LA Times* open te slaan (ik was eindelijk weer kranten gaan lezen). In het kunstkatern viel mijn oog op een kort artikel.

Kluizenaar-miljardair Philip Fleck zit weer in de regisseursstoel, vijf jaar nadat zijn eerste, door hemzelf gefinancierde film *The Last Chance*, budget veertig miljoen, werd weggehoond en hopeloos flopte. Fleck heeft bekendgemaakt dat het deze keer een publieksfilm betreft, een komische actiefilm getiteld *We Three Grunts*. De film gaat over drie Vietnamveteranen die het niet gemaakt hebben in het leven en besluiten wat bij te verdienen als bankrovers. Zoals gezegd betaalt Fleck de film, waarvan hij zelf het scenario schreef, uit eigen zak. Hij vergelijkt de eigenzinnige humor in de film met de humor in de jarenzeventigfilms van Robert Altman. Binnenkort worden de verrassende hoofdrollen bekendgemaakt, aldus Fleck. Laten we hopen dat

Fleck, wiens vermogen wordt geschat op circa twintig miljard, van deze zogenoemde actiekomedie geen hoogdravend en loodzwaar Zweeds drama maakt. Existentiële zwaarmoedigheid doet het namelijk niet goed tegen het silhouet van Chicago.

Ik liet de krant even zakken, maar pakte hem meteen weer op. Ik kon mijn ogen niet geloven. Ik concentreerde me op één zin in het bijzonder: 'Zoals gezegd betaalt Fleck de film, waarvan hij zelf het scenario schreef, uit eigen zak.'

De schoft, die smerige, ongetalenteerde schoft. Niet alleen had hij zich mijn scenario weer toegeëigend, maar hij had ook het gore lef er zijn eigen naam op te zetten.

Ik pakte de telefoon en draaide een nummer in Los Angeles.

'Alison?'

'David! Ik wilde je nét bellen.'

'Heb je het gelezen?'

'Ja,' zei ze, 'reken maar.'

'Dit kan hij niet maken!'

'Hij is goed voor twintig miljard en dan kun je doen wat je wilt.'

4

'Maak je nou maar geen zorgen,' zei Alison.

'Hoe kan ik me hier nou géén zorgen over maken? Hij heeft mijn scenario gejat! Niet te geloven! Ik verlies alles dankzij een paar geleende zinnetjes en meneer de miljardair zet zijn naam boven een scenario van honderdacht pagina's dat ík heb geschreven.'

'Hier komt hij niet mee weg, David.'

'Dat hopen we dan maar,' zei ik.

'Ik zal je uitleggen waaróm. Jij hebt het scenario destijds laten registreren bij de satwa. Eén telefoontje en ze bevestigen dat jij de schrijver van *We Three Grunts* bent. Dan gaat er een belletje naar mijn advocaat en die stuurt meneer Fleck een brief waar de honden geen brood van lusten. Fleck heeft je een paar maanden geleden tweeënhalf miljoen dollar voor dat scenario geboden en het is de hoogste tijd om over de brug komen. Tenzij hij natuurlijk in alle kranten tussen hier en Vuurland als dief betiteld wil worden.'

'Pak hem stevig aan, Alison. Die tweeënhalf miljoen is voor hem niet meer dan een zakcentje, maar wat ik nog het ergste vind, is dat hij me dit flikt terwijl hij weet dat ik aan de grond zit.'

Alison liet een doorrookt lachje horen.

'Ik ben blij dat je zo in vorm bent,' zei ze.

'Hoe bedoel je?'

'De afgelopen maanden was je volkomen "zen", zo vreselijk in jezelf gekeerd. Ik heb het maar beschouwd als een interpretatie van de inhoud van het boek Job, dat je in een shocktoestand verkeerde. Ik ben blij dat je weer wat vechtersmentaliteit toont.'

'Wat verwacht je anders? Ik heb nog nooit van mijn leven zo...'

'Wees maar niet bang,' zei ze. 'Die vent gaat dokken.'

De dagen daarna belde ze niet. Na drie dagen belde ik haar; haar secretaresse zei dat ze er niet was en dat ze me de volgende dag absoluut zou bellen. Dat gebeurde niet. Het werd weekend en ik had al drie berichten op haar voicemail thuis achtergelaten, maar ik hoorde niets. Maandag kwam en ging. Eindelijk, op dinsdagochtend, mijn vrije dag, belde ze terug.

'Heb je plannen voor vandaag?' vroeg ze.

'Fijn dat je eindelijk reageert.'

'Ik heb het druk gehad.'

'Is er nieuws?'

'Ja, maar het is beter als we elkaar even zien,' klonk het geforceerd.

'Kan het niet telefo…'

'Heb je tijd om te lunchen?'

'Jazeker.'

'Goed. Kom om één uur naar mijn kantoor.'

Ik ging douchen, kleedde me aan, stapte in mijn Golf en ging op weg. Binnen twee uur was ik in Los Angeles. Ik was er een kleine vier maanden niet geweest en terwijl ik over Wilshire Boulevard naar Alisons kantoor reed, besefte ik dat ik die rotstad had gemist. Hoewel de rest van de wereld LA beschouwt als oppervlakkig en visueel gestoord ('New Jersey, maar dan beter gekleed,' zeiden mijn eigenwijze vrienden uit New York), heb ik altijd van de bizarre enormiteit gehouden, van de gigantische rijkdom naast de naargeestige industrieterreinen, van de vergane glorie, van het gevoel dat je je in een vertrapt paradijs bevond, maar dan wel een waar iedereen mogelijkheden had iets van zijn leven te maken.

Alisons secretaresse, Suzy, herkende me niet meteen toen ik het kantoor binnenkwam.

'Kan ik u ergens mee helpen?' vroeg ze. Ze keek me wat achterdochtig aan, maar toen viel het kwartje. 'Mijn hemel, David! Hoe…'

Alison kwam haar kamer uit en ook zij moest even goed naar me kijken. Mijn baard hing nu tot onder mijn kin en ik had een paardenstaartje. Ze gaf me een kusje op mijn wang, keek nog eens goed en zei: 'Als ze ooit een prijsvraag uitschrijven wie de best gelijkende dubbelganger van Charles Manson is, dan schrijf ik je in. Dat win je geheid.'

'Hmm… Ja, ik vind het ook fijn jou weer eens te zien, Alison,' zei ik.

'Wat voor dieet heb je gevolgd? Macroneurotisch?'

Ik reageerde niet en wees op het dikke dossier dat ze onder haar arm had.

'Wat heb je daar?'

'Bewijs.'

'Waarvan?'

'Kom maar mee.'

Ik volgde haar en ging tegenover haar bureau zitten.

'Dus we gaan niet ergens lunchen?' vroeg ik.

'Nee.'

'Ziet het er dan zó slecht uit?'

'Ja. Zullen we wat laten komen?'

Ik knikte. Ze belde naar Suzy, vroeg haar Barney Greengra
een schaal met hun beste zalm, een paar bagels en creamchees
'En twee blikjes selderijsap. Kunnen we doen alsof we in New

Ze hing op en vroeg: 'Dan ga ik er maar even van uit dat
wilt.'

'Zie je dat aan me af?'

'Je straalt uit dat je alleen gezonde dingen eet, hoewel ik even
dat ik je wel heel mager vind.'

'Heb ik alcohol nodig om je aan te kunnen horen?'

'Misschien wel.'

'Toch maar liever niet.'

'Ik ben onder de indruk, David.'

'Oké, genoeg inleiding. Vertel het maar.'

Ze sloeg de map open. 'Ik wil dat je even goed nadenkt wannee
cies *We Three Grunts* hebt geregistreerd. Volgens mij moet het e
het najaar van 1997 geweest zijn.'

'Om precies te zijn: november 1997.'

'Dus je weet zeker dat je het bij de SATWA hebt laten vastleggen?'

'Natuurlijk. Daar heb ik al mijn werk laten registreren.'

'En hebben ze je steeds een bevestiging gestuurd?'

'Eh... ja.'

'Heb je de bevestiging van *We Three Grunts* nog?'

'Ik betwijfel het.'

'Je weet het niet zeker?'

'Nou ja, ik ben niet zo netjes met dat soort dingen. Ik ben nogal mak
lijk met weggooien.'

'Ook als het om een bevestiging van de SATWA gaat?'

'Ja, als zij hebben bevestigd dat ze het hebben geregistreerd. Waarom
je er zo lang op door, Alison?'

'De SATWA heeft één scenario getiteld *We Three Grunts* in het systeem
maar het is pas vorige maand geregistreerd en wel door de auteur Phili
Fleck.'

'Wacht even. Ze hebben toch zeker ook een registratie die dateert van
november 1997?'

'Nee, die hebben ze niet.'

Dat is onmogelijk. Ik héb het laten vastleggen.'

'Ik geloof je. En dat niet alleen, ik heb hier het originele scenario, geda-:rd november 1997.'

Ze pakte een ietwat vergeelde kopie van het scenario. Op de titelpagina ond:

WE THREE GRUNTS
Filmscenario
door
David Armitage
(eerste versie: november 1997)

'Dat is het bewijs,' zei ik, en wees op de datum.

'Wie zegt dat je deze titelpagina niet een paar maanden geleden hebt getypt? Wie zegt dat jij het scenario niet van Fleck hebt gestolen en er gauw jouw naam op hebt gezet?'

'Wat wil je nou eigenlijk zeggen, Alison?'

'Luister nou even. Ik wéét dat het jouw werk is. Ik wéét dat je geen plagiaris bent en ik weet ook dat je niet gekker bent dan de gemiddelde scriptschrijver die ik vertegenwoordig. Wat ik óók weet, is dat de SATWA je niet als auteur van We Three Grunts in hun systeem heeft staan.'

'En hoe weet je dat?'

'Omdat ze me gisteren hebben verteld dat het scenario op naam van Philip Fleck staat. Ik heb mijn advocaat gebeld en die heeft er meteen een privédetective op gezet.'

'Een privédetective?' herhaalde ik.

'Ja, natuurlijk! We hebben het hier over pure diefstal, en wel van iets wat in potentie tweeënhalf miljoen dollar waard is. Natuurlijk heb ik er een stille op afgestuurd. Je had die vent moeten zien. Vijfendertig, een puistenkop van heb ik jou daar en een pak dat hij zo te zien van een mormoonse ouderling had gestolen. Geloof me maar als ik zeg dat hij geen type Sam Spade was, maar ondanks zijn voorkomen gaat de man zo grondig als een belastinginspecteur te werk. Hij heeft het volgende opgediept...'

Ze spitte in het dossier, haalde er de recente registratie van We Three Grunts uit, op naam van Philip Fleck, en de lijst scenario's die de SATWA van me had. Alle afleveringen van Selling You én Breaking and Entering

stonden erop, maar mijn werk van de jaren negentig niet.

'Noem eens wat uit die tijd,' zei Alison.

'*At Sea*,' zei ik, het scenario (ongecompliceerd, tragikomisch) waarin islamitische terroristen een jacht kapen waarop zich de kinderen van de Amerikaanse president bevinden.

Ze schoof een vel papier in mijn richting.

'Kijk maar. Vorige maand geregistreerd onder de naam Philip Fleck. Noem er nog eens een?'

'*A Time of Gifts*,' zei ik. Dat was het scenario over de vrouw die terminale kanker had.

'Een maand geleden geregistreerd door Philip Fleck,' zei ze, en liet me de bevestiging van de SATWA zien. 'Oké, we gaan voor de hattrick. Driemaal is scheepsrecht. Noem er nog eens eentje?'

'*The Right Place, The Wrong Time*.'

'Dat gaat over die huwelijksreis die in de soep loopt, hè? Verleden maand geregistreerd door Philip Fleck.'

Ik staarde naar de brief die ze me toeschoof.

'Heeft hij al mijn niet-verfilmde scenario's gepikt?'

'Zo staan de zaken.'

'En er is geen enkel bewijs dat ik ze heb laten registreren?'

'Geen enkel.'

'Hoe heeft Fleck dit voor elkaar gekregen?'

'Moet je kijken,' zei ze, en pakte weer wat uit het dossier. 'Dit hier is de meesterzet.'

Ze gaf me een fotokopie van een artikel uit de *Hollywood Reporter*, gedateerd vier maanden geleden.

FLECK-STICHTING SCHENKT CHARITATIEF FONDS SATWA 8 MILJOEN DOLLAR

De Philip Fleck-stichting heeft vandaag bekendgemaakt dat zij een schenking van acht miljoen dollar doet aan het liefdadigheidsfonds van de SATWA. De woordvoerder van de stichting, Cybill Harrison, zei dat de schenking moet worden gezien als teken van erkentelijkheid voor het waardevolle werk van de SATWA, in het bijzonder op het gebied van het promoten en de bescherming van de rechten van scenarioschrijvers. Men hoopt dat de gift wordt aangewend voor onder andere steun aan schrijvers die financiële problemen hebben of aan een ernstige zieke lijden. In een reactie zei de directeur van de SATWA, James LeRoy: 'Deze prachtige schenking bewijst eens temeer dat als het aankomt op het ondersteunen van kunst in Amerika, Philip Fleck haar grootste weldoener is. Elke scenarioschrijver zou een vriend als Philip Fleck moeten hebben.'

'Prachtige laatste zin, nietwaar?' zei Alison.

'Dit is ongelooflijk. Hij heeft de SATWA omgekocht!'

'Daar komt het op neer, ja. Hij heeft het zó geregeld dat ze de registratie van jouw oude werk niet kunnen vinden en dat alles op zijn naam is gezet.'

'Afgezien van *We Three Grunts* zijn ze niet echt bijzonder.'

'Maar wél goed en knap geschreven.'

'Goed en knap? Allicht, ze zijn tenslotte van mijn hand.'

'Daar gaat het om. Fleck heeft nu vier goede, professioneel geschreven scenario's op zijn naam staan. Een van de vier is zelfs zo goed dat hij Peter Fonda en Dennis Hopper heeft gestrikt voor de rol van de twee Vietnam-veteranen en Jack Nicholson als de...'

'Als Richardson, de advocaat?'

'Helemaal goed.'

'Fantastische casting!' Ik was opeens helemaal opgewonden. 'Een must voor iedereen die *Easy Rider* heeft gezien.'

'Ongetwijfeld. Columbia gaat hem distribueren.'

'Dus de film komt er echt...'

'Tja, het is Flecks geld. Hij heeft het groene licht gekregen. Het probleem is echter dat jouw naam op de aftiteling ontbreekt.'

'Ik neem toch aan dat we daar wat aan kunnen doen.'

'Mijn advocaat en ik hebben het van alle kanten bekeken en volgens hem heeft Fleck het perfect geregeld. Jouw registraties zijn verdwenen en Fleck is de auteur van je vroegere werk. Als we er werk van maken, met name wat betreft *We Three Grunts*, reken er dan maar op dat Flecks mensen zullen roepen dat je dus écht een gestoorde plagiaris bent. Ze zullen ook aanvoeren dat je toen je nog een gewaardeerde scenarioschrijver was, bij hem op dat eiland bent geweest en het met hem hebt gehad over een scenario dat jij voor hem zou schrijven, maar dat hij het project heeft afge-blazen toen hij hoorde dat je in ongenade was gevallen. Daarna heb jij je oude trukendoos tevoorschijn gehaald en jezelf wijsgemaakt dat *We Three Grunts* van jouw hand is, hoewel er geen enkel bewijs is dat jij het hebt geschreven en de SATWA documenten heeft die aantonen dat Fleck de scenarioschrijver is.'

'Jezus...'

'De macht van het geld.'

'Maar... wacht nou 's even. Kunnen we Fleck niet pakken op het feit dat hij al die scenario's de afgelopen maand heeft laten registreren?'

'Hij kan zeggen dat hij er pas onlangs aan toe is gekomen, maar dat hij de scenario's over een periode van jaren heeft geschreven. Toen *We Three Grunts* het groene licht kreeg, heeft hij besloten dat het tijd werd de overige drie ook bij de SATWA te laten vastleggen.'

'Hoe zit het dan met de mensen, de studiobazen, de producenten die mijn scenario hebben gelezen?'

'Vijf jaar geleden, bedoel je? Kom nou, David. Regel één is: vergeet het laatste scenario dat je hebt gelezen snel, als het kan al na drie minuten. Trouwens, ook al zou een of andere ondergeschikte zich jouw scenario herinneren, denk je dat die jouw kant zal kiezen, tegen de machtige meneer Fleck? Vergeet het maar, zeker gezien je huidige status hier. Geloof me als ik zeg dat mijn advocaat, de privédetective en ik het van alle kanten hebben bekeken. We zien echt geen enkele mogelijkheid hier wat aan te doen. Fleck heeft zich volledig ingedekt. Zelfs mijn advocaat moest toegeven dat hij bewondering had voor de manier waarop Fleck de hele boel heeft geënsceneerd. Om maar een term uit het poolbiljart te gebruiken, je bent *snookered*.'

Ik staarde naar de stapel paperassen op Alisons bureau en probeerde me te oriënteren in de spiegeltent waarin ik me bevond. Mijn werk was Flecks werk geworden. Niets wat ik deed of zei, zou daar verandering in brengen. Ik zag geen uitweg.

'Er is nog een ontwikkeling,' zei Alison. 'Toen ik de privédetective vertelde hoe Theo McCall je carrière kapotgemaakt heeft, merkte ik dat hij heel geïnteresseerd was. Hij is meteen op onderzoek gegaan.'

Ze rommelde in de papieren voor haar en pakte twee fotokopieën. Ze gaf me die aan en zei: 'Kijk hier maar eens goed naar.'

Het was een bankafschrift van een rekening courant van de Bank of California. Rekeninghouder was Theodore McCall, King's Road 1158, West Hollywood.

'Hoe komt hij hier in godsnaam aan?'

'Dat heb ik hem niet gevraagd, al was het alleen maar omdat ik dat niet wíl weten. Laat ik het zo stellen: waar een familielid is, is een weg... Enfin, kijk maar eens naar de veertiende van elke maand. Zoals je ziet wordt er iedere maand een bedrag van tienduizend dollar gestort door Lubitsch Holdings. Die detective heeft nagegaan wie of wat dat is en vond uit dat het een lege BV is, ingeschreven op de Caymaneilanden, zonder aandeelhouders. Verder is hij erachter gekomen dat McCall bij de *Hollywood Legit* slechts een armzalige vierendertigduizend per jaar vangt, maar dat hij nog eens vijftigduizend pakt voor bijdragen aan een of ander blaadje dat in Engeland wordt uitgegeven. Hij komt niet uit een vermogende familie, heeft geen erfenissen gekregen, niets van dien aard. De afgelopen maanden ontvangt hij wél geld van die geheimzinnige Lubitsch Holdings.'

Het was even stil.

'Wanneer was jij ook alweer op Flecks eiland?'

'Zeven maanden geleden.'

'Zei je niet dat hij een filmkenner was?'

'De ultieme verzamelaar.'

'Ken je de naam Lubitsch?'

'Ernst Lubitsch is een beroemde filmregisseur uit de jaren dertig.'

'Alleen een echte filmkenner zou een houdstermaatschappij op de Caymaneilanden vernoemen naar een legendarische regisseur.'

We zwegen.

Ik verbrak de stilte. 'Dus Fleck heeft McCall betaald om mij zwart te maken?'

Ze haalde haar schouders op. 'We hebben geen keiharde bewijzen, maar dat is omdat Fleck alle sporen knap uitwist. Toch zijn de privédetective en ik van mening dat het zo is gegaan.'

Ik leunde achterover in mijn stoel en dacht na. Eindelijk vielen de stukjes van de ingewikkelde puzzel op hun plaats. Het afgelopen halfjaar leefde ik in de veronderstelling dat het meer dan moeilijke parket waarin ik me bevond kon worden toegeschreven aan het lot, het domino-effect dat de ene ramp de volgende veroorzaakt en dat...

Nu wist ik hoe de vork in de steel zat: het was allemaal geregisseerd, gemanipuleerd en gepländ. Voor Fleck was ik een marionet die hij kon laten doen wat hij wilde. Hij had besloten me te ruïneren en alsof hij een hogere macht was, meende hij de touwtjes in handen te hebben.

'Weet je wat ik niet snap?' zei Alison. 'Ik begrijp niet waarom hij het nodig vond je te ruïneren. Als hij wilde dat zijn naam op dat scenario kwam te staan, dan hadden we vast wel tot een regeling kunnen komen, zeker als hij genoeg had geboden, maar in plaats daarvan wilde hij je een doodsteek toebrengen. Heb je hem op een of andere manier aanleiding gegeven je zo te haten?'

Ik haalde mijn schouders op en dacht: nee, maar zijn vrouw en ik konden het wel heel goed met elkaar vinden. Aan de andere kant, wat was er nou eigenlijk gebeurd? Een door drank ingefluisterde omhelzing, meer niet, en dan ook nog eens ergens waar niemand het had kunnen zien. Dat wil zeggen... tenzij er camera's in de palmen bij het strand hadden gehangen.

Kappen! Dat is volslagen paranoïde. Bovendien, Fleck en Martha waren toch zo goed als uit elkaar? Waarom zou het hem wat kunnen schelen als we daar bij het strand iets te gezellig bezig waren geweest?

Het kon hem dus wel degelijk wat schelen, want waarom had hij me dit anders aangedaan?

Tenzij... tenzij...

Herinner je je de film waar hij je naar heeft laten kijken? *Salò o le 120 giornate di Sodoma.* Weet je nog dat je je afvroeg waarom hij wilde dat je die gruwelijke film zag? Herinner je je nog hoe hij Salò had verdedigd?

'... Pasolini heeft ons het fascisme in zijn puurste vorm willen tonen: het denkbeeld dat een mens het recht, het privilege, heeft om een ander volledig aan zich te onderwerpen, tot op het punt dat de ander niet alleen zijn waardigheid verliest, maar ook de door hem verworven rechten. Alle menselijkheid wordt hun ontnomen en ze worden behandeld als dingen die na gebruik weggegooid kunnen worden...'

Was dat de bedoeling van die hele kwaadaardige exercitie? Was hij van mening dat hij het recht, het privilege, had om een ander volledig aan zich te onderwerpen? Had Martha hier iets mee te maken en had haar kortstondige affectie voor mij hem ertoe gebracht mij als schietschijf te gebruiken? Of was het jaloezie? Had hij de behoefte gevoeld iemand die het talent had dat hijzelf ontbeerde, te gronde te richten? Hij had zo idioot veel geld, zo idioot veel van álles, dat de verveling ooit wel moest toeslaan. De verveling van één Rothko te veel, van altijd Cristal drinken, van altijd kunnen rekenen op de 767 of de Gulfstream. Vond hij het misschien tijd om zijn miljarden in te zetten voor iets volslagen origineels, iets heel gewaagds, en de rol te spelen die alleen een man die alles al heeft kan spelen, de ultieme rol, die van God.

Ik kon mijn vragen onmogelijk beantwoorden. Het maakte ook niet veel verschil. Zijn motieven waren zijn motieven. Wat ik nu wél wist, was dat Fleck overal achter zat. Als een generaal die een kasteel omsingelt, had hij een strijdplan ontwikkeld om mij te laten capituleren: bestook de fundering en aanschouw de ineenstorting van het hele gebouw... en hij had het bevel, ook over mij.

Alison onderbrak mijn gedachtestroom.

'David? Gaat het een beetje?'

'Ik zit na te denken.'

'Ik begrijp dat je heel wat te verstouwen hebt. Het is me nogal wat.'

'Mag ik je een gunst vragen?'

'Je vraagt maar.'

'Kan Suzy kopieën maken van alle documenten die de privédetective heeft gevonden?'

'Wat wil je daarmee?'

'Ik heb ze nodig. Plus het origineel van mijn scenario.'

'Hier word ik een beetje zenuwachtig van.'

'Vertrouw me nou maar.'

'Een tipje van de sluier, misschien?'

'Nee.'

'David, als je dit verknalt...'

'Dan verknal ik het. Wat dan nog? Wat heb ik te verliezen?'

Ze belde Suzy.

'Suzy? Het dossier dat ik hier heb, moet in zijn geheel gekopieerd worden. Kun je daarvoor zorgen?'

Een halfuur later had ik alle kopieën. Ik maakte snel een bagel met gerookte zalm en creamcheese, vouwde hem in een servetje en stopte hem in mijn zak. Ik gaf Alison een zoen op haar wang en bedankte haar voor alles.

'Doe nou geen domme dingen, alsjeblieft,' zei ze.

'Als dat gebeurt, ben jij de eerste die het hoort.'

Ik ging het kantoor uit en legde het dikke dossier op de passagiersstoel. Ik vergewiste me ervan dat ik mijn adresboekje bij me had en reed naar West Hollywood. Ik parkeerde, ging een boekhandel binnen, vond het boek dat ik zocht en reed naar het internetcafé aan Doheny Drive waar ik vaak langskwam. Ik zette de auto voor de deur, liep naar binnen, ging achter een computer zitten en ging online. Ik sloeg mijn adresboekje open en vond Martha Flecks e-mailadres. Als afzender typte ik het adres van Books and Company in, niet mijn eigen naam. Ik pakte het boek dat ik had aangeschaft en tikte de volgende strofen over:

Voor het einde daar was
was mijn leven
al twee keer voorbij.
Ik moet nog zien
of onsterfelijkheid
mij een derde kans biedt.

Zo groot en niet te vatten
zijn deez' twee ervaringen.
Van de hemel weten wij
dat zij voor ons opengaat.
En dat is al wat we hopen
van de hel.

Ik zou het fijn vinden wat van je te horen.

Je Emily D.

Ik verzond het mailtje en hoopte maar dat ik haar eigen e-mailadres had. Als dat niet het geval was, en Fleck haar angstvallig in de gaten hield, dan rekende ik er maar op dat hij het zou zien als een onschuldige missive van een boekhandel. In het ergste geval had hij me door en moest ik maar hopen dat zij contact met me had opgenomen vóór hij de mail had onderschept.

Ik hing wat rond in West Hollywood, dronk een kop koffie op een terras, reed langs de flat waar Sally en ik hadden gewoond en realiseerde me dat ik niet meer naar haar verlangde. Ze had helemaal geen contact meer met me gezocht en ik twijfelde er geen moment aan dat ze meteen na mijn vertrek een boodschap op onze voicemail had ingesproken met 'David Armitage is niet meer op dit nummer te bereiken'. De wond was geheeld, maar toen ik erlangs reed, voelde ik toch nog een steekje; de pijn die menige man van middelbare leeftijd voelt wanneer hij denkt: hoe kon ik toch zó stom zijn…

Nog zo'n vraag waarop ik het antwoord schuldig moest blijven.

Ik reed West Hollywood uit, liet de stad achter me en volgde de kustweg naar het noorden. Tegen zes uur was ik terug in Meredith. Les zat achter de toonbank en was verbaasd me te zien.

'Het is je vrije dag! Wat kom je doen?'

'Ik verwacht een e-mail. Heb je misschien wat zien binnen...'

'Ik heb dat verrekte ding nog niet eens aangezet. Ga je gang.'

Ik ging het kantoortje in, zette de Apple Mac aan, hield mijn adem in en...

Daar was haar mail. 'Een epistel voor Emily D'. Ik opende de mail en las:

Een uur wachten
is lang
als liefde ginder is.
Een eeuwigheid wachten
is kort
als liefde de beloning is.

Ik denk dat je wel weet wie dit gedicht heeft geschreven. Je weet hopelijk ook dat ondergetekende je heel graag wil zien. Wat is dat voor adres, die boekhandel? Ik ben reuze nieuwsgierig. Bel me mobiel op 917-5553739. Ik ben de enige die kan opnemen, dus het is 't beste communicatiemiddel, als je begrijpt wat ik bedoel.

Bel gauw.

Het allerbeste, je Amherst Belle

'Les?' riep ik. 'Mag ik even een telefoontje plegen?'

'Je gaat je gang maar!'

Ik deed de deur van het kantoortje dicht en belde het nummer. Martha nam op en toen ik haar stem hoorde, voelde ik mijn polsslag wat versnellen.

'Hé, Martha,' zei ik.

'David? Waar zit je?'

'Bij Books and Company in Meredith. Weet je waar Meredith ligt?'

'Ligt dat niet aan de Pacific Coast Highway?'

'Klopt helemaal.'

'Heb je een boekhandel gekocht?'

'Het is een lang verhaal.'

'Ik geloof het direct. Hoor eens, ik had je natuurlijk moeten bellen zodra je alle ellende over je heen kreeg. Wat je hebt gedaan, of liever gezegd, waar je van wordt beschuldigd, was in feite zo onbenullig. Ik zei nog tegen Philip dat als ik een dubbeltje zou krijgen voor elk scenario of toneelstuk dat ik gelezen heb waarin dingen van anderen voorkomen…'

'Dan was je net zo rijk als hij?'

'Zó rijk wordt niemand, afgezien misschien van een stuk of zes mensen in de wereld. Nou ja, ik wil je zeggen dat ik het heel naar voor je vind allemaal, vooral de lastercampagne van die engerd van een McCall. Gelukkig kun je even vooruit met het bedrag dat Philip je voor dat scenario heeft gegeven.'

'Ja,' zei ik effen.

'Ik moet zeggen dat ik het een heel goed scenario vind. Het is wat je noemt gelikt en lekker tegendraads. Toch, als we elkaar wat langer spreken, hoop ik je zover te krijgen dat je bezwaar maakt dat Philip als enige auteur wordt vermeld.'

'Tja, je weet waarom dat zo geregeld is,' zei ik.

'Klopt. Philip heeft me uitgelegd dat je bang bent dat de film slecht ontvangen zou worden als jouw naam op de aftiteling zou staan. Ik ga toch mijn best doen om hem ervan te overtuigen dat als de film eenmaal in omloop is, hij moet laten uitlekken dat jíj de scenarist bent.'

'Alleen als de recensies goed zijn.'

'Dat kan haast niet anders. Philip werkt immers met een fantastisch scenario. Heb je al gehoord dat Fonda, Hopper en Nicholson meedoen?'

'Het is een gedroomde cast.'

'Ik vind het echt fijn wat van je te horen, David. Wat ik me heb afgevraagd na ons…'

'We hebben ons keurig gedragen.'

'Helaas,' zei ze. 'Hoe is het met je vriendin?'

'Geen idee. Onze relatie is een van die dingen die kapot zijn gegaan.'

'Het spijt me dat te horen. En je dochter?'

'Uitstekend,' zei ik, 'maar helaas heeft haar moeder na mijn aanvaring met McCall gemeend naar de rechter te moeten lopen, en die heeft bepaald dat ik Caitlin niet meer mag zien. Mijn ex heeft me afgeschilderd als een onaangepast, onstabiel iemand.'

'David, dat is vreselijk.'

'Zeg dat wel.'

'Als ik het zo hoor, kun je wel een uitgebreide lunch gebruiken.'

'Ja, gezellig. Als je ooit in Meredith bent...'

'Ik zit een week of twee in ons huis in Malibu.'

'Waar is Philip dan?'

'Die zit in Chicago. Hij is bezig met locaties. Over een maand of twee beginnen de opnamen al.'

'Alles goed tussen jullie?' Ik deed mijn best de nonchalante toon van het gesprek voort te zetten.

'We hebben even een plezierige opleving gehad, maar die is als een nachtkaars uitgegaan. Nu is het... ach, als voorheen.'

'Het spijt me dat te horen.'

'Niets nieuws onder de zon, *comme d'habitude...*'

'... zoals ze in Chicago zeggen.'

Ze moest lachen. 'Zeg, heb je morgen tijd om te lunchen?'

We spraken af dat ze me om één uur bij de boekhandel zou komen afhalen.

Zodra ik had opgehangen, liep ik de winkel in en vroeg Les of hij iemand kon vinden die de volgende dag een paar uur voor me kon inspringen.

'Laat maar. Het is woensdag en dan gebeurt hier toch weinig. Neem maar een middag vrij.'

'Dank je.'

Die avond nam ik drie slaappillen, in de hoop goed te slapen, maar voor ik wegzakte, bleven er een paar zinnen in mijn hoofd spoken.

Ik ga toch mijn best doen hem ervan te overtuigen dat als de film eenmaal in roulatie is, hij moet laten uitlekken dat jíj de scenarist bent... Philip heeft me uitgelegd dat je bang bent dat de film slecht ontvangen zou worden als jouw naam op de aftiteling zou staan...

Ik begreep hoe hij zijn miljarden had verdiend. Als het op strijd aankwam, dan was er geen betere. Het was zijn enige echte talent.

De volgende dag stond Martha stipt om één uur voor de deur van de boekhandel. Ik moet zeggen dat ze er fantastisch uitzag, eenvoudig gekleed, in een zwarte spijkerbroek en dito T-shirt, met daar overheen een blauw spijkerjack. Ondanks de Lou Reed-uitrusting had ze het typische voorkomen van de betere stand van de Oostkust. Misschien waren het haar lange, opgestoken haar, de sierlijke, slanke hals en de hoge jukbeenderen die me deden denken aan een portret van John Singer Sargent, zoals hij ze aan het eind van de negentiende eeuw schilderde. Of was het haar onaf-scheidelijke, ouderwetse hoornen brilletje? Dat brilletje was niet alleen in tegenspraak met haar kleding, die een motorduivel niet zou misstaan, maar ook met de financiële middelen waarover ze kon beschikken. Het montuur had waarschijnlijk niet meer dan vijftig dollar gekost en ik zag dat de linkerpoot zelfs bij elkaar gehouden werd met een stukje plakband. Ik snapte wel wat dat plakband moest uitdrukken: ze hield vast aan haar zelfstandigheid, rekende op haar intelligentie, redenen waarom ik haar na al die maanden nog steeds heel aantrekkelijk vond.

Ze liep de boekhandel in en keek recht door me heen. Ze was natuurlijk in de veronderstelling dat de man die eruitzag als een Grateful Dead-fan een personeelslid was, niet de eigenaar.

'Dag,' zei ze. 'Is David Armi...'

Midden in haar vraag viel het kwartje.

'David?' klonk het geschrokken.

'Dag, Martha.'

Ik stond op het punt haar een zoen op de wang te geven, maar ik be-dacht me en stak mijn hand maar uit. Na onze begroeting staarde ze me met een vrolijke én verbaasde blik aan.

'Ben jij dat echt, achter al dat...'

'Ik geef het toe. Mijn baard is een beetje wild.'

'En dat haar! Ik ben op de hoogte van de "terug naar de natuur"-bewe-ging, maar wat is dit? Terug naar de boekhandel?'

Ik lachte. 'Jij ziet er fantastisch uit.'

'Ik zeg niet dat je er slecht uitziet, maar eh... Ik weet het niet... Je bent niet een beetje veranderd, je hebt een complete gedaanteverwisseling on-dergaan. Ik moet opeens denken aan dat kinderspeeltje, je weet wel, een toverplaatje...'

'Zo'n stukje karton dat je moet bewegen waarna een cartoonfiguurtje verandert in pakweg... een dinosaurus?'

'Precies.'

'Nou, dan is dat de nieuwe David: een dinosaurus.'

Nu was het haar beurt om te lachen. 'een dinosaurus met een boekhan-del,' zei ze. Ze keek om zich heen, naar de stapels boeken en de displays. Ze streek met haar hand over een houten kast en zei: 'Ik ben onder de indruk. Leuke zaak. Echt een boekhandel.'

'Klopt. We zitten niet in een winkelcentrum en hebben geen Starbuckskoffieshop in een hoek van de winkel, dus dan ben je algauw een negentiende-eeuwse curiositeit.'

'Hoe heb je deze winkel gevonden?'

'Dat is een lang verhaal.'

'Nou, dan hoop ik dat tijdens de lunch te horen.'

'Geen punt. Ik vertel je alles.'

'Ik was blij verrast met je e-mail. Ik dacht dat…'

'Wat?'

'O, ik weet het niet… Dat je me had afgeschreven, dat je me maar een dwaas mens vond na die…'

'Het was een perfecte vorm van dwaasheid.'

'Meen je dat?'

'Nou en of.'

'Mooi, want…' ze haalde haar schouders op, 'ik voelde me naderhand echt een beetje een dwaas.'

'Dan ben je niet de enige.'

'Goed,' zei ze, en veranderde snel van onderwerp. 'Waar gaan we lunchen?'

'Ik dacht misschien dat we naar de cottage die ik hier heb…'

'Huur je wat?'

'Het is van een van de andere cliënten van mijn agent, van Willard Stevens.'

'De scenarioschrijver?'

'Ja, die.'

Ze keek me onderzoekend aan en het leek alsof ze een plekje zocht voor dat stukje van de puzzel. 'Oké. Dus toen je dit stadje had gevonden, en de boekhandel, heb je het huis gehuurd dat toevalligerwijs van Willard Stevens is, een andere cliënt van je agent?'

'Klopt. Zullen we eens gaan?'

Ik sloot af en legde haar uit dat ik door haar een middag vrij nam.

'Ik ben vereerd,' zei ze, 'maar ik wil niet dat je door mij omzet misloopt.'

'Dat is geen probleem. Op woensdag is het altijd heel stil en Les had geen enkel bezwaar.'

'Wie is Les?'

'De eigenaar.'

Ze snapte er niets meer van. 'Ik dacht dat je zei dat jíj de eigenaar was?'

'Dat heb ik nooit gezegd. Ik zei dat…'

'Ik weet het. "Dat is een lang verhaal."'

Haar auto, een glimmende zwarte Range Rover, stond pal voor de deur.

'Zullen we mijn dikke suv nemen?'

'Ach, nee. Laten we maar met mijn auto gaan,' zei ik, en gebaarde naar mijn geriatrische Golfje. Ze knipperde even met haar ogen toen ze mijn weinig flitsende karretje zag staan, maar zei niets.

We stapten in. Zoals altijd startte de Golf pas bij de vierde poging (een van de vele kleine gebreken die het brikkie vertoonde).

'Wat een auto,' zei ze toen we wegreden.

'Ach, ik kom ermee van A naar B.'

'Ik neem aan dat je voor deze auto hebt gekozen omdat hij past bij dat uiterlijk van de eeuwige student?'

Ik haalde mijn schouders op.

Binnen vijf minuten waren we bij de cottage. Ze was dolenthousiast over het uitzicht over zee, de eenvoudige maar smaakvolle inrichting, de lichte stoffering, de gemakkelijke stoelen en de boekenkasten.

'Ik begrijp heel goed dat je hier gelukkig bent,' zei ze. 'Wat een prachtige wijkplaats voor een schrijver. Waar zit je als je werkt?'

'In de boekhandel.'

'Grappig. Ik bedoel je eigenlijke werk.'

'Bedoel je de schrijverij?'

'David, vertel me nou niet dat je paardenstaartje je cognitieve vaardigheden beïnvloedt. Je bent scenarioschrijver, weet je nog?'

'Nee, ik wás scenarioschrijver.'

'Is het nou nodig dat je de verleden tijd gebruikt?'

'Waarom niet? Het is toch de waarheid?'

'Kijk, Philip gaat jouw scenario verfilmen, met een fantastische rolbezetting en een door Columbia gegarandeerde wereldwijde distributie. Zoals ik je over de telefoon al zei, zodra bekend wordt dat het scenario van jouw hand is, word je overladen met werk. In Hollywood zijn ze nu eenmaal bijzonder gecharmeerd van glorieuze comebacks. Voor je "zes nullen" kunt zeggen, zit je alweer over je laptop gebogen.'

'Nee, echt niet.'

'Hoe weet je dat nou?'

'Ik heb mijn laptop verkocht.'

'Zeg dat nog eens?'

'Ik heb mijn laptop verkocht. "Verpand" is het woord, bij de lommerd in Santa Barbara.'

'David... Je maakt een grapje, hoop ik.'

'Nee, ik meen het. Mijn carrière is verleden tijd. Ik sta nu in een boekhandel en zo verdien ik de kost.'

'Oké, oké,' zei ze, geïrriteerd haast. 'Wat is dit voor spelletje, David?'

'Het ís geen spelletje.'

'Wat moet je nou in een boekhandel?'

'Daar verdien ik mijn brood mee. Tweehonderdtachtig dollar per week, om precies te zijn.'

'Daar gaan we weer. Wat een onzin. David! Tweehonderdtachtig per week, terwijl Philip je tweeënhalf miljoen voor dat scenario heeft betaald?'

'Dat heeft hij niet.'

'Dat heeft hij me anders wel verteld.'

'Dan liegt hij.'

'Ik geloof je niet.'

Ik liep naar het bureau en pakte het dossier met de kopieën van de gegevens die Alisons privédetective had achterhaald, plus het originele scenario, de eerste versie van *We Three Grunts* uit 1997. Ik gaf haar het pakketje aan.

'Wil je bewijs? Hier is al het bewijs dat je nodig hebt.'

Ik vertelde haar het hele verhaal en terwijl ik sprak, zag ik dat ze steeds grotere ogen opzette. Ik liet haar de documentatie van de SATWA zien, legde uit dat al mijn registraties waren verdwenen en dat mijn werk opeens onder de naam Philip Fleck geregistreerd stond. Ik liet haar McCalls bankafschriften zien en wees haar op de flinke maandelijkse bedragen die afkomstig waren van Lubitsch Holdings.

'Heeft je man iets met de films van Ernst Lubitsch?'

'Nou, hij heeft al zijn films.'

'Bingo.'

Ik vertelde haar dat mijn aandelenportefeuille niets meer waard was, met dank aan Bobby Barra, en dat ik reden had om aan te nemen dat Fleck mijn vermogensbeheerder had geïnstrueerd me financieel te nekken.

'Wat ik niet weet, is of je man dit allemaal heeft bekokstoofd nadat hij erachter is gekomen dat wij...'

'Hoezo erachter gekomen?' zei ze. 'Ik bedoel, we hebben toch niet meer uitgespookt dan een stelletje middelbare scholieren?'

'Oké, als dát het niet was, dan was hij misschien jaloers op mijn bescheiden successen.'

'Philip is jaloers op iedereen met creatieve talenten, omdat hij die zelf helemaal niet heeft. Aan de andere kant, ik ken hem verdomd goed en er kunnen vele redenen voor zijn, stuk voor stuk onbegrijpelijk, behalve voor hemzelf. Misschien had hij er gewoon lol in, al was het alleen maar omdat hij het kán doen.'

Ze stond op en begon te ijsberen.

'Het spijt me vreselijk… ik kan me niet voorstellen dat… altijd bezig met mensen te manipuleren… het is allemaal… het is verdomme zo ver- rekte Philip…'

'Tja, je kent hem beter dan ik.'

'Het spijt me allemaal.'

'Mij ook. Martha? Ik heb je hulp nodig.'

'Ik sta tot je beschikking.'

'Wat ik wil voorstellen is misschien een beetje… riskant.'

'Dat bepaal ik zelf wel. Zeg maar wat je van plan bent.'

'Confronteer je man met het bewijs dat hij mijn scenario heeft gepikt en dat hij McCall heeft opgedragen mijn carrière te gronde te richten.'

'En wil je dat ik dat *j'accuse*-gesprek voor je opneem?'

'Ja. Een klein recordertje lijkt me voldoende. Wat ik nodig heb, is een bekentenis dat hij erachter zit. Als het op de band staat, hebben mijn agent en haar advocaten precies wat ze nodig hebben. Zodra hij snapt dat er een bekentenis is, zowel van de diefstal van het scenario als van de truc met McCall, zal hij zeker willen onderhandelen. Denk eens aan de publi- citeit die we kunnen ontketenen. Hij heeft toch een fobie voor slechte pers?'

'O, zeker.'

'Ik wil mijn reputatie terug. Het geld zal me een zorg zijn.'

'Dat móét een zorg zijn, want de taal van het geld is de enige die hij spreekt. Het probleem is…'

'Dat hij alles gaat ontkennen?'

'Precies. Hoewel…'

'Wat?'

'Als ik hem nou eens goed uit zijn tent lok, wie weet…'

'Het klinkt niet erg hoopvol.'

'Ik ken de man gewoon te goed. Enfin, het is het proberen waard.'

'Fijn. Bedankt.'

Ze pakte de paperassen en zei: 'Ik neem de hele bups mee.'

'Ga je gang.'

'Kun je me nu alsjeblieft naar mijn auto brengen?'

Gedurende het vijf minuten durende ritje naar de boekhandel zei ze niets. Ik keek even snel naar opzij. Ze hield het dossier tegen zich aan gedrukt en zo te zien was ze met haar gedachten elders. Ze had een verbeten trek op haar gezicht. Toen we bij haar auto waren, boog ze zich naar me toe, gaf me een zoen op mijn wang en zei: 'Je hoort van me.'

Ze stapte de Golf uit, de Range Rover in en reed weg. Toen ik naar huis reed, dacht ik: dat is nou precies de reactie waar ik op hoopte.

De dagen erna hoorde ik niets van haar. Alison daarentegen belde geregeld, nieuwsgierig als ze was wat ik met de fotokopieën van plan was. Ik loog en zei dat ik nog nadacht over een manier om ze tegen Philip Fleck te gebruiken.

'Je bent een slechte leugenaar, David.'

'Je mag denken wat je wilt.'

'Ik hoop dat je voor de verandering eens een slimme zet doet.'

'Ik ben ermee bezig. Hebben jij en je advocaat nog nagedacht over hoe we hem kunnen pakken voor het stelen van auteursrechtelijk beschermd werk?'

'We hebben alles laten meewegen, maar nee... Die vent heeft zich volledig ingedekt.'

'Hmm... Dat valt te bezien.'

Na een week, toen ik nog niets van Martha had gehoord, begon ik me af te vragen of hij zich inderdaad volledig had ingedekt en Martha geen woord uit hem had kunnen krijgen. Ik wilde nog niet opgeven, maar ik had nog slechts drie weken voor de volgende alimentatie eruit moest. En wat erger was, ik kon nog niet eens de helft van het vereiste bedrag ophoesten. Als er niets gebeurde, zou Lucy zich waarschijnlijk op me wreken en het telefonisch contact met Caitlin verbieden. Bovendien kon ik dan Walter Dickerson niet betalen om het voor de rechter (of waar dan ook) voor me op te nemen. Kwam het op een rechtszaak aan, dan kon ik het wel vergeten. Daar kwam nog bij dat Willard Stevens me had gebeld om te vragen hoe het ging. Hij had gezegd dat hij dacht over een maand of twee naar huis te komen, dus...

Hoe kon ik met mijn tweehonderdtachtig dollar in de week ergens wat huren? De laagste huur in het stadje was achthonderd in de maand, dus stel dat ik een dak boven mijn hoofd vond, dan had ik tachtig dollar per week te besteden aan eten, gas- en elektra en benzine. Met andere woorden: mission volkomen impossible.

Als dit catastrofale vooruitzicht werkelijkheid werd, dan zat er niet veel anders op dan een bestaan op de stoep van Wilshire Boulevard, naast een kartonnen bord waarop ik met grote letters had gekalkt: VROEGER WERDEN MIJN TELEFOONTJES ALLEMAAL BEANTWOORD.

Uiteindelijk belde Martha. Het was vrijdagavond, tien dagen nadat we elkaar hadden gesproken. Ze belde tegen zes uur naar de winkel. Ze hield het kort en zakelijk.

'Neem me niet kwalijk dat ik niet eerder heb gebeld.'

'Heb je nieuws?'

'Wat zijn je vrije dagen?'

'Maandag en dinsdag.'

'Kun je de maandag vrijhouden?'

'Natuurlijk.'

'Goed. Ik haal je om een uur of twee thuis af.'

Nog voor ik wat kon zeggen, hing ze al op. Ik had haar het liefst meteen teruggebeld om een verklaring te eisen, maar ik was bang dat dat niet in mijn voordeel zou werken. Er zat niet veel anders op dan de uren af te tellen.

Ze was precies op tijd en zette de Range Rover bij de voordeur. Ook dit keer zag ze er betoverend uit. Ze droeg een kort, rood rokje, een strak zwart haltertopje, het spijkerjasje dat ik van haar kende, dezelfde kapotte bril en een ketting met een ouderwetse camee. Ze deed me denken aan een kruising tussen Henry James' Isobel Archer en een hippe yup. Ik kwam naar buiten om haar te begroeten en ze schonk me een brede glimlach. Betekende die glimlach dat ze goed nieuws had? Ze gaf me een kusje op mijn lippen en kneep me even in mijn arm. Dit ziet er goed uit, dacht ik, maar het is ook een beetje verwarrend.

'Hallo,' zei ze.

'Dag. Ontwaar ik een goed humeur?'

'Je weet maar nooit. Ben je van plan die kleren aan te houden?'

Ik droeg een oude spijkerbroek, een T-shirt en daaroverheen een grijs sweatshirt met een rits.

'Nou ja, ik weet niet wat de plannen zijn, dus…'

'Mag ik een voorstel doen?'

'Ik luister.'

'Ik wil dat je mij vandaag de leiding geeft.'

'Hoe bedoel je?'

'Wat ik bedoel, is dat je me belooft dat je niet zult vragen wat ik van plan ben en dat je alles doet wat ik je vraag.'

'Alles?'

'Ja,' zei ze, en grijnsde breed. 'Alles. Maak je nou maar geen zorgen, want ik ben niets gevaarlijks of illegaals van plan.'

'Dat is een hele opluchting.'

'Nou, David. Kunnen we dat afspreken?'

We gaven elkaar een hand.

'Mij best. Zolang ik maar geen lijk hoef te begraven.'

'Veel te banaal,' zei ze. 'Kom op, trek nou eerst die rare kleren uit.'

Ze liep langs me heen naar binnen en stevende op de slaapkamer af. Ze maakte de kleerkast open, ging door mijn kleding en kwam tevoorschijn met een zwarte spijkerbroek, een wit T-shirt, een leren jack en een paar hoge Converse-sneakers.

'Dit ziet er veel beter uit,' zei ze, en gaf me de kleren aan. 'Trek maar aan.'

Ze liep naar de zitkamer en ik verkleedde me. Toen ik in de deuropening stond, zag ik haar bij het bureau kijken naar een oude foto van Caitlin en mij. Ze zag me staan en bekeek me van top tot teen.

'Veel beter,' zei ze. Ze hield de foto naar me op en zei: 'Vind je het goed dat ik deze meeneem?'

'Eh... ja. Waarom eigenlijk?'

'Wat heb je me nou beloofd?'

'Geen vragen stellen.'

Ze liep op me af en gaf me weer een kusje op mijn lippen. 'Hou je daar dan ook aan.'

Ze stak haar arm in de mijne. 'Kom, we gaan.'

We namen de Range Rover en toen we Meredith achter ons hadden gelaten en bij de Pacific Coast Highway waren aangekomen, nam ze de afrit naar het noorden.

'David, ik ben onder de indruk.'

'Hoezo?'

'Dat je me niet hebt uitgehoord over wat er de afgelopen tien dagen is gebeurd. Je hebt enorm veel discipline.'

'Tja, je zei dat ik geen vragen mocht stellen.'

'Ik geef je toch een soort antwoord, maar onder één voorwaarde: je mag er niet op terugkomen.'

'Omdat het slecht nieuws is?'

'Ja, dat wil zeggen, niet zo goed. Bovendien wil ik niet dat het onze dag verpest.'

'Oké.'

Terwijl ze sprak, keek ze recht voor zich uit, afgezien van een enkele blik in de achteruitkijkspiegel.

'Nadat ik je had gesproken, ben ik teruggegaan naar LA en met de Gulfstream naar Chicago gevlogen. Op het vliegveld van LA ben ik even snel een elektronicawinkeltje in gegaan en heb zo'n klein recordertje gekocht. Zodra we waren opgestegen, heb ik Philip gebeld en hem gezegd dat ik hem zo spoedig mogelijk wilde spreken. Ik ben naar zijn suite in het Four Seasons gegaan en heb hem alles wat er in het dossier stond voor de voeten gegooid. Hij haalde zijn schouders op en zei dat hij niet begreep waarover ik het had. Met behulp van al het bewijsmateriaal dat ik had, heb ik voorgekauwd hoe hij de hele zwendel in elkaar had gedraaid. Hij ontkende er ook maar iets van te weten en vroeg niet eens hoe ik aan alle documenten kwam. Hij had er eenvoudigweg geen enkele boodschap aan. Ik verloor mijn zelfbeheersing en schreeuwde dat ik een uitleg eiste, maar Philip klapte helemaal dicht. Gedurende een uur heb ik alles uit de trukendoos gehaald om hem tenminste één bekentenis te ontfutselen, maar hij ging nergens op in. Uiteindelijk heb ik alle papieren bijeengegraaid, ben de suite uit gelopen en met de Gulfstream teruggevlogen.

In LA ben ik op onderzoek gegaan. Lubitsch Holdings is inderdaad van Philip, maar die BV is dermate goed opgezet daar op de Caymaneilanden, dat niet te traceren valt dat die van hem is. Hoewel ik er geen bewijs voor heb, weet ik vrijwel zeker dat er afgezien van de grote donatie aan de SAT-WA, ook een bedrag in de zak van de directeur, James LeRoy, is verdwenen.'

'Hoe ben je daarachter gekomen?'

'Wat hadden we nou afgesproken?'

'Sorry.'

'Nou ja, dat is het zo'n beetje. Zo te zien is alles wat je me vorige week hebt verteld, waar. Philip heeft besloten je te gronde te richten. Het waarom is me niet helemaal duidelijk, maar zo staan de zaken. Hij zal het nooit toegeven, want hij is niet gewend aan wie dan ook verantwoording af te leggen, maar ik weet zeker dat hij erachter zit. En hier gaat hij voor boeten. Ik ga bij hem weg. Niet dat hij daar nou ondersteboven van zal zijn, maar toch.'

'Je hebt hem gezegd dat je bij hem weggaat...' zei ik, in de hoop dat ze het niet als een vraag zou opvatten.

'Nee, hij weet het nog niet, want ik heb hem sindsdien niet meer gesproken en... mijn complimenten voor hoe je die vraag als mededeling hebt weten te verpakken.'

'Dank je.'

'Niets te danken. Ik had zó gehoopt dat ik hem een bekentenis kon ontfutselen, al was het maar om hem te dwingen een en ander recht te zetten. In plaats daarvan...'

Ze haalde haar schouders op.

'Laat maar,' zei ik.

'Nee, niets laat maar,' zei ze.

'Voor vandaag, bedoel ik.'

Ze nam haar hand van het stuur en pakte mijn hand. Tot het moment dat we bij de afslag Santa Barbara waren en ze moest schakelen, zaten we hand in hand.

We reden langs de autodealer waar ik de Porsche had verkocht en door de hoofdstraat, waar het wemelde van de dure kledingzaken en restaurants waar arugula en versgeraspte Parmezaanse kaas *de rigueur* waren. Toen we bijna bij het strand waren, nam ze de kustweg tot aan het hek van het Four Seasons Hotel.

'Zeg eh...' begon ik. Ik herinnerde me het weekje dat ik met Sally in ditzelfde hotel had gezeten, toen ik nog getrouwd was en, niet te vergeten, heel zelfingenomen.

Iemand van het hotel ontfermde zich over de auto en we liepen de lobby in. In plaats van naar de receptie, nam ze me mee een gang in. Ze bleef staan bij een dubbele eiken deur waar WELLNESSCENTER op stond.

'Zo te zien kun je best wat wellness gebruiken,' zei ze met een brede grijns op haar gezicht. Ze deed de deur open, duwde me voor zich uit en vanaf dat moment had ze de touwtjes volledig in handen. Ze zei tegen de receptioniste dat ik David Armitage was en dat er een afspraak gemaakt was voor een uitgebreide middagsessie, inclusief een bezoek aan de coiffeur. 'Nu we het over de kapper hebben, kan ik hem even spreken?' vroeg ze. De receptioniste belde en even later kwam er een slanke man aangelopen. Hij had een zachte stem en stelde zich voor als Martin.

'Oké, Martin,' zei Martha, 'dit is je slachtoffer.' Ze zocht in haar tas, diepte er de foto van Caitlin en mij uit en gaf hem aan Martin. 'Kijk, zo zag hij eruit voordat hij een holenmens is geworden. Denk je dat je hem zijn pre-neanderthaleruiterlijk kunt teruggeven?'

Martin glimlachte flauw. 'Geen probleem,' zei hij, en gaf haar de foto te-rug.

'Nou, jochie,' zei ze tegen mij. 'Je mag vier uur lang genieten. Ik zie je om een uur of zeven voor een borrel op het terras.'

'Wat ga jij dan al die tijd doen?' vroeg ik.

Ze gaf me een vlugge kus op mijn lippen, zei 'Geen vragen' en liep de deur uit. Martin tikte me op mijn schouder en wenkte me mee te komen naar zijn heiligdom.

Ik moest me uitkleden en twee vrouwelijke medewerkers begeleidden me naar een grote, marmeren douche, waar ik werd schoongespoeld door een aquatower die van alle kanten warm water tegen me aan spoot. Algen-zeep en een harde borstel deden de rest. Ik werd afgedroogd, kreeg een badjas aangereikt en moest me bij Martin vervoegen. Ik ging zitten en al-gauw had hij me van het overgrote deel van mijn baard ontdaan. Hij bracht warme handdoeken, zeepte me in en pakte een scheermes uit een steriliseertrommel. Hij schoor me, depte mijn gezicht met een warme handdoek, draaide de stoel en mijn hoofd hing al boven een wasbak. Hij waste mijn lange, geklitte haar, knipte het af en even later was ik de frisse man met het korte haar die ik was geweest voor alles verkeerd ging.

Toen zijn taak erop zat, tikte hij me op de schouder en wees naar een deur. 'Ik zie je weer als zij daar klaar met je zijn,' zei hij.

De volgende drie uren werd ik geklopt, gekneed en gemummificeerd. Ik kreeg een masker en werd gemasseerd met olie, waarna ik naar Martin werd teruggestuurd, die mijn haar föhnde en borstelde. Hij wees op de spiegel en zei: 'Kijk, daar heb je de man van weleer.'

Ik staarde naar mijn spiegelbeeld en moest even wennen aan mijn nieu-we, oude uiterlijk. Mijn gezicht was de afgelopen maanden nogal verma-gerd en mijn ogen stonden vermoeid. Hoewel ik na vier uur wellness mooi was opgepoetst en glom, was ik er bij lange na niet van overtuigd dat het een geslaagde actie van cosmetische en gecoiffeerde magie was. Ik wilde dit gezicht niet zien, domweg omdat ik het niet vertrouwde, en ik zwoer dat ik de volgende dag mijn baard weer zou laten staan.

Martha zat al op het terras op me te wachten. Ze had een tafeltje geko-zen met een prachtig uitzicht op zee. Ze had zich verkleed in een kort, zwart jurkje en haar lange haar hing tot op haar schouders. Ze keek op, glimlachte en zei: 'Dat ziet er veel beter uit.'

Ik ging naast haar zitten. 'Kom eens even,' zei ze. Ik boog me naar haar toe en ze legde haar hand op mijn wang. Ze bracht haar hoofd naar dat van mij en zoende me.

'Héél veel beter,' zei ze.

'Ik ben blij dat jij tevreden bent,' zei ik, een beetje daas van de zoen.

'U moet weten, meneer Armitage, dat er een enorm gebrek is aan knappe, slimme mannen. Er zijn er genoeg die knap en stom zijn en heel veel slimme lelijkerds, maar aantrekkelijk én slim zie je net zo zelden als de komeet Hale-Bopp. Dus als een aantrekkelijke slimmerik het nodig vindt eruit te zien als Tab Hunter in *King of Kings*, tja, dan moeten er maatregelen genomen worden. Bovendien peins ik er niet over het bed te delen met iemand die zo uit een slechte reproductie van Da Vinci's *Bergrede* is gestapt.'

We zaten zwijgend naast elkaar, maar zij verbrak de stilte. Ze pakte mijn hand en vroeg: 'Hoorde je wat ik zei?'

'Jazeker.'

'En?'

Ik bracht mijn hoofd naar dat van haar en zoende haar.

'Dat was het antwoord waar ik op hoopte,' zei ze.

'Weet je dat ik de eerste keer dat we elkaar spraken al wat voor je voelde?' flapte ik eruit.

'Je stelt een vraag...'

'Nou en? Ik wil dat je dat weet.'

Ze pakte me bij mijn revers, trok me naar zich toe en we waren letterlijk tête-à-tête.

'Dat weet ik,' fluisterde ze, 'want ik voelde hetzelfde. Zeg maar niets meer.' Ze zoende me. 'Zullen we vanavond iets heel aparts doen?' vroeg ze.

'Absoluut,' antwoordde ik. 'Zeg het maar.'

'Wat ik bedoel, is dat we het maar eens bij één, hooguit twee glazen wijn moesten houden. Ik heb zo'n voorgevoel dat het goed is om later op de avond nog redelijk nuchter te zijn.'

We hielden het bij één glas chablis en gingen naar het restaurant. We aten oesters en krab, ik dronk nog een glas wijn, we lachten veel en hadden het over van alles en nog wat. Toen de tafel was afgeruimd en we allebei de koffie hadden afgeslagen, pakte ze mijn hand en nam me mee naar het hoofdgebouw. We gingen de lift in en liepen naar haar mooie, luxueuze suite. Ze deed de deur achter zich dicht en omhelsde me. 'Ken je die scène van Cary Grant en Katherine Hepburn, waar Cary haar bril afzet om haar eens goed te kunnen zoenen? Zullen we die scène naspelen?'

En zo geschiedde, en we schuifelden richting bed, waar onze vertolking iets verder ging...

Het werd ochtend. Tot mijn grote verrassing, maar niet echt, werd ik wakker met dat gelukzalige gevoel dat je hebt na een goede nacht. Ik had heerlijk geslapen had, zó heerlijk dat ik een paar minuten lag na te genieten van de avond ervoor. Ik tastte naast me, maar in plaats van Martha voelde ik de houten lijst van de foto van Caitlin en mij, die op haar kussen lag. Ik ging rechtop zitten, zag dat ik de enige in de kamer was en keek op mijn horloge. Het was twaalf over tien. Mijn oog viel op een zwarte tas op de tafel en iets wat op de tas lag. Ik stond op en pakte een envelop waar DAVID op stond. Ik maakte hem open en las:

Lieve David,

Ik moet ervandoor. Je hoort binnenkort van me, maar ik vraag je te wachten totdat ík contact met je opneem. In de tas zit een presentje. Als je er geen gebruik van maakt, wil ik je nooit meer spreken. Ik hoop je gauw weer te zien, dus... Je weet wat je te doen staat.

Heel veel liefs, Martha

Ik ritste de tas open en keek naar een gloednieuwe Toshiba-laptop. Een paar minuten later stond ik voor de badkamerspiegel en wreef over mijn stoppels. Aan de muur naast de wastafel hing een telefoon. Ik belde de receptie en vroeg of ze me misschien scheerspullen konden bezorgen.

'Geen probleem, meneer Armitage. Wilt u ook een ontbijt?'

'Een glas sinaasappelsap en een kop koffie, graag.'

'Komt eraan, meneer. O, en nog iets. Mevrouw heeft vervoer naar huis voor u geregeld. Een van onze chauf...'

'Echt?'

'Ja, meneer. Dat is allemaal geregeld. U hoeft pas om één uur uit te checken, dus...'

Om vijf over één zat ik achter in een Mercedes, de laptop naast me, op weg naar Meredith.

De volgende ochtend was ik weer op mijn werk. Halverwege de middag liet Les zich even zien en het duurde een paar seconden voor hij doorhad dat ik de persoon achter de toonbank was. Hij keek me quasi-ernstig aan en zei: 'Mijn ervaring is dat een man wel heel verliefd moet zijn om zijn uiterlijk zo rigoureus te veranderen.'

Hij had me door. Ik was stapelverliefd. Ik moest constant aan Martha denken en deed niets anders dan de denkbeeldige band van de nacht in het hotel afspelen. Ik hoorde haar stem, haar lach, de gefluisterde lieve woordjes toen we de liefde bedreven. Ik wilde haar dolgraag spreken, bij haar zijn, maar ze belde niet.

Na vier dagen hield ik het haast niet meer uit. Ik nam me voor dat als ik tegen het middaguur niets had gehoord, ik haar verzoek geen contact op te nemen aan mijn laars zou lappen en haar mobiel ging bellen om te zeggen dat we er samen vandoor moesten gaan.

Die ochtend om acht uur werd er aangebeld. Ik sprong mijn bed uit. Daar is ze, dacht ik, maar toen ik de deur opengooide, keek ik in het gezicht van een man in een blauw uniform die een dikke envelop voor me ophield.

'David Armitage?'

Ik knikte.

'Koerier. Ik heb een pakje voor u.'

'Van wie?'

'Geen idee, meneer.' Ik tekende voor ontvangst, bedankte de man en maakte de envelop in de zitkamer open. Er zat een dvd in. Ik haalde hem uit het kartonnen hoesje en zag een wit label waar een hart met een pijl op getekend was. Bij het ene uiteinde van de pijl stond 'M.F.' en bij het andere 'D.A.'

Ik huiverde, maar dwong mezelf de dvd in de speler te stoppen.

Op het scherm was een stilstaand beeld van de hotelkamer te zien. De deur ging open en Martha en ik kwamen binnen. Ze omhelsde me en hoewel het geluid een beetje blikkerig klonk, hoorde ik haar zeggen: 'Ken je die scène met Cary Grant en Katherine Hepburn, waar Cary haar bril afzet om haar eens goed te kunnen zoenen? Zullen we die scène naspelen?'

We begonnen te zoenen en bewogen ons richting bed. We stortten ons op elkaar en rukten elkaar de kleren van het lijf, en de verborgen camera was zó gepositioneerd dat elk detail te zien was.

Na vijf minuten zette ik de dvd-speler uit. Ik had genoeg gezien.

Fleck... Hij die alles zag, alles wist en overal de hand in had. Hij had het allemaal in scène gezet. Hij had haar telefoon afgeluisterd, wist van het rendez-vous in het Four Seasons in Santa Barbara. Zijn mensen hadden waarschijnlijk met de geldbuidel gezwaaid, waren erachter gekomen welke suite Martha had besproken en hadden de verborgen camera inclusief microfoon laten installeren.

En nu... Nu had hij ons. Poedelnaakt en digitaal. Hij had zijn eerste pornofilm geregisseerd, de film die de reputatie van zijn vrouw zou verwoesten, die betekende dat de doodlopende straat waarin ik me bevond, mijn permanente adres zou zijn.

De telefoon ging. Ik rende erheen en nam op.

'David?'

Het was Martha. Ze klonk onnatuurlijk kalm, haast als een stilte voor de storm.

'O, Martha. Goddank...'

'Heb je de beelden gezien?'

'Ja. De envelop is zo-even bezorgd.'

'Het is nogal wat, vind je niet?'

'Ik kan er gewoon niet bij...'

'Kunnen we ergens afspreken?'

'Zeg maar waar.'

5

Binnen vijf minuten had ik me aangekleed. Ik sprong in de auto en gaf plankgas tot aan de rand van Los Angeles. Ik wist de oude Volkswagen op te zwepen tot bijna honderdvijfentwintig kilometer per uur, zijn absolute topsnelheid. Het was alsof ik een stokoud iemand met longemfyseem de honderd meter sprint liet lopen, maar ik kon er niet mee zitten. Ik moest Martha ogenblikkelijk spreken, voordat Fleck zijn plannetje met de dvd, wat dat ook behelsde, ten uitvoer kon brengen.

Ze had me gevraagd haar te treffen in een café in Santa Monica. Even na tien uur was ik er. Ze zat al op me te wachten, aan een tafeltje dat op het strand uitkeek. De zon scheen op volle sterkte, maar een zeebriesje temperde de warmte.

'Hallo,' zei ze toen ik op haar afliep. Ze had een donkere zonnebril op, dus ik kon niet goed inschatten hoe nerveus ze was, maar wat ik wel merkte, was dat ze een beetje koel deed. Ik schreef het toe aan de spanningen.

Ik omhelsde haar, maar ze bleef zitten en bood me haar wang, waar ik op mijn beurt een beetje nerveus van werd.

'Pas nou op,' zei ze terwijl ze mijn hand van zich af nam en me voorzichtig naar de stoel naast haar duwde. 'Je weet maar nooit wie er kijkt.'

'Natuurlijk,' zei ik. Ik ging zitten en pakte haar hand onder de tafel. 'Hoor eens, ik heb op weg hierheen zitten nadenken en ik weet wat ons te doen staat. We gaan samen naar je man, vertellen hem dat we van elkaar houden en vragen of hij ons alsjeblieft met rust…'

Ze onderbrak me. 'David, voor we ook maar iets besluiten, moet ik je een belangrijke vraag stellen.'

'Ga je gang.'

'Wil je een espresso, een cappuccino of een koffie verkeerd?'

Ik keek op en zag een serveerster in de buurt van ons tafeltje scharrelen. Ze glimlachte besmuikt en ik kreeg de indruk dat ze had gehoord wat ik even daarvoor had gezegd.

'Een dubbele espresso,' zei ik.

Zodra de serveerster was weggelopen, pakte ik Martha's hand en kuste die.

'Het waren vier lange dagen,' zei ik.

'O ja?' Het klonk geamuseerd.

'Ik kan je niet vertellen hoe geroerd ik ben door je cadeau.'

'Als je het nou maar gebruikt.'

'Dat zal ik zeker doen. Reken maar.'

'Schrijven is je vak.'

'Ik wil je wat zeggen...' zei ik.

'Ik luister.'

'Vanaf het moment dat ik wakker werd in die hotelkamer, heb ik constant aan je gedacht.'

Ze trok haar hand uit de mijne en vroeg: 'Ben je altijd zo als je voor de eerste keer met iemand naar bed bent geweest?'

'Het spijt me. Ik weet dat ik me gedraag als een verliefde schooljongen.'

'Ik vind het heel lief.'

'Ik voel het echt zo.'

'David, op dit moment zijn er belangrijker dingen...'

'Natuurlijk. Je hebt helemaal gelijk. Ik hou mijn hart vast voor wat hij met die dvd van plan is.'

'Dat hangt af van zijn reactie.'

'Hoe bedoel je?' vroeg ik, enigszins in verwarring gebracht.

'Wat ik bedoel, is dat hij niets met die dvd te maken heeft.'

'O? Nou snap ik er niets meer van. Als híj ons niet heeft gefilmd, wie dan wel?'

'Ik.'

Ik keek haar aan om te zien of er achter die zonnebril iets gemeens school, maar ze keek me strak aan.

'Ik begrijp er niets meer van,' zei ik.

'Het is helemaal niet zo ingewikkeld,' begon ze. 'Toen Philip ontkende ook maar iets te maken te hebben met jouw problemen, achtte ik het tijd voor drastische maatregelen, en daarom heb ik een plannetje gesmeed. Ik bedacht dat als ik hém niet op de band kon krijgen, dan óns maar moest opnemen. De mensen van het hotel werkten maar al te graag mee en al helemaal toen ik de juiste figuren wat in de hand had gedrukt. Ik ken iemand die alles weet van audiovisuele technieken. Hij heeft de boel voor me geïnstalleerd.'

'Was hij daar toen we...'

'Denk je nou echt dat ik zou willen dat iemand ons in bed bekeek? Weet je nog dat ik even naar de wc ben gegaan voor we het restaurant uit gingen? In werkelijkheid ben ik naar de suite gegaan om de boel aan te zetten. Daarna was het… draaien maar. De volgende ochtend, jij sliep nog, heb ik de dvd uit de speler gehaald en ben vertrokken. Twee dagen daarna zat ik weer in Chicago en heb ik Philip gedwongen de eerste paar minuten van de opnamen te bekijken.'

'Hoe reageerde hij?'

'Precies zoals ik van hem gewend ben. Hij zei niets en staarde naar de beelden. Toch wist ik heel goed wat hij ervan vond; hij zal het nooit laten merken, maar hij is vreselijk jaloers. Ik weet ook wat zijn grootste angst is: dat zijn privéleven op straat komt te liggen, dat men erachter komt wat hij zoal doet en bekokstooft. Daarom heb ik deze weg bewandeld; ik wist dat hij bij het zien van de opnamen van ons tweeën in bed volledig in paniek zou raken. Om het zekere voor het onzekere te nemen, heb ik hem verteld dat mijn advocaat in New York een kopie van de dvd heeft en dat als hij jouw carrière niet binnen een week weer op de rails zet, mijn advocaat de opnamen naar de *New York Post* stuurt, de *Daily News*, de *Enquirer*, *Inside Edition* en welke andere beoefenaars van riooljournalistiek dan ook. Intussen tikt de klok door en heeft hij nog maar zes dagen.'

'Stel dat hij niet gelooft dat je dat zult doen, dat hij niets onderneemt en dat de opnamen…'

'Ja, dan zijn wij tweetjes groot nieuws, maar dat zal me een zorg zijn. Als hij het op de spits drijft, zorg ik ervoor dat ik bij Oprah of Diane Sawyer in het programma kom en ga ik een boekje opendoen over "het heerlijke leven" met een vermogend man die zo gevoelig is als een baksteen. Maar goed, het gaat erom dat hij je naam in ere herstelt. Wat mijzelf aangaat, ik heb een besluit genomen. Ik ga bij hem weg.'

'Weet je het zeker?' vroeg ik, misschien iets te hoopvol.

'Ik heb het hem al gezegd, en als ik met de opnamen naar de pers loop, heeft dat volgens mijn advocaat geen enkel effect op de huwelijkse voorwaarden. Het contract is wat dat betreft waterdicht. Het maakt niet uit of ik hem verlaat of dat hij er de brui aan geeft. Ik krijg hoe dan ook honderdtwintig miljoen.'

'Mijn god.'

'Voor meneer Fleck is dat een zakcentje. Als we fulltime in Californië hadden gewoond, zou ik zelfs de helft van zijn bezittingen kunnen opeisen. Niet dat ik dat zou doen, overigens. Honderdtwintig miljoen lijkt me meer dan voldoende voor mij en het kind.'

'Wat zei je daar?'

'Ik ben zwanger.'

'O,' zei ik geschrokken. 'Dat is fantastisch nieuws…'

'Dank je.'

'Sinds wanneer weet je het?'

'Een maand of drie.'

Opeens begreep ik waarom ze het in Santa Barbara bij één glas wijn wilde houden.

'Wat vindt Philip er…'

'Hij weet het pas sinds gisteren,' onderbrak ze me. 'Het was een van de nieuwtjes die ik voor hem had.'

'Ik dacht dat jullie tweeën nooit…'

'Ons huwelijk had een kleine opleving, niet lang nadat jij en ik op het eiland waren. Philip besloot dat het tijd was dat we weer iets van een gezamenlijk leven gingen leiden. Ik geloof dat hij zelfs weer van me is gaan houden, net als ik van hem, overigens. Die opleving duurde maar een maand of drie en daarna trok hij zich weer terug. Toen ik wist dat ik zwanger was, heb ik het hem niet verteld. Ik heb tot gisteren gewacht. Weet je hoe hij reageerde? Hij zei niets. Hij zei geen stom woord.'

Ik pakte haar hand weer.

'Martha…' Ze liet me niet uitspreken.

'Zeg het nou maar niet.'

'Maar voel je niet… hou je niet…'

'Wat bedoel je nou? Of ik van je hou?'

'Ja.'

'Ik kén je nauwelijks!'

'Sommige mensen weten het al na vijf minuten…'

'Dat mag zo zijn, maar laten we het hier nou maar bij houden.'

'Ik kan maar niet geloven dat je alles voor mij op het spel hebt gezet.'

'Wat een bouquetreekstaal! Hij heeft je als oud vuil behandeld. Wat ik denk, is dat hij een verslag heeft gekregen van onze tijd op het eiland. Dat het niet tot de daad is gekomen, maakt in feite niet uit. Waar het om ging, was dat jij talent hebt en dat ik voor je gevallen ben. Toen je me vertelde wat hij allemaal uit de kast had gehaald om je kapot te maken, voelde ik me verantwoordelijk. Omdat hij niet geïnteresseerd was in mijn argumenten, in het bewijs dat ik hem onder de neus duwde, restte me weinig dan dit vuile spel. Het gaat me er alleen maar om dat de rekening wordt vereffend, dat een en ander wordt rechtgezet en wat voor clichés je verder nog kunt bedenken.'

'Geld alleen is niet genoeg. Ik moet gerehabiliteerd worden. Hij zal een verklaring moeten opstellen waarin staat dat ik vrijuit ga. Verder...'

'Ja?'

Ik had een plannetje. Het kwam spontaan in me op, hoe vergezocht en gemeen het ook was.

'Verder wil ik dat je hem zover krijgt dat hij samen met mij op televisie verschijnt. Het moet een interview worden, als het kan in een programma met hoge kijkcijfers.'

'En hoe verloopt dat interview?'

'Dat is mijn zaak...'

'Ik zal kijken wat ik kan doen, áls ik al wat kan doen.'

'Je bent fantastisch. Meer dan dat.'

'Laat nou maar, David.'

Ze stond op en zei: 'Ik moet weer eens gaan.'

Ik stond op en ze liet me haar op de mond zoenen. Ik wilde een heleboel amoureuze dingen zeggen, maar ik wist me te beheersen.

'Ik bel je zodra ik wat weet,' zei ze, waarna ze zich omdraaide en naar haar auto liep.

Op de weg terug naar Meredith speelde ik de conversatie een paar keer af in mijn hoofd en ik hield me vast (net als elke verliefde domoor gedaan zou hebben) aan de schaarse, veelbelovende signalen die ze had uitgezonden. Ze ging bij Fleck weg. Ze zei niet dat ze van me hield, maar had geen blijk gegeven van het tegendeel. Ze had wél bekend dat ze voor me was gevallen en wist wat mijn gevoelens waren vóór ze me had verteld over de som geld die ze na een scheiding kon verwachten. Dat werkte toch in mijn voordeel, nietwaar?

De pessimist in me zag ook een heel andere uitkomst: Fleck liet het er niet bij zitten, ging in de aanval en deed niets om te voorkomen dat de opnamen openbaar werden gemaakt. Opnieuw kreeg ik de hele wereld over me heen; deze keer niet omdat ik een psychotische letterdief was, maar omdat ik een huwelijk kapot had gemaakt en met een vrouw naar bed was geweest die drie maanden zwanger was. Martha zou Fleck verlaten, maar besloot alleen verder te gaan, zonder mij, en ik was nergens.

Toen ik bij de boekhandel aankwam, stonden er twee berichten voor me op het antwoordapparaat. Het eerste was van mijn baas, die vroeg waarom ik verdorie die ochtend de winkel niet had geopend en zei dat hij hoopte dat het niet meer zou gebeuren. Het tweede was van Alison. Of ik haar zo spoedig mogelijk wilde bellen.

Ik belde haar meteen.

'Wel, wel,' zei ze. 'Gods wegen zijn ondoorgrondelijk.'

'Leg eens uit.'

'Moet je horen… Ik ben zo-even gebeld door ene Mitchell van Parks van een hele groot advocatenkantoor in New York. Hij zei dat hij de raadsman was van Fleck Films en dat hij zich verontschuldigde voor de verwarring over de registratie van jóúw – ja, dat was het bezittelijk voornaamwoord dat hij gebruikte – scenario van *We Three Grunts*. "Heel vervelend misverstand daar bij de SATWA," zei hij. "En natuurlijk is Fleck Films bereid dat recht te zetten." "Waar hebben we het dan over?" vroeg ik meteen. "Eén miljoen," was het antwoord, "en zowel meneer Fleck als meneer Armitage wordt als scenarist genoemd." Waarop ik meteen zei: "Zeven maanden geleden heeft uw cliënt míjn cliënt tweeënhalf miljoen geboden. Denkt u eens even in wat er gebeurt als bekend wordt dat meneer Flecks naam opeens op die titelpagina terechtgekomen is…" Hij liet me niet eens uitspreken en zei: "Goed, goed. Dan houden we het op één komma vier miljoen." Waarop ik weer zei: "Vergeet het maar."'

'Heb je dat echt gezegd?'

'Wat dacht je? Ik zei dat Fleck Films gezien de "hoogst interessante" auteursrechtelijke verwikkelingen in dezen een gebaar moest maken waardoor de zaak voor eens en altijd uit de wereld was, én om te waarborgen dat het een privékwestie bleef tussen zijn cliënt en die van mij.'

'Wat had hij daarop te zeggen?'

'Drie.'

'En toen?'

'Ja, toen zei ik: "Verkocht!"'

Ik legde de hoorn even neer en sloeg mijn handen voor mijn gezicht. Het was niet omdat ik me de overwinnaar voelde, niet omdat ik genoegdoening had, niet omdat mijn naam was gezuiverd. Eigenlijk wist ik niet zo goed wat ik moest denken. Het enige waar ik me bewust van was, was een vreemd, plotseling opkomend gevoel van verlies… en de behoefte Martha in mijn armen te nemen. Ze had goed gegokt en als ze weer een gokje wilde wagen, als ze met mij verder wilde, dan konden we samen…

'David?' hoorde ik Alison roepen. 'Ben je daar nog?'

Ik pakte de hoorn. 'Neem me niet kwalijk. Ik ben een beet...'

'Je hoeft niets uit te leggen. Het is ook een heel nare tijd geweest.'

'Dank je, Alison. Dank je.'

'Jíj bedankt, David. Op een dag wil ik wel van je horen hoe je deze ommekeer teweeg hebt gebracht.'

'Vergeet het maar. Het enige wat ik wil zeggen, is dat ik blij ben dat we weer in bedrijf zijn.'

'Wat mij betreft, is dat nooit anders geweest, David.'

Zodra we hadden opgehangen, belde ik Martha's mobiele nummer. Ik kreeg de voicemail en sprak de volgende boodschap in:

'Martha, ik ben het. Het is gelukt. De gigantische gok die je hebt gedaan, heeft gewerkt. Bel me alsjeblieft, het maakt niet uit hoe vroeg of hoe laat. Bel me. Ik hou van je...'

Ze belde me niet die avond, noch de volgende dag, of de dag daarna. Alison daarentegen belde wel, en ze had meer goed nieuws.

'Kun je de *The New York Times* van vandaag op de kop tikken?' vroeg ze. 'We hebben hem hier in de winkel.'

'In het kunstkatern staat een interview met je lievelingsschrijver, Philip Fleck. Je moest eens weten wat hij over je zegt! Volgens hem ben jij de meest opgejaagde schrijver sinds Voltaire en hij zegt dat de dingen waarvan jij beticht bent, niet meer zijn dan opgeklopte beschuldigingen van McCall, die hij het journalistieke equivalent van Joe McCarthy noemt. Het mooiste is dat Fleck beweert dat jullie samen overeengekomen waren dat het voor de film beter zou zijn om jouw naam niet op het scenario te vermelden, omdat jij door McCall zo systematisch was afgebrand en de filmwereld je als een baksteen had laten vallen, wat mijn toch al negatieve beeld van de menselijke soort weer voedt.'

Intussen had ik de krant uit het rek voor de toonbank gehaald en las ik mee.

'Moet je horen,' zei Alison. 'Het mooiste komt nog. Ik lees voor: "Fleck zegt dat het niet vermelden van de naam van een schrijver hem te veel doet denken aan de donkere dagen van de jaren vijftig, toen menig schrijver op de zwarte lijst werd gezet. Daarom heeft hij gemeend zich over deze zaak te moeten uitspreken. Om scenarioschrijver David Armitage een hart onder de riem te steken, heeft Fleck zijn aversie tegen het geven van interviews opzijgezet. 'Het lijdt geen enkele twijfel dat David Armitage een van de beste scenarioschrijvers voor film en televisie is. Het is een schande dat

Davids goede naam door toedoen van één man, iemand die het niet heeft kunnen verkroppen dat hij zélf geen succesvolle scenarist is en daarom een regelrechte vendetta tegen David is begonnen, zo volledig door het slijk is gehaald. Het briljante scenario voor *We Three Grunts* is niet minder dan een volledige revanche. Hollywood kan zijn wonden likken.""'

'Niet te geloven...' zei ik.

'Jammer dat Fleck geen remake van *The Life of Emile Zola* overweegt. Hij zou geknipt zijn voor de hoofdrol. Aardig dat hij je bij je voornaam noemt, trouwens. Mag ik nou eindelijk eens weten wat daar al die maanden geleden op dat eiland is voorgevallen?'

'Ik zwijg als het graf.'

'Wat ben je toch een gezellige vent. Enfin, je bent in elk geval weer een melkkoe. Let op mijn woorden: door dit artikel gaan alle deuren weer voor je open.'

En inderdaad, die avond stond de telefoon niet stil. De *Daily Variety*, de *Hollywood Reporter*, de *LA Times* en de *San Francisco Chronicle* vroegen me om een reactie. Wat wilde ik erover zeggen? Wat vond ik ervan dat Fleck me met hand en tand had verdedigd? Ik speelde het spelletje natuurlijk mee. 'Een scenarioschrijver kan alleen maar hopen op een regisseur als Philip Fleck. De man is genereus en bijzonder loyaal. Zijn geloof in het geschreven woord is uniek.' (Dat laatste was uiteraard een boodschap voor Fleck en de mensen met wie hij aan de film werkte: waag het niet om nog één letter te veranderen aan dat scenario.) Toen de verslaggevers me vroegen of ik Theo McCall een kwaad hart toedroeg, zei ik: 'Laat ik het zo zeggen: ik ben blij dat ik zijn geweten niet ben.'

Later die avond probeerde ik Martha nog een keer te bereiken, maar opnieuw kreeg ik de voicemail. Ik liet een korte boodschap achter dat ik zeer tevreden was over het stuk in *The New York Times*, dat ik hoopte dat Fleck nog van zins was met me voor de televisiecamera's te verschijnen en dat ik haar graag wilde spreken.

Ze belde niet terug, maar ik weerstond de verleiding naar Malibu te rijden en bij haar aan te kloppen. Ik realiseerde me dat Fleck er alles aan deed om te voorkomen dat de dvd in de openbaarheid kwam en ik vermoedde dat hij zijn vrouw bewerkte om hem niet te verlaten.

De volgende dag stond het complete interview met Fleck in de *LA Times*. Die ochtend werd ik gebeld door iemand van het televisieprogramma *Today*. Ik kreeg te horen dat ze een stoel voor me hadden geboekt op de vlucht van twee uur die middag van LA naar New York, dat ik op Kennedy Airport werd afgehaald met een limousine en dat er een kamer voor me was gereserveerd in het Pierre. De planning was dat Philip Fleck en ik ergens in het laatste uur van de drie uur durende uitzending geïnterviewd zouden worden.

Ik keek op mijn horloge en zag dat het kwart over negen was. Als ik op tijd op het vliegveld wilde zijn, moest ik binnen het uur in de auto zitten. Ik belde het vliegveld, hoorde dat mijn ticket bij de balie voor me klaarlag, hing op en belde Les thuis.

'Ik weet dat het op het allerlaatste moment is,' zei ik, 'maar ik moet echt twee dagen vrij hebben.'

'Ja, ik heb de *LA Times* gelezen. Ik neem aan dat je niet veel langer voor me werkt?'

'Daar ziet het naar uit.'

'Vandaag en morgen is geen probleem, maar het zou fijn zijn als je me twee weken de tijd geeft om een vervanger voor je te vinden.'

'Geen probleem, Les.'

Ik gooide snel wat kleren in een koffertje, dat vanwege de vier scenario's die ik erin deed uiteindelijk nog zwaar was. Het kostte me iets meer dan twee uur om bij het vliegveld te komen en nog eens zes uur voor de reis naar New York. Tegen middernacht lag ik in bed op mijn hotelkamer, maar ik kon de slaap niet vatten, dus ik kleedde me weer aan en wandelde tot het krieken van de dag door Manhattan. Toen het licht werd, ging ik terug naar het hotel, trok mijn pak aan en wachtte op de limousine van NBC. Even na zeven uur was ik in de studio en een kwartier later had ik een laag make-up op mijn gezicht. De deur van de kleedkamer ging open en Philip Fleck kwam binnen, vergezeld door twee bodyguards in stijve zwarte pakken. Fleck ging in de stoel naast me zitten. Ik keek heel even opzij en zag dat hij wallen onder zijn ogen had. Ik was dus niet de enige die slecht had geslapen. Het was duidelijk dat hij zich niet op zijn gemak voelde en hij weigerde me aan te kijken. De mevrouw van de make-up kletste honderduit terwijl ze de laag poeder op zijn vlezige gezicht smeerde, maar hij deed zijn ogen dicht en negeerde de prietpraat. De deur ging weer open en een kordate vrouw van achter in de twintig kwam binnen. Ze stelde zich voor als Melissa ('Ik ontferm me vanochtend over u'), legde uit wat er van ons verwacht werd in de vijf minuten die we op televisie zouden zijn en nam een aantal vragen door die presentator Matt Lauer ons zou kunnen stellen.

'Zijn er nog vragen, heren?' vroeg ze. We schudden ons hoofd, waarop ze ons succes wenste en de kleedkamer uit liep. Ik keek Fleck aan en zei: 'Ik wil je nog even bedanken voor alle aardige dingen die je in dat stuk in *The New York Times* over me hebt gezegd.'

Hij reageerde niet en keek strak, maar zonder meer ongemakkelijk, voor zich uit.

We werden opgehaald, liepen door de coulissen en kwamen de set op gelopen, waar Matt Lauer al op ons zat te wachten. Hij zat in een leunstoel, de benen over elkaar, en stond op om ons de hand te schudden. Veel meer kon hij niet zeggen, want twee geluidstechnici sprongen op Fleck en mij af om een microfoontje achter onze revers te steken. Twee dames van de make-up legden nog snel de laatste hand aan ons uiterlijk. Ik legde de vier scenario's op het tafeltje voor ons. Fleck zag het, maar zei niets. Ik keek naar opzij en zag dat zijn voorhoofd vochtig was. Het was duidelijk dat hij aan plankenkoorts leed. Ik had genoeg gelezen over zijn pathologische afkeer van interviews, maar toen ik naast hem zat, zag ik pas hoezeer hij leed onder de camera's die op hem gericht waren. De reden dat hij zich liet ondervragen, en dat besefte ik heel goed, was dat hij Martha niet kwijt wilde.

'Gaat het, Philip?' vroeg Matt zijn transpirerende gast.

'Best.'

'Nog vijftien seconden,' zei de regisseur. Het zenuwslopende aftellen was begonnen. 'Vijf, vier...' De regisseur wees naar Lauer, die meteen van wal stak.

'Welkom terug, kijkers. Voor diegenen onder u die van een goede Hollywoodroddel houden, de kwestie waar we het zo over gaan hebben, houdt de gemoederen daar al enige tijd bezig. De hele affaire kent een goede afloop voor David Armitage, de bedenker van het populaire *Selling You*, die een Emmy voor de serie heeft gekregen, maar is ontslagen nadat hij van plagiaat was beschuldigd. Zijn goede naam is nu geheel gezuiverd en dat alleen dankzij de interventie van een van de grootste ondernemers van ons land, Philip Fleck.'

Lauer gaf een korte samenvatting van de dingen waarvan ik was beschuldigd, de lastercampagne van Theo McCall en hoe Fleck me had gerehabiliteerd.

'Ik weet dat je de publiciteit schuwt, Philip,' zei Lauer, 'dus leg eens uit waarom je het publiekelijk voor David hebt opgenomen?'

Fleck praatte onzeker, het hoofd licht gebogen. Hij keek Lauer niet aan.

'Ja… eh… David Armitage is zonder enige twijfel een van de belangrijkste hedendaagse scenaristen. Hij werkt momenteel aan het scenario voor mijn volgende film… Toen zijn carrière door een op wraak beluste journalist kapot was gemaakt, een man die niet meer is dan een huurmoordenaar… toen eh… meende ik te moeten ingrijpen.'

Lauer richtte het woord tot mij. 'Die interventie betekende natuurlijk een grote ommekeer, David. Je hebt het de afgelopen maanden flink te verduren gehad en de filmwereld had je in feite de rug toegekeerd.'

Ik glimlachte en zei: 'Dat klopt, Matt. Ik heb mijn professionele wederopstanding maar aan één man te danken, de persoon die links van je zit, mijn goede vriend Philip Fleck. Om te illustreren dat hij inderdaad een zeer goede vriend is…'

Ik reikte naar de tafel, pakte een van de vier scenario's en sloeg de titelpagina op.

'Toen mijn reputatie naar de haaien was en niemand me wilde inhuren heeft Philip zich opgeworpen als mijn stroman en heeft zijn naam op vier van mijn oude scenario's gezet. Hij wist dat als mijn naam op de scenario's stond, geen enkele studio er interesse voor zou hebben. Kijk, hier heb ik het scenario van *We Three Grunts*, maar zoals je ziet, Matt, staat Philip Fleck als auteur vermeld.'

De camera zoomde in op de titelpagina.

'Philip,' zei Lauer, 'heb je inderdaad als Davids stroman gefungeerd?'

Voor het eerst die ochtend keek Fleck me aan, zijn blik vol kil ongeloof. Hij wist dat ik hem tuk had en hij kon niet anders dan het spel meespelen. De camera zoomde op hem in en met enige tegenzin zei hij: 'Wat eh… David zegt, klopt helemaal. Zijn naam was zó besmeurd dat iedereen in het filmwereldje hem als een paria beschouwde en eh… Ik wilde dat zijn films bij een grote distributiemaatschappij werden ondergebracht, dus ik had eh… geen keus en moest mijn naam wel op het script zetten. Met Davids goedkeuring, uiteraard.'

'Dus afgezien van *We Three Grunts*,' zei Lauer, 'waarvan de opnamen volgende maand beginnen en waarin Peter Fonda, Dennis Hopper en Jack Nicholson de hoofdrollen spelen, ben je van plan nog drie scenario's van David te verfilmen?'

Zo te zien was Fleck het liefst onder de tafel gekropen, maar hij zei: 'Dat is het plan, Matt.'

Ik haakte er snel op in. 'Matt, Philip vindt het waarschijnlijk niet leuk wat ik nu ga zeggen, want hij is niet iemand die met zijn ruimhartigheid te koop loopt. Toen ik buitenspel stond, heeft hij niet alleen de vier scenario's hier gekocht, maar hij stond er ook op me drie miljoen dollar per scenario te betalen.'

Zelfs Matt Lauer leek even in de war van de bedragen.

'Is dat zo, Philip?'

Heel even dacht ik dat Fleck me wilde tegenspreken, maar hij bedacht zich en knikte langzaam.

'Dat noem ik nog eens vertrouwen in iemands talenten hebben,' zei Matt.

'Daar sluit ik me maar wat graag bij aan,' zei ik, een en al glimlach. 'Wat de deal nog specialer maakt, is dat Philip erop staat dat het een niet terug te vorderen voorschot is, met andere woorden: ook als de films níet gemaakt worden, ik krijg die twaalf miljoen. Ik heb gezegd dat hij veel te vrijgevig is, maar hij staat erop me te helpen, omdat hij absoluut wil uitdragen dat hij in me gelooft. Ik kon niet anders dan het accepteren, wat me uiteindelijk ook niet veel moeite heeft gekost.'

Matt lachte, waarna hij zich tot Fleck wendde en zei: 'Zo te horen bent u de droom van elke scenarist.'

Fleck keek me strak aan en zei: 'David is elke cent waard.'

'Dank je, Philip,' zei ik.

Dertig seconden later was het interview afgelopen. Fleck beende weg. Ik gaf Matt Lauer een hand en een van de medewerkers begeleidde me naar de kleedkamer. Mijn mobieltje lag nog op een tafeltje en toen ik het bij me wilde steken, ging het al over.

'Je bent knettergek!' zei Alison. Ze giechelde. 'Wat is dít listig van je…'

'Ik ben blij dat je er je goedkeuring aan geeft.'

'Goedkeuring? Je hebt daarnet anderhalf miljoen voor me verdiend en ja, daar geef ik mijn goedkeuring wel aan. Gefeliciteerd.'

'Jij ook. Je bent je vijftien procent dubbel en dwars waard.'

Ze lachte haar rokerslachje. 'Kom nou maar snel terug naar LA, want ik verwacht niet anders dan dat de telefoon roodgloeiend zal staan. Iedereen wil weer wat met je.'

'Dat is mooi, maar de komende twee weken kan ik nergens op ingaan.'

'Hoezo?'

'Omdat ik een opzegtermijn van twee weken heb bij de boekhandel.'

'David, doe niet zo raar.'

'Dat is de afspraak.'

De deur van de kleedkamer ging open en Philip Fleck kwam binnen.

'Ik moet ophangen, Alison,' zei ik snel. 'Ik spreek je nog.'

Fleck ging in de stoel naast me zitten. Een dame van de make-up kwam al op hem af, een pot crème in de hand. Fleck wuifde haar weg en zei: 'Kunt u ons even alleen laten?'

Ze liep weg en sloot de deur achter zich. We waren alleen. Het was even stil, maar toen nam Fleck het woord.

'Je weet dat ik die scenario's van jou nooit ofte nimmer ga verfilmen,' zei hij. 'Nooit.'

'Dat is geheel aan jou.'

'Ik sta op het punt *We Three Grunts* stop te zetten.'

'Dat is ook aan jou, hoewel de heren Hopper, Fonda en Nicholson daar niet erg blij mee zullen zijn.'

'Als die hun geld krijgen, is er geen vuiltje aan de lucht. We hebben het tenslotte over de filmbusiness. Geen mens die zich ergens druk over maakt, als het contract maar nageleefd wordt en het honorarium gestort. Wees maar niet bang, die twaalf miljoen zijn voor jou. Het is een niet terug te vorderen voorschot, zei je dat niet? Twaalf miljoen, daar lig ik niet wakker van.'

'Of je me nou wel of niet betaalt, mij maakt het niet uit.'

'Natuurlijk maakt dat wat uit, heel veel zelfs. Dankzij deze deal ben je weer de held van Hollywood en je bent me heel wat dank verschuldigd. Ondertussen heb je ook mijn imago opgepoetst. Ze zien me nu als een weldoener, vooral voor de schrijvers. Met andere woorden: we zijn er allebei beter van geworden.'

'Wat ben je toch een machtswellusteling.'

'Ik kan je even niet volgen.'

'Je snapt donders goed wat ik bedoel. Jij moest zo nodig mijn leven vergallen, mijn carrière te gronde richten...'

Hij onderbrak me.

'Ik heb wát?'

'Jij hebt mijn val geregisseerd...'

'Je meent het,' zei hij op geamuseerde toon. 'Geloof je dat echt?'

'Ik weet het wel zeker.'

'Te veel eer, David. Vertel eens? Heb ik je gezegd dat je je vrouw en kind moest verlaten? Heb ik je gedwongen naar mijn eiland te komen? Heb ik je onder druk gezet om me dat scenario te verkopen, ook al zag je helemaal niets in de veranderingen die mij voor ogen stonden? Heb ik je gezegd dat je Theo McCall te lijf moest gaan toen die akelige vent met bewijzen kwam dat je per ongeluk uit andermans werk had geleend?'

'Daar gaat het nu even niet om. Jij zat achter het plan om mijn carrière kapot te maken.'

'Nee, David, daar zat je zelf achter. Jíj bent er met mevrouw Birmingham vandoor gegaan, jíj hebt van mijn gastvrijheid genoten, jíj was bereid de tweeënhalf miljoen die ik je voor het scenario bood te accepteren, jíj hebt die rat McCall aangepakt. Bovendien ben je verliefd geworden op mijn vrouw. Ik had nergens de hand in, David. Je hebt alle beslissingen zelf genomen. Ik heb geen spelletje met je gespeeld, want je bent het slachtoffer van je eigen keuzes. Zo gaat het in het leven, weet je. We maken keuzes en door die keuzes veranderen de omstandigheden. Dat noem je oorzaak en gevolg. Als die keuzes niet uitpakken zoals we hadden gehoopt, dan geven we graag een ander de schuld, hoewel we uiteindelijk zelf aansprakelijk zijn.'

'Ik moet zeggen, ik heb bewondering voor je normenstelsel, Philip. Ik ben er beduusd van.'

'Kijk aan. En ik bewonder jouw weigering om de waarheid onder ogen te zien.'

'En die is?'

'Dat je het allemaal aan jezelf te danken hebt. Je bent met open ogen…'

'In de val gelopen die jij voor me hebt gezet?'

'Nee, David. Die val heb je zélf gezet. Het is niet meer dan een menselijk trekje, want we doen niet anders dan onze eigen val zetten. Ik geloof dat we dat onzekerheid noemen. Als we ergens aan twijfelen, is het aan onszelf.'

'Wat weet jij nou van onzekerheid?'

'Meer dan je denkt. Het hebben van geld maakt echt geen einde aan onzekerheid, integendeel, zou ik haast zeggen.'

Hij stond op. 'Goed. Ik moest maar eens…'

Ik onderbrak hem en zei: 'Ik hou van je vrouw.'

'Gefeliciteerd. Ik ook.'

Hij draaide zich om en liep naar de deur, maar hij bedacht zich en keek me weer aan. 'We komen elkaar nog wel tegen in de bioscoop, David.'

En weg was hij.

Die middag, onderweg naar Kennedy Airport, liet ik twee berichten achter op Martha's voicemail waarin ik haar vroeg me te bellen. Zeven uur later, toen ik in LA landde, had ik zo'n tien berichten van vrienden en collega's die me gelukwensten met mijn televisieoptreden, maar het berichtje waar ik naar snakte, dat van háár, was er niet.

Ik stapte in de auto en reed over de kustweg naar het noorden.

De volgende dag sloeg ik de *LA Times* open en zag een groot stuk in het kunstkatern met de kop: THEO MCCALL, BLOEDWRAAK EN JOURNALISTIEK. Het was een goed onderbouwd en uitstekend geschreven artikel met een volledig exposé van McCalls stalinistische handelwijze en zijn neigingen karaktermoord te plegen en carrières te beschadigen. Men was nog wat interessante dingen over McCall op het spoor gekomen. Hoewel hij nauwelijks de middelbare school had afgemaakt, zei hij graag dat hij aan het Trinity College in Dublin was afgestudeerd. Hij had twee vrouwen die hij zwanger had gemaakt laten zitten en had nooit een cent voor de kinderen betaald. De omstandigheden rondom zijn ontslag bij NBC werden weer breed uitgemeten, met nog een extra detail dat nog niet eerder bekend was. Een jaar voordat de uitzendingen van *Selling You* startten, had hij een idee gelanceerd voor een comedyserie die zich in de reclamewereld afspeelde, maar geen van de zenders had het opgepikt. De conclusie van het artikel: geen wonder dat hij wat tegen David Armitage had en het enorme succes dat de scenarist ten deel was gevallen.

Binnen vierentwintig uur na het artikel was McCalls deconfiture een feit. De *Hollywood Legit* gaf een verklaring uit waarin stond dat zijn columns niet langer zouden verschijnen, en hoewel een paar collega's naarstig naar hem op zoek waren gegaan (voor een reactie op het stuk in de *LA Times*), hij was onbereikbaar.

'Ze zeggen dat hij terug is naar zijn geboorteland,' zei Alison me tijdens een telefoongesprek. 'Tenminste, dat beweert de privédetective. Weet je wat hij nog meer zei? Dat McCall vorige week één miljoen heeft ontvangen van Lubitsch Holdings. Het is niet moeilijk te raden wat Fleck met hem heeft afgesproken: geef je gewonnen, vergeet de journalistiek, maak als de bliksem dat je wegkomt en laat je gezicht hier nooit meer zien. Als je doet wat ik je vraag krijg je één miljoen van me.'

'Hoe is die knaap van je daar nou weer achter gekomen?'

'Daar vraag ik maar niet naar. Trouwens, hij is mijn knaap niet meer. Vanaf vandaag werkt hij niet meer voor me. De zaak is afgedaan. O ja, de contracten voor alle vier je scenario's zijn binnengekomen en de twaalf miljoen dollar is gestort.'

'En dat terwijl hij ze niet eens gaat verfilmen.'

'Afgezien van *We Three Grunts*, natuurlijk.'

'Hij zei dat hij die had stopgezet.'

'Dat was vlak nadat jij hem bij *Today* had afgetroefd. Ik geloof dat zijn vrouw hem heeft omgepraat.'

'Zijn vrouw? Vertel.'

'Op pagina drie van de *Daily Variety* van vandaag staat dat de opnamen voor *We Three Grunts* over anderhalve maand van start gaan en dat Flecks vrouw Martha de film gaat produceren. Martha Fleck is dus duidelijk een fan van je.'

'Dat weet ik nog zo net niet.'

'Ach, wat maakt het ook uit of ze je nou wel of niet bewondert? De film gaat door en dat is goed nieuws.'

Er kwam steeds meer goed nieuws. Een week later werd ik gebeld door Brad Bruce.

'Ik hoop dat je nog wat met me te maken wilt hebben,' begon hij.

'Ik neem je niets kwalijk, Brad.'

'Dan ben je ruimhartiger dan ik zou zijn onder de omstandigheden, maar ik klaag niet. Hoe gaat het verder, David?'

'Vergeleken met de afgelopen maanden iets beter.'

'Zit je nog in de cottage aan het strand die Alison voor je heeft geregeld?'

'Ja. Ik heb een opzegtermijn in de boekhandel waar ik werk.'

'Heb je in een boekhandel gestaan?'

'Ja. Er moest toch brood op de plank komen?'

'Dat begrijp ik, maar nu je die deal van twaalf miljoen hebt gesloten...'

'Ik heb nog vijf dagen te gaan in de boekhandel.'

'Oké. Heel bewonderenswaardig, maar je bent toch wel van plan naar LA terug te komen?'

'Daar zit het geld, hè?'

Hij moest lachen.

'Hoe staat het met de nieuwe afleveringen?' vroeg ik.

'Daar bel ik eigenlijk voor. Na je vertrek heeft Dick LaTouche de eind-verantwoordelijkheid gekregen en er liggen zes afleveringen klaar, maar ik kan je zeggen dat de hoge heren er toch niet helemaal gelukkig mee zijn. De dialoog is duidelijk minder. Jouw bijtende humor wordt node gemist.'

Ik zei niets en wachtte af wat er ging komen.

'Dus eh... we vroegen ons af of je...'

Een week later tekende ik een nieuw contract met FRT dat me weer aan *Selling You* verbond. Ik zou vier van de laatste acht afleveringen voor mijn rekening nemen, had de supervisie over het naleven van het scenario en kwam overeen dat ik de eerste zes afleveringen zou aanscherpen. De schuld die ik bij hen had uitstaan voor de drie betwiste afleveringen werd me met onmiddellijke ingang kwijtgescholden. Ik kreeg als bedenker van de serie weer de vergoeding waar ik recht op had, met inbegrip van een kantoor, een parkeerplaats en mijn emolumenten en niet te vergeten... ik kreeg mijn geloofwaardigheid terug. Zodra bekend werd dat ik weer een contract had gesloten – waar twee miljoen dollar mee gemoeid was – wilde iedereen weer mijn vriend zijn. Warner Brothers belde Alison om te zeggen dat *Breaking and Entering* weer op het programma stond, dat ze afzagen van hun claim op het voorschot dat me was betaald en dat meneer Armitage het geld uiteraard kon houden. Voormalige zakenrelaties belden weer en een paar vrienden uit het wereldje nodigden me uit voor de lunch. Nee, ik vroeg me niet af waar ze verdorie waren toen ik ze nodig had. Zo werkt het hier niet. Je hoort erbij of je hoort er niet bij. Je staat aan de top of je bent nergens. Je bent in, je bent uit. Wat dat betrof golden in Hollywood de wetten van het darwinisme. In tegenstelling tot andere plaatsen – waar in feite dezelfde wetten gelden, maar daar worden ze bedekt onder lagen beleefdheid en intellectuele praat – was het motto hier: we houden je te vriend zolang we wat aan je hebben. Veel mensen zien het als een uiterst oppervlakkige wetmatigheid, maar ik vind het wel een eenduidig en praktisch wereldbeeld. Je weet wat je aan elkaar hebt en je kent de regels van het spel.

De week dat ik het contract met FRT tekende, ben ik teruggegaan naar LA. Ik had natuurlijk een koophuis kunnen zoeken, maar ik was voorzichtig geworden. Geen al te impulsieve beslissingen nemen, niet meteen vallen voor alles wat blinkt, niet meteen geloven dat het succes niet op kan. In plaats van een grote, moderne flat of een kast in Brentwood huurde ik voor drieduizend dollar in de maand een rijtjeshuis in een dure nieuwbouwwijk in Santa Monica. Het had twee slaapkamers, was licht en had aardig wat ruimte. Ik kon het me makkelijk veroorloven. Verstandig.

Toen de tijd gekomen was om hét statussymbool van LA te kiezen – een auto – besloot ik de Volkswagen Golf te houden. De eerste keer dat ik er bij FRT mee kwam aanrijden, reed ik pal achter de Mercedes SR cabriolet van Brad Bruce het parkeerterrein op.

Hij wierp een geamuseerde blik op mijn karretje en zei: 'Laat me eens raden... Heimwee naar je studententijd? Heb je een paar Crosby, Stills & Nash-cassettes in het handschoenenkastje liggen?'

'Tja, deze auto heeft me in Meredith van A naar B vervoerd, dus dat moet hier ook lukken.'

Brad schonk me een alwetende glimlach, alsof hij wilde zeggen: oké, doe maar even heel eenvoudig, maar dat hou je echt niet lang vol. Je ruilt hem binnen niet al te lange tijd in. Dat hoort er nu eenmaal bij.

Hij had natuurlijk gelijk. Mijn karretje zou ooit wijken voor een andere auto, maar alleen als ik hem op een ochtend niet meer aan de praat kreeg.

'Ben je klaar voor het ontvangstcomité?'

'Hou 's op,' zei ik, maar toen ik de burelen van *Selling You* betrad, stonden alle medewerkers op en applaudisseerden voor me. Ik moest slikken en mijn ogen prikten. Zodra het applaus was verstomd, deed ik wat er van me werd verwacht en maakte een grapje.

'Ze moeten me vaker ontslaan! Bedankt, allemaal, voor het warme onthaal. Jullie hebben in dit vak eigenlijk niets te zoeken, weet je. Jullie zijn véél te aardig.'

Ik ging naar mijn kamer en zag dat mijn bureau en mijn Herman Miller-stoel er nog stonden. Ik trok de stoel vanonder het bureau, ging zitten en verstelde de hoogte. Ik leunde achterover en dacht: wie had kunnen bevroeden dat ik hier ooit nog zou zitten.

Jennifer, mijn voormalige secretaresse, klopte op de deur.

'Ja? Hé, dag Jennifer,' zei ik opgewekt.

'Mag ik binnenkomen?' klonk het een beetje zenuwachtig.

'Je werkt hier toch? Natuurlijk mag je binnenkomen.'

'David... Meneer Armitage?'

'Hou het maar op David. Ik ben blij dat ze je toch niet ontslagen hebben.'

'Een van de andere secretaresses heeft ontslag genomen en toen kon ik blijven. David... Vergeef je me dat ik...'

'Dat is allemaal verleden tijd. Nu is nu en nú zou ik graag een dubbele espresso willen hebben.'

'Komt eraan,' zei ze. 'Dan geef ik je meteen het lijstje van mensen die voor je gebeld hebben.'

Eigenlijk was er niets veranderd. Er hadden aardig wat mensen gebeld, maar twee namen sprongen eruit: Sally Birmingham en Bobby Barra. Sally had de week ervoor al een keer gebeld, Bobby daarentegen de afgelopen vier dagen minstens twee keer per dag. Volgens Jennifer had hij haar zowat gesmeekt om hem mijn privénummer te geven en steeds gezegd dat hij goed nieuws voor me had.

Ik wist dat Fleck alles te maken had met welk goed nieuws Bobby ook voor me mocht hebben, maar ik had die eerste week geen zin hem te bellen, gewoon om hem duidelijk te maken dat ik me niet zo makkelijk liet lijmen.

Uiteindelijk gaf ik me gewonnen. 'Oké, Jennifer, verbind hem maar door,' zei ik toen hij op een dag voor de derde keer belde.

Ik had nog geen 'Dag, Bobby' gezegd of hij stak al van wal.

'Wat kun jíj vervelend doen,' zei hij.

'Moet je horen wie het zegt.'

'Hé, jij was zo stom om woedend...'

'En jij gaf me te verstaan dat je nooit meer zaken met me wilde doen. Waarom laten we het daar dan niet bij?'

'Kijk aan, wat hebben we weer praatjes. Je bent nog niet terug in het zadel of je behandelt de rest van de mensheid weer als vuil.'

'Ik ben niet iemand die op mensen neerkijkt, Bobby, maar ik wil wel even kwijt dat ik jou een heel naar, heel doortrapt ettertje vind.'

'En dat terwijl ik zulk goed nieuws voor je heb...'

'Vertel het dan maar gauw,' zei ik op verveelde toon.

'Weet je nog dat je tienduizend dollar bij me had laten staan?'

'Ik heb geen cent bij je laten staan, Bobby. Toen ik mijn rekening afsloot...'

'Je hebt tienduizend over het hoofd gezien.'

'Dat lieg je.'

'David, ik zeg het je nog één keer: je hebt tienduizend dollar laten staan. Begrepen?'

'Nou, het zal wel. Wat is er met dat geld gebeurd?'

'Ik heb het geïnvesteerd in een emissie van een Venezolaans internetbedrijf en zie: het aandeel is vijftig keer in waarde gestegen en...'

'Wat moet ik met dit idiote fabeltje?'

'Het is geen fabeltje. Er staat een half miljoen dollar op je rekening bij Roberto Barra en Partners. Vandaag stuur ik jou en die accountant van je een afschrift van je tegoed.'

'En jij denkt dat ik dit allemaal geloof?'

'Het geld staat op je rekening, David. Jóúw rekening.'

'Dat wil ik wel geloven, maar dat van dat Venezolaanse internetbedrijf… Kon je nou niks beters verzinnen?'

Het was even stil.

'David, wat kan het jou nou schelen hoe het geld op je rekening is gekomen?'

'Ik wil alleen dat je toegeeft dat…'

'Wat?'

'Dat hij je gezegd heeft hoe je het moest spelen.'

'Wie is híj?'

'Je weet heel goed over wie ik het heb.'

'Ik praat nooit over mijn cliënten.'

'Hij is geen cliënt. Hij is niet minder dan God.'

'Soms doet God goede dingen, oké? Hou nou maar op met dat vrome gedoe, want heeft die "hij" niet toevallig twaalf miljoen betaald voor een stelletje beschimmelde scenario's? Zou je me niet eens even bedanken voor de meevaller? Toen ik je de laatste keer sprak, vlak voor je vrije val, had je namelijk maar tweeënhalve ton.'

'Wat wil je dat ik zeg, Bobby? Dat je geniaal bent?'

'Dat is nog eens een compliment. Oké, wat moet ik met het geld doen?'

'Met andere woorden, hoe wil je dat ik het voor je beleg?'

'Juist, ja.'

'Waarom zou ik jou mijn vermogen nog laat beheren?'

'Omdat ik altijd geld voor je heb verdiend.'

Ik dacht even na.

'Bobby? Na aftrek van Alisons aandeel en de belasting heb ik nog zes miljoen over van het bedrag dat Fleck me heeft gegeven…'

'Dat had ik ook al uitgerekend.'

'Als ik die zes miljoen plus het halve miljoen dat je hebt staan nou eens in een trust stopte…'

'Trusts doen we hier ook. Niet dat het nou spannende investeringen zijn, maar…'

'Het is toch zo dat geld dat in een trust zit nooit kan verdwijnen in een emissie van een Aziatisch bedrijf, hè?'

Hij zuchtte, maar reageerde niet op die opmerking. 'Als je heel behoudend wilt beleggen, met andere woorden in grote bedrijven die vrijwel altijd presteren, dan is dat geen enkel probleem.'

'Dat is precies wat ik wil. Heel behoudende, solide investeringen. En graag op naam van Caitlin Armitage.'

'Dat noem ik nog eens fideel, David.'

'Nou, bedankt alvast, en bedank Fleck even uit mijn naam, oké?'

'Dat laatste heb ik niet gehoord.'

'Vertel me nou niet dat je doof wordt, Bobby.'

'O, dat wist je niet? Het verval treft ons allemaal. Dat is inherent aan het leven. Daarom, mijn vriend, is het maar beter om een vrolijke kijk op de zaken te hebben, zeker in slechte tijden.'

'Wat ben je toch een filosoof, Bobby. Ik heb je echt gemist.'

'Ik jou ook, reken maar. Zullen we volgende week lunchen?'

'Ik ben bang dat ik er niet onderuit kan...'

Aan Sally's telefoontjes wist ik me wél te onttrekken. Niet dat ze zo aanhield als Bobby, maar ik zag haar naam de eerste drie weken na mijn terugkeer vaak op het lijstje staan van mensen die me hadden gebeld. Uiteindelijk schreef ze me een brief, op het postpapier van Fox.

Lieve David,

Ik wilde je alleen even laten weten dat ik blij ben dat je weer aan de slag bent na die vreselijke toestand met Theo McCall. Je bent een van de grootste talenten in het vak en wat je is overkomen, is ronduit afgrijselijk. Uit naam van iedereen hier bij Fox wil ik je ermee feliciteren dat je het kwaad hebt overwonnen en weer stevig in het zadel zit. Wat ik je ook wil zeggen, is dat Fox graag met je wil praten over de comedyserie Talk It Over, waar we het een tijdje geleden over hebben gehad. Als je binnenkort een uurtje vrij kunt maken, zou ik graag met je lunchen om even te babbelen.

Ik hoop snel wat van je te horen.

Groeten, Sally

PS je was fantastisch bij Today!

Ik wist niet of dit Sally's versie was van een verontschuldiging, dat haar 'babbelen' een goed verhulde hint was (ik was tenslotte weer een interessante partij) of dat ze gewoon weer de ambitieuze programmadirecteur was die 'talent' moest strikken. Het maakte me eigenlijk weinig uit. Ik wilde ook niet per se onbeschoft of triomfantelijk overkomen. Eerlijk gezegd had ik ook geen reden om triomfantelijk te doen. Ik zette me aan een brief, op het postpapier van FRT, en stelde een zakelijk antwoord op.

Beste Sally,

Dank je wel voor je brief. Ik ben te druk met de nieuwe afleveringen van SellingYou om met je te lunchen. Wat die comedyserie betreft, ik heb me al dermate vastgelegd dat ik in de nabije toekomst geen tijd heb om met je te werken.

Groet,

Ik ondertekende met mijn volledige naam.

Die week was er goed nieuws. Walter Dickerson belde om me te vertellen dat hij na maanden onderhandelen eindelijk voor elkaar had gekregen waar ik al die tijd op had gehoopt.

Hij belde me op kantoor. 'Oké,' zei hij. 'Hou je vast: je mag Caitlin weer zien.'

'Is Lucy overstag?'

'Ja. Het heeft even geduurd, maar ze ziet nu in dat Caitlin haar vader moet kunnen zien. Het spijt me dat het zo verdomd lang heeft geduurd. Niet alleen kun je Caitlin weer zien, maar ze heeft er ook in toegestemd dat het zonder supervisie kan, en dat zie je niet vaak bij dit soort zaken.'

'Heeft haar advocaat nog gezegd waarom ze van gedachten veranderd is?'

'Hmm… Laat ik het zo zeggen: ik weet zeker dat Caitlin daar de hand in heeft gehad.'

Er was nóg een reden, en daar kwam ik achter toen ik voor het eerst in acht maanden voor een weekend met mijn dochter naar het noorden vloog.

Ik huurde een auto, reed naar Lucy's huis in Sausolito en belde aan. De deur werd onmiddellijk geopend en Caitlin viel me in de armen. Ik drukte haar even dicht tegen me aan. Ze gaf me een por met haar elleboog en vroeg: 'Heb je wat voor me meegenomen?'

Ik glimlachte, niet alleen omdat ik de vraag onder de omstandigheden nogal grappig vond, maar ook omdat ze zich al die maanden zo goed had geweerd. Na acht nare maanden waren we weer bij elkaar, vader en dochter, en wat haar betrof was er niets veranderd.

'Het ligt in de auto. Je krijgt het straks.'

'In het hotel?'

'Ja.'

'Hetzelfde hotel waar we toen logeerden? Daar helemaal bovenin?'

'Nee, niet dat hotel.'

'Vindt die vriend die je had je dan niet meer zo aardig?'

Ik staarde haar verwonderd aan. Ze herinnerde zich alles, elk detail van dat weekend.

'Het is een lang verhaal, Caitlin.'

'Ga je het me nog vertellen?'

Voordat ik wist wat ik daarop moest zeggen, hoorde ik Lucy's stem.

'Hallo, David.'

Ik stond op en hield Caitlins hand vast. 'Hoi.'

Er viel een wat ongemakkelijke stilte.

Achter Lucy verscheen een man die naast haar in de deuropening kwam staan. Hij was lang, slank en begin veertig, conservatief gekleed in het weekenduniform van de betere standen: een blauw buttondown overhemd, een beige shetlandtrui, kakibroek en Docksteps. Hij legde zijn arm om Lucy's schouder en ik moest mijn best doen om niet met mijn ogen te knipperen.

'David? Dit is mijn vriend, Peter Harrington.'

'Fijn dat ik eindelijk kennis met je kan maken, David,' zei hij. Hij liep op me af en we schudden elkaar de hand. Ik was blij dat hij niet iets zei als 'ik heb veel over je gehoord'.

'Aangenaam,' zei ik.

'Pap? Gaan we nou?' vroeg Caitlin.

'Wat mij betreft wel.' Ik keek Lucy aan en zei: 'Zondagavond om zes uur.' Ze knikte. Caitlin en ik liepen naar de auto.

Tijdens de rit naar San Francisco zei Caitlin: 'Mama gaat met Peter trouwen.'

'O,' zei ik. 'Vind je dat leuk?'

'Ik wil bruidsmeisje zijn.'

'Ik denk dat dat geen probleem is. Weet je ook wat Peter doet?'

'Hij is de baas van een kerk.'

'Echt?' zei ik, enigszins verontrust. 'Wat voor kerk?'

'Een heel mooie kerk.'

'Weet je hoe die kerk heet?'

'Uni... uni...'

'Unitariërs?'

'Ja, dat is het. De unitariërs. Grappig woord.'

Nou ja, voor een geloof was het in elk geval redelijk.

'Peter is heel aardig,' zei ze.

'Daar ben ik blij om.'

'Hij heeft tegen mama gezegd dat jij me weer moest kunnen zien.'

'Hoe weet jij dat?'

'Omdat ik in de kamer ernaast speelde toen ze het erover hadden. Heeft mama je bij me weggehouden?'

'Nee, hoor.'

'Eerlijk?'

Caitlin, je hoeft de waarheid niet te kennen.

'Ja, schatje. Eerlijk waar. Ik was weg, aan het werk.'

'Zul je nooit meer zo lang wegblijven?'

'Nooit meer.'

Ze stak haar handje uit en zei: 'Erewoord?'

Ik pakte haar hand en zei: 'Erewoord.'

Het weekend vloog om, zo gezellig was het. Zondag stonden we stipt om zes uur voor de deur. Caitlin omhelsde haar moeder, draaide zich om en gaf me een natte zoen op mijn wang. 'Tot over twee weken, pap,' zei ze, en rende weg, haar barbies en de plastic speeltjes die we dat weekend hadden gekocht, onder haar arm.

Lucy en ik stonden in de deuropening. We keken elkaar aan en er viel een wat ongemakkelijke stilte.

'Hebben jullie het leuk gehad?' vroeg ze.

'Bijzonder leuk.'

'Dat doet me goed.'

Stilte.

'Nou eh...' Ik deed een paar stappen achteruit.

'Oké,' zei ze. 'Dag.'

'Tot over twee weken.'

'Goed.'

Ik knikte en draaide me om. 'David?' zei ze. Ik draaide me weer om.

'Ja?'

'Ik wil alleen even zeggen dat… dat ik blij ben dat het weer goed met je gaat. Ik bedoel met je werk en zo.'

'Dank je.'

'Het is vast heel moeilijk geweest allemaal.'

'Inderdaad.'

Stilte.

'Ik wil je ook nog zeggen,' zei ze, 'dat mijn advocaat me vertelde dat toen alles misging, je al je geld bent kwijtgeraakt.'

'Dat klopt. Ik heb een hele tijd op een houtje moeten bijten.'

'Maar je hebt wel altijd de alimentatie op tijd betaald.'

'Wat moet, dat moet.'

'Maar je was blut.'

'Wat moet, dat moet.'

Stilte.

'Ik waardeer het enorm, David.'

'Dank je.' Opnieuw een ongemakkelijke stilte, dus ik wenste haar een prettige avond, liep naar de auto en reed naar het vliegveld.

De volgende ochtend ging ik naar mijn werk, nam een flink aantal beslissingen, voerde telefoongesprekken, lunchte met Brad, staarde een paar uur naar mijn computerscherm, wist mijn personages enigszins levensecht te maken, werkte zelfs door tot een uur of acht, sloot het leeggelopen kantoor in hoogsteigen persoon af, kocht onderweg naar huis wat sushi, at het thuis op, dronk een biertje, zag de tweede helft van een wedstrijd van de Lakers, nam de nieuwe roman van Walter Mosley mee naar bed, sliep zeven uur, stond op en draaide dezelfde film weer van voren af aan af.

Ergens in het midden van die film kwam ik tot de slotsom dat alles op zijn pootjes terecht was gekomen, maar op hetzelfde moment kwam ik tot een ander besef.

Je bent helemaal alleen.

Natuurlijk, ik had mijn collega's op het werk en ja, om het weekend mocht ik mijn dochter zien, maar verder…

Wat…? Ik had geen gezin dat 's avonds op me wachtte en een andere man was nu de doordeweekse papa van mijn dochter. Hoewel mijn carrière weer op de rails stond, wist ik dat dit succes me slechts naar een volgend succes kon leiden, en dat dat succes me naar…

Ja, waar zou dát me brengen? Wat was mijn uiteindelijke bestemming?

Dat was een vraagteken. Je was jaren bezig om ergens te komen, en als je daar was gearriveerd – als alles meezit en je hebt gevonden waar je zo naar op zoek bent geweest – werd je opeens geconfronteerd met de vraag: wás je eigenlijk wel gearriveerd of bevond je je ergens op een tussenstation, stond je bij een halte, op weg naar een denkbeeldige bestemming die je niet meer voor je ziet op het moment dat het succes zich niet meer laat zien.

Hoe kun je een niet-bestaand eindstation bereiken?

Als er al iets was wat ik onderweg had geleerd, dan was het dit: we zijn allemaal op jacht naar zelfbevestiging, maar die kun je alleen krijgen van degenen die zo dom zijn om van je te houden of van wie jij bent gaan houden.

Zoals Martha.

De eerste maand dat ik weer werkte, heb ik elke dag een boodschap ingesproken en gemaild. Uiteindelijk kreeg ik door dat het geen enkele zin had en staakte ik mijn pogingen, hoewel ik constant aan haar dacht en een doffe, immer aanwezige pijn voelde die maar niet weg wilde gaan.

Op een vrijdag, zeker twee maanden nadat we elkaar voor het laatst hadden gezien, zat er een pakje in de post. Ik maakte het open en hield een rechthoekig voorwerp in mijn hand dat in cadeaupapier was verpakt, plus een envelop. Ik maakte de envelop open en las:

Allerliefste David,

Natuurlijk had ik moeten reageren op je telefoontjes en e-mails, maar ik ben hier in Chicago... samen met Philip. De belangrijkste reden dat ik hier met hem ben, is dat hij heeft gedaan wat ik hem heb gevraagd. Ik lees in de krant dat je volledig in ere bent hersteld. Nog een reden om hier te zijn, is dat ik, zoals je waarschijnlijk weet, de film produceer waarvan jij het scenario hebt geschreven. Ten derde zit ik hier omdat hij me heeft gesmeekt bij hem te blijven. Het klinkt vast heel raar dat meneer Twintig Miljard ooit om iets moet smeken, maar het is wel waar. Hij heeft me gevraagd hem nog een kans te geven en hij zei dat hij het niet zou kunnen verdragen mij en het kind te verliezen. 'Ik zal mijn leven beteren,' zei hij. Ja, ik weet het, dat zeg je onder die omstandigheden.

Waarom hij me dat heeft beloofd? Dat weet ik niet precies. Is hij veranderd? Tja, we praten weer met elkaar en delen het bed, wat al een hele verbetering is. Hij is behoorlijk enthousiast over zijn toekomstige vaderschap, hoewel de film nu even op de eerste plaats komt. Hoe het ook zij, het gaat redelijk goed. Ik weet niet wat de toekomst gaat brengen, of hij weer de introverte man van weleer wordt en of het dan wat mij betreft voorbij zal zijn.

Wat ik wel weet, is dat jij constant in mijn gedachten bent. Dat is heerlijk en triest tegelijk, maar wat kan ik eraan doen? Ik ben een heel emotioneel mens, getrouwd met iemand die dat helemaal niet is. En stel nou eens dat ik met jou verder was gegaan? Een emotionele vrouw met een dito man? Dat lukt nooit, al was het alleen maar omdat mensen zoals wij altijd datgene willen wat ze niet hebben. Als we het eenmaal hebben, wat dan?

Misschien heb ik daarom niet gereageerd op je telefoontjes en e-mails: het zou veel te emotioneel worden. Maar als de emoties zouden zijn bekoeld, wat dan? Had je dan naar me zitten kijken (zoals je volgens eigen zeggen met Sally hebt ervaren) en je afgevraagd: waarom eigenlijk? Of hadden we nog een lang en gelukkig leven gehad? Ach, het leven is één grote gok, die we maar al te graag wagen. De mens kan niet zonder conflicten, emoties en gevaar, hoewel we aan de andere kant die conflicten, emoties en gevaren vrezen. Niet weten wat je nou eigenlijk wilt, noem je dat.

Deels verlang ik naar je en deels ben ik bevreesd wat er dan met ons zou gebeuren, dus ik heb de beslissing genomen bij Philip te blijven en er het beste van te hopen. Mijn buik wordt almaar dikker en ik wil niet alleen zijn wanneer hij of zij zich aandient. Bovendien hield/hou ik nog van zijn/haar rare vader. Ik wou dat het jouw kind was, maar dat is het niet. Timing is alles in het leven en blijkbaar was het onze tijd niet, dus...

Nou ja, ik draaf door, maar ik hoop dat je me kunt volgen.

Hieronder een paar zinnetjes die onze favoriete dichteres over hetzelfde onderwerp heeft geschreven (zij het een beetje bondiger dan ondergetekende).

Dit is het uur van lood
Herinnerd, indien overleefd
Als bevroren mensen zich

De sneeuw herinneren
Eerst de koude
Dan gevoelloosheid
Dan het loslaten.

Ik hoop dat je kunt loslaten, David. Beloof me dat je niet gaat zitten piekeren. Denk nou maar niet aan wat had kúnnen zijn. Ga gewoon aan het werk.

Liefs, Martha

Ik volgde haar raad niet meteen op. Ik maakte het pakje open en staarde naar een eerste druk van de *Poems of Emily Dickinson*, in 1891 uitgegeven door uitgeverij Robert Brothers in Boston. Ik hield het boek in mijn hand en genoot van de compacte sierlijkheid, het gewicht en het aura van eeuwigheid, hoewel dit boek, net als alle andere stoffelijke zaken, ooit teloor zou gaan. Ik keek op en bestudeerde mijn spiegelbeeld in het donkere scherm van mijn laptop: een man van middelbare leeftijd, die in tegenstelling tot het boek dat hij in zijn hand hield, over honderd jaar niet meer zou bestaan.

Opeens moest ik ergens aan denken, aan een verzoek dat Caitlin voor me had, het weekend dat we samen waren. Toen ik haar op onze hotelkamer had ingestopt, vroeg ze of ik haar nog een verhaaltje wilde vertellen, om precies te zijn dat van de drie kleine biggetjes. Ze had er één voorwaarde aan verbonden. 'Pap? Kun je het vertellen zónder de boze wolf?'

Ik moest even nadenken hoe ik dat voor elkaar kon krijgen.

'Even kijken... Er was eens een huisje dat van stro was gemaakt, er was een huisje dat van takken was gemaakt en een huisje dat van stenen was gebouwd. En dan? Komt er een vereniging van eigenaren? Nee, schatje, zonder de boze wolf kan ik het niet vertellen.'

Waarom niet? Omdat elk verhaal iets van een crisis, een wending moet hebben. Jouw crisis, mijn crisis, die van de man tegenover je in de trein als je dit zit te lezen. Het gaat uiteindelijk om het verhaal, en alle verhalen gaan over een elementaire waarheid. Zonder keerpunten en crises is er geen leven: verdriet, verlangen, de kansen die je geboden worden, de angst te falen, het verlangen naar een leven dat we dénken te willen leiden, wanhoop. Op de een of andere manier denken we dat crises ons belangrijk maken, dat onze onbeduidendheid erdoor verdwijnt. Bovenal maken crises ons ervan bewust dat we, of we het nou leuk vinden of niet, altijd te maken hebben met de grote, boze wolf, met het gevaar dat op ons loert, het gevaar waar we onszelf aan blootstellen.

De vraag is wie of wat uiteindelijk het brein is dat onze crises bestuurt. Wie heeft de touwtjes in handen? Voor sommigen is dat God, voor anderen de regering of degene die je de schuld geeft van je ellende: je man, je moeder, je baas. Misschien, heel misschien, ben je het zelf.

Na alles wat me was overkomen, was dat de vraag waar ik mee zat. Natuurlijk, er was een kwade geest die me in zijn val had gelokt, me kapot had gemaakt en me weer in elkaar had gezet. Ja, ik wist hoe die man heette, maar... en het is een grote máár, was die man misschien ikzelf?

Ik wierp een blik op het beeldscherm en keek naar het silhouet van mijn gezicht tegen de donkere achtergrond. Wat een spookachtig beeld. Ik besefte dat vanaf het moment dat de mens voor het eerst zijn spiegelbeeld zag, hij zich had gepijnigd met de sombere vragen die we ons dag in, dag uit stellen: wie ben ik in dit geheel... en wat maakt het eigenlijk uit?

Noch in het verleden, noch in het heden heeft de mens daar een antwoord op gevonden, dus ik hield het maar op het volgende: hou je nou maar niet bezig met vragen die je onmogelijk kunt beantwoorden. Vergeet dat alles in feite futiel is en maak je geen voorstelling van wat had kúnnen zijn.

Wat moet je anders? Er is maar één remedie: aan het werk.